Guia de Bolso
para Assistência de
Enfermagem em Emergência

ENFERMAGEM Outros livros de interesse

A Enfermagem em Pediatria e Puericultura – **Edilza Maria**
Assistência de Enfermagem ao Paciente Gravemente Enfermo – **Nishide**
Atendimento Domiciliar - Um Enfoque Gerontológico – **Duarte e Diogo**
Boas Práticas de Enfermagem vol. 1 – Procedimentos Básicos – **Silva Siqueira**
Boas Práticas de Enfermagem vol. 2 – Procedimentos Especializados – **Silva Siqueira**
Condutas no Paciente Grave 3ª ed. (vol. I com CD e vol. II) – **Knobel**
Cuidando de Crianças e Adolescentes sob o Olhar da Ética e da Bioética – **Constantino**
Cuidando de Quem já Cuidou – Miram **Ikeda** Ribeiro
Discussão de Casos Clínicos e Cirúrgicos: Uma Importante Ferramenta para a Atuação do Enfermeiro – **Ana** Maria **Calil**
Enfermagem e Campos de Prática em Saúde Coletiva – **Iraci dos Santos**
Enfermagem em Cardiologia – **Cardoso**
Enfermaria Cardiológica – Ana Paula Quilici, André Moreira Bento, Fátima Gil Ferreira, Luiz Francisco **Cardoso**, Renato Scotti Bagnatori, Rita Simone Lopes Moreira e Sandra Cristine da Silva
Enfermagem em Endoscopia Respiratória e Digestiva – Maria das **Graças Silva**
Enfermagem em Infectologia – Cuidados com o Paciente Internado 2ª ed. – Maria Rosa Ceccato **Colombrini**
Enfermagem em Neurociências – **Diccini**
Enfermagem Psiquiátrica e de Saúde Mental na Prática – **Inaiá**
Guia de Bolso de Obstetrícia – Antônio Carlos Vieira **Cabral**
Guia de Bolso de UTI – Hélio **Penna Guimarães**
HAOC – Hospital Alemão Oswaldo Cruz – ***Relationship Based Care*** – Enfermagem

Manual de Procedimentos e Assistência de Enfermagem – **Mayor**
Manual de Socorro de Emergência 2ª ed. – **Canetti e Santos**
Nem só de Ciência se Faz a Cura 2ª ed. – **Protásio da Luz**
O Cotidiano da Prática de Enfermagem Pediátrica – **Peterline**
O Cuidado do Emocional em Saúde 3ª ed. – **Ana Cristina** de Sá
O Cuidar da Transformação - Orientações para a Abordagem Multidimensional em Saúde – Cilene Aparecida **Costardi** Ide
O Enfermeiro e as Situações de Emergência 2ª ed. – Ana Maria **Calil**
O Enfermeiro e o Cuidar Multidisciplinar na Saúde da Criança e do Adolescente – **Carvalho**
O Erro Humano e a Segurança do Paciente – **Peterline e Harada**
O Pós-operatório Imediato em Cirurgia Cardíaca - Guia para Intensivistas, Anestesiologistas e Enfermagem Especializada – **Fortuna**
O que Você Precisa Saber sobre o Sistema Único de Saúde – **APM-SUS**
Obstetrícia Básica – **Hermógenes**
Parada Cardiorrespiratória – **Hélio Penna Guimarães**
Politica Públicas de Saúde Interação dos Atores Sociais – **Lopes**
Por Dentro do SUS – **APM-SUS**
Ressuscitação Cardiopulmonar – **Hélio Penna Guimarães**
Saúde da cidadania – uma visão histórica e comparada do SUS – 2ª edição revista e ampliada – **Rodrigues e Santos**
Semiologia e Semiotécnica de Enfermagem – **Belén**
Sepse para Enfermeiros – Renata Andrea **Pietro** Pereira Viana
Série Atualização em Enfermagem – **Iraci**
Vol. 1 – Enfermagem Fundamental – Realidade, Questões, Soluções
Vol. 2 - Enfermagem Assistencial no Ambiente Hospitalar - Realidades, Questões e Soluções
Vol. 3 - Prática da Pesquisa em Ciências Humanas e Sociais - Abordagem Sociopoética
Vol. 4 - Enfermagem Materno-Infantil
Tecnologia da Informação e Comunicação na Enfermagem – Claudia **Prado**, Heloísa Helena Ciqueira **Peres** e Maria Madalena Januário Leite
Técnologia e o Cuidar de Enfermagem em Terapias – **Iraci dos Santos**
Terapia Intensiva – Enfermagem – **Knobel**

Guia de Bolso para Assistência de Enfermagem em Emergência

Cássia Regina Vancini Campanharo

Gabriella Novelli Oliveira

Maria Carolina Barbosa Teixeira Lopes

Meiry Fernanda Pinto Okuno

Ruth Ester Assayag Batista

EDITORA ATHENEU

São Paulo — *Rua Jesuíno Pascoal, 30*
Tel.: (11) 2858-8750
Fax: (11) 2858-8766
E-mail: atheneu@atheneu.com.br

Rio de Janeiro — *Rua Bambina, 74*
Tel.: (21)3094-1295
Fax: (21)3094-1284
E-mail: atheneu@atheneu.com.br

Belo Horizonte — *Rua Domingos Vieira, 319 — conj. 1.104*

Planejamento Gráfico/Diagramação: Triall Composição Editorial Ltda.

Produção Editorial/Capa: Equipe Atheneu

CIP-BRASIL. CATALOGAÇÃO NA PUBLICAÇÃO
SINDICATO NACIONAL DOS EDITORES DE LIVROS, RJ

G971

Guia de bolso para assistência de enfermagem em emergência / Cássia Regina Vancini Campanharo ... [et al.]. - 1. ed. - Rio de Janeiro : Atheneu, 2017.
il. ; 18 cm.

Inclui bibliografia
ISBN 978-85-388-0744-5

1. Enfermagem de emergência. I. Campanharo, Cássia Regina Vancini. II. Título.

16-36105 CDD: 610.736
CDU: 616-083.98

09/09/2016 13/09/2016

CAMPANHARO, C. R. V.; OLIVEIRA, G. N.; LOPES, M.C.B.T.; OKUNO, M. F. P.; BATISTA, R. E. A.
Guia de Bolso para Assistência de Enfermagem em Emergência

Sobre as Editoras

Cássia Regina Vancini Campanharo

Doutora em Ciências pela Universidade Federal de São Paulo (Unifesp). Enfermeira da Escola Paulista de Enfermagem da Universidade Federal de São Paulo (EPE-Unifesp).

Gabriella Novelli Oliveira

Mestre em Ciências pela Universidade Federal de São Paulo (Unifesp). Enfermeira do Hospital Universitário da Universidade de São Paulo (HU-USP).

Maria Carolina Barbosa Teixeira Lopes

Mestre em Ciências pela Universidade Federal de São Paulo (Unifesp). Enfermeira da Escola Paulista de Enfermagem da Universidade Federal de São Paulo (EPE-Unifesp).

Meiry Fernanda Pinto Okuno

Doutora em Ciências pela Universidade Federal de São Paulo (Unifesp). Enfermeira da Escola Paulista de Enfermagem da Universidade Federal de São Paulo (EPE-Unifesp).

Ruth Ester Assayag Batista

Doutora em Ciências pela Universidade Federal de São Paulo (Unifesp). Professora Adjunta da Escola Paulista de Enfermagem da Universidade Federal de São Paulo (EPE-Unifesp).

Sobre os Colaboradores

Aline Rosalles Bezerra

Especialista em Pronto-socorro e em Doação, Captação e Transplante de Órgãos e Tecidos. Enfermeira do Hospital das Clínicas da Faculdade de Medicina da Universidade de São Paulo (HC-FMUSP).

Ana Flávia Pereira Coutinho

Especialista em Cardiopneumologia de Alta Complexidade pela Escola de Enfermagem da Universidade de São Paulo (EEUSP). Enfermeira do Hospital Nove de Julho (H9J).

Bianca Campos Teixeira Moniz Frango

Especialista em Enfermagem em Urgência e Emergência pela Universidade Federal de São Paulo (Unifesp). Enfermeira do Hospital Nove de Julho (H9J).

Bruna Tirapelli

Mestre em Ciências pela Universidade Federal de São Paulo (Unifesp). Enfermeira Pesquisadora do AC Camargo Cancer Center.

Cássia Regina Vancini Campanharo

Doutora em Ciências pela Universidade Federal de São Paulo (Unifesp). Enfermeira da Escola Paulista de Enfermagem da Universidade Federal de São Paulo (EPE-Unifesp).

Cibelli Rizzo Cohrs

Mestre em Ciências pela Universidade Federal de São Paulo (Unifesp). Enfermeira da Escola Paulista de Enfermagem da Universidade Federal de São Paulo (EPE- Unifesp).

Fernanda Ayache Nishi

Mestre em Ciência da Saúde pela Escola de Enfermagem da Universidade de São Paulo (EEUSP). Enfermeira do Hospital Universitário da Universidade de São Paulo (HU-USP).

Flávia Lie Maeshiro

Especialista em Enfermagem em Urgência e Emergência pela Universidade Federal de São Paulo (Unifesp). Enfermeira do Hospital Israelita Albert Einstein (HIAE).

Flavia Westphal

Mestre em Ciências pela Universidade Federal de São Paulo (Unifesp). Enfermeira da Escola Paulista de Enfermagem da Universidade Federal de São Paulo (EPE-Unifesp).

Gabriella Novelli Oliveira

Mestre em Ciências pela Universidade Federal de São Paulo (Unifesp). Enfermeira do Hospital Universitário da Universidade de São Paulo (HU-USP).

Guilherme dos Santos Zimmermann

Especialista em Enfermagem em Cuidados Intensivos de Adultos pela Universidade Federal de São Paulo (Unifesp). Enfermeiro do Hospital Alemão Oswaldo Cruz (HAOC).

Isabella Cristina Barduchi Ohl

Especialista em Enfermagem em Urgência e Emergência pela Universidade Federal de São Paulo (Unifesp). Enfermeira do Hospital Nove de Julho (H9J).

Iveth Yamaguchi Whitaker

Doutora em Enfermagem pela Universidade de São Paulo (USP). Professora Associada da Escola Paulista de Enfermagem da Universidade Federal de São Paulo (EPE-Unifesp).

Julio Cesar de Oliveira Mattos

Especialista em Enfermagem em Saúde Mental pela Universidade Federal de São Paulo (Unifesp). Enfermeiro do Centro de Atenção Psicossocial do Mandaqui.

Luana Régia de Oliveira Calegari Mota

Especialista em Enfermagem em Urgência e Emergência pela Universidade Federal de São Paulo (Unifesp). Enfermeira do Hospital São Paulo (HSP) e do Hospital do Rim e Hipertensão.

Luciane Cristina Rodrigues Fernandes

Mestre em Ciências pela Universidade Estadual de Campinas (Unicamp). Enfermeira da Faculdade de Ciências Médicas da Universidade Estadual de Campinas (Unicamp).

Luiz Felipe Sales Maurício

Especialista em Enfermagem em Urgência e Emergência pela Universidade Federal de São Paulo (Unifesp). Enfermeiro do Hospital Nove de Julho (H9J).

Maria Carolina Barbosa Teixeira Lopes

Mestre em Ciências pela Universidade Federal de São Paulo (Unifesp). Enfermeira da Escola Paulista de Enfermagem da Universidade Federal de São Paulo (EPE-Unifesp).

Maria Cristina Mazzaia

Doutora em Saúde Pública pela Faculdade de Saúde Pública da Universidade de São Paulo (FSPUSP). Professora Adjunta da Escola Paulista de Enfermagem da Universidade Federal de São Paulo (EPE-Unifesp).

Meiry Fernanda Pinto Okuno

Doutora em Ciências pela Universidade Federal de São Paulo (Unifesp). Enfermeira da Escola Paulista de Enfermagem da Universidade Federal de São Paulo (EPE-Unifesp).

Michele Costa Yoshimoto

Especialista em Enfermagem em Urgência e Emergência pela Universidade Federal de São Paulo (Unifesp). Instrutora do Centro de Ensino, Treinamento e Simulação do Hospital do Coração (CETES-HCor).

Monica Isabelle Lopes Oscalices

Especialista em Enfermagem Cardiovascular pelo Instituto Dante Pazzanese de Cardiologia (IDPC). Enfermeira IDPC.

Natália dos Santos Santana

Especialista em Enfermagem em Urgência e Emergência pela Universidade Federal de São Paulo (Unifesp). Enfermeira do Hospital São Paulo (HSP).

Patrícia de Souza Melo

Especialista em Enfermagem Obstétrica e Obstetrícia Social pela Universidade Federal de São Paulo (Unifesp). Enfermeira da Escola Paulista de Enfermagem da Universidade Federal de São Paulo (EPE-Unifesp).

Renata Maria de Oliveira Botelho

Especialista em Enfermagem em Urgência e Emergência pela Universidade Federal de São Paulo (Unifesp). Professora da Faculdade Integrado.

Rosali Isabel Barduchi Ohl

Doutora em Enfermagem pela Escola de Enfermagem da Universidade de São Paulo (EEUSP). Professora Adjunta da Escola Paulista de Enfermagem da Universidade Federal de São Paulo (EPE-Unifesp).

Ruth Ester Assayag Batista

Doutora em Ciências pela Universidade Federal de São Paulo (Unifesp). Professora Adjunta da Escola Paulista de Enfermagem da Universidade Federal de São Paulo (EPE-Unifesp).

Satomi Mori Hasegawa

Mestre em Ciências pela Universidade Federal de São Paulo (Unifesp). Enfermeira da Escola Paulista de Enfermagem da Universidade Federal de São Paulo (EPE-Unifesp).

Suely Sueko Viski Zanei

Doutora em Enfermagem pela Universidade de São Paulo (USP). Professora Adjunta da Escola Paulista de Enfermagem da Universidade Federal de São Paulo (EPE-Unifesp).

Taís Couto Rego da Paixão

Especialista em Enfermagem em Urgência e Emergência pela Universidade Federal de São Paulo (Unifesp). Enfermeira do Hospital Israelita Albert Einstein (HIAE).

Wesley Cajaíba Santos

Especialista em Enfermagem em Urgência e Emergência pela Universidade Federal de São Paulo (Unifesp). Enfermeiro do Conjunto Hospitalar do Mandaqui.

Dedicatória

A todos os alunos e profissionais que atuam nos Serviços de Emergência e que contribuem, com comprometimento e entusiasmo, para a assistência mais digna e de qualidade à população.

Agradecimentos

Aos nossos familiares e amigos, que dão significado as nossas vidas.

A todos os pacientes, que nos ensinam a nunca desistir e nos motivam diariamente para uma assistência de enfermagem mais segura.

Apresentação

Este guia de enfermagem em emergência destina-se aos profissionais de enfermagem que atuam nos Serviços de Emergência, onde é necessário identificação rápida dos problemas apresentados pelos pacientes e o estabelecimento de intervenções imediatas para as situações de risco de morte. Essas condições exigem que os profissionais tenham conhecimento atualizado e prontidão.

Foram incluídas neste guia as situações mais frequentes no cotidiano da assistência de emergência, apresentando-se os conteúdos de forma objetiva, resumida e atualizada, facilitando a consulta rápida durante o atendimento aos pacientes.

Para a elaboração deste guia, contou-se com a colaboração de enfermeiros que atuam nos Serviços de Emergência e especialistas de diversas áreas.

Esperamos que este guia possa subsidiar as ações de enfermagem para um cuidado seguro, de qualidade e baseado em evidências científicas.

As editoras

Prefácio

Ao ser convidada para prefaciar este livro, considerei a oportunidade estimulante e uma chance de compartilhar a experiência de 25 anos de atuação em unidade de urgência e emergência, cujo papel é fundamental no tratamento inicial do paciente grave por concentrar etapas fundamentais que podem determinar o desfecho da situação clínica desse doente. Saliento que essas unidades, quando contam com equipes qualificadas, tanto na gestão quanto na atenção, tendem a ofertar uma melhor qualidade assistencial aos pacientes agudos e aos seus familiares.

A enfermagem tem se destacado, nesses serviços, não apenas pelo aumento do número de profissionais atuantes em suas portas mas também pela incorporação de novas tecnologias no processo de cuidar, fundamentando a sua prática no trabalho interdisciplinar, a fim de qualificar cada vez mais a assistência.

Acredito que esta obra tem por objetivo sistematizar a conduta da enfermagem, visando diminuir a indesejada variação da práxis cotidiana e assim melhorar o atendimento ao paciente, além de auxiliar no aprimoramento do desempenho profissional, superando as barreiras técnico-científicas, socioculturais e políticas que podem interferir no trabalho, fornecendo informações precisas e práticas fundamentadas em evidência e levando em consideração a realidade de cada hospital.

Trata-se de um manual de fácil consulta, que fornece informações sobre a avaliação inicial e identificação dos cuidados necessários à assistência do paciente crítico na unidade de emergência, de maneira rápida e completa.

Organizar uma obra de tamanha importância e magnitude, que atenda tanto às necessidades do paciente – num cenário de múltiplas possibilidades e extrema instabilidade como é a urgência e emergência – quanto à formação e atualização de trabalhadores para a área de saúde, buscando melhoria da qualidade do cuidado, é um grande desafio.

Este material é o resultado do esforço de vários profissionais atuantes nos diferentes contextos da urgência e emergência; ao longo dos 23 capítulos, a obra apresenta uma ampla visão ao leitor daquilo que é prioritário no atendimento ao paciente crítico que busca esse serviço. Este guia certamente se tornará referência obrigatória nas atividades de ensino e de atualização sobre as emergências e urgências.

Enfa. Ms. Valterli Conceição Sanches Gonçalves

Sumário

capítulo 1

Fernanda Ayache Nishi
Gabriella Novelli Oliveira

Sistemas de Classificação de Risco

INTRODUÇÃO

A superlotação é um dos problemas enfrentados pelos serviços de emergência em todo o mundo, tendo como uma das suas causas o aumento da demanda observado nas últimas décadas. Essa demanda crescente pode ser atribuída à dificuldade de acesso à rede de saúde, ao avanço da prevalência de doenças crônicas decorrentes do aumento da expectativa de vida e ao crescimento do número de acidentes e violência urbana.[1,2]

Uma das consequências do serviço de emergência superlotado é a necessidade de identificar entre os pacientes quais precisam de tratamento imediato, pois o tempo entre a avaliação médica e o tratamento altera o prognóstico do paciente. Sepse, infarto do miocárdio e acidente vascular cerebral são exemplos de alguns agravos que a avaliação e intervenção médica precoces são de suma importância.[3]

Durante a década de 90, as escalas de classificação de risco foram aprimoradas e adotadas em hospitais de diversos países como uma ferramenta para identificar pacientes que precisavam ser atendidos, a partir de sua gravidade, no menor intervalo de tempo possível.[4] A princípio, alguns desses protocolos classificavam os pacientes em apenas três níveis de prioridade; no entanto, estudos evidenciaram que as escalas com cinco níveis de prioridade apresentam maior acurácia na avaliação do paciente quanto ao grau de gravidade. Portanto, as escalas consideradas como padrão-ouro em medicina de emergência são as que classificam os pacientes em cinco níveis de prioridade, pois estratificam o risco com maior validade, confiabilidade e fidedignidade na avaliação do estado do paciente.[5,6]

A triagem nos serviços de urgência e emergência pode ser entendida hoje como um processo de gestão de risco clínico que permite manejar de forma adequada e segura os fluxos de atendimento do serviço de emergência, quando a demanda e as necessidades clínicas superam os recursos disponíveis.[7]

PROTOCOLOS DE CLASSIFICAÇÃO DE RISCO

A classificação de risco é um sistema de triagem baseado em protocolos bem definidos e preestabelecidos que determina um tempo de espera seguro para cada paciente que chega à instituição até que esse receba o atendimento médico inicial. Trata-se de uma ferramenta que, além de organizar a fila de espera e propor outra ordem de atendimento que não a ordem de chegada, tem também outros objetivos importantes, como: garantir o atendimento imediato do usuário com grau de risco elevado; informar ao paciente que não corre risco imediato sobre o tempo provável de espera; promover o trabalho em equipe; aumentar a satisfação do usuário e possibilitar a pactuação e a construção de redes internas e externas de atendimento.[8]

As escalas ou protocolos mais utilizados e reconhecidos internacionalmente são: *Emergency Severity Index* (ESI), *Australasian Triage Scale* (ATS), *Canadian Triage Acuity Scale* (CTAS) e o *Manchester Triage System* (MTS).[4,5] De modo geral, as escalas buscam atribuir um tempo de espera seguro para os pacientes aguardarem a avaliação e o tratamento médico.[9]

MANCHESTER TRIAGE SYSTEM (MTS)

A escala foi criada em 1994 pelo grupo de Manchester com o objetivo de formar uma concordância entre médicos e enfermeiros para estabelecer um padrão de triagem no Reino Unido[10] (Tabela 1.1). O protocolo mais utilizado no Brasil hoje é o de Manchester, presente em 16 dos 26 estados brasileiros e no Distrito Federal.[15]

Tabela 1.1 ***Manchester Triage System.***

Número	Nome	Cor	Tempo-alvo (minutos)
1	Emergência	Vermelho	0
2	Muita urgência	Laranja	10
3	Urgência	Amarelo	60
4	Pouca urgência	Verde	120
5	Não urgente	Azul	240

Fonte: Grupo Brasileiro de Classificação de Risco, 2010.[10]

O MTS é composto por 52 fluxogramas distintos que direcionam o enfermeiro no processo de decisão da triagem. A partir da queixa principal pela qual o paciente procurou o serviço de emergência, o enfermeiro deve escolher um dos 52 fluxogramas. Seguindo o fluxograma escolhido, o enfermeiro classifica o grau de risco do paciente após uma breve avaliação e parâmetros clínicos, que irão variar conforme o fluxograma escolhido.[10,11]

CANADIAN TRIAGE ACUITY SCALE (CTAS)

The Canadian Triage Acuity Scale (CTAS) é utilizada nos serviços de emergência em todo o Canadá desde a sua formação em 1997, tendo como finalidade a classificação dos pacientes de acordo com a gravidade de sinais e sintomas apresentados (Tabela 1.2). A avaliação é focada na queixa principal e em dados, como: descrição da dor, avaliação de sinais vitais, aparência física e resposta emocional, além de história de uso de medicações e alergia. O processo de classificação deve durar de 2 a 5 minutos.[12]

Tabela 1.2 ***Canadian Triage Acuity Scale.***

Categoria	Tempo-alvo para avaliação médica	Descrição da categoria
Nível 1	Imediato	**Ressuscitação:** risco iminente de deterioração das funções vitais
Nível 2	Até 15 minutos	**Emergência:** condição que ameaça a vida e requer intervenção rápida
Nível 3	Até 30 minutos	**Urgente:** condição potencial de evolução para sérias complicações
Nível 4	Até 60 minutos	**Pouco urgente:** condição potencial de evolução para complicação ou relacionada à idade do paciente
Nível 5	Até 120 minutos	**Não urgente:** condição aguda ou crônica que não apresenta risco para deterioração das funções vitais

Fonte: *Canadian Association of Emergency Physicians* (CAEP), 2008.[12]

AUSTRALASIAN TRIAGE SCALE (ATS)

Utilizada nos Serviços de Urgência e Emergência da Austrália desde 1994 e depois ampliada para a Nova Zelândia. A avaliação (Tabela 1.3) envolve uma combinação entre a queixa e a aparência geral do paciente e pode incluir a observação de padrões fisiológicos pertinentes. Assim como no protocolo canadense, a avaliação deve ser breve, com 2 a 5 minutos de duração.[13]

EMERGENCY SEVERITY INDEX (ESI)

Utilizada nos EUA desde sua criação, em 1998, pelos médicos Richard Wuerz e David Eitel, que acreditavam que o papel principal do serviço de triagem era promover a priorização de pacientes com base na urgência do tratamento (Figura 1.1). O foco da escala está na triagem rápida classificando em cinco grupos diferentes. Caso o paciente não atenda aos critérios ESI 1 e ESI 2

Tabela 1.3 ***Australasian Triage Scale.***

Categoria	Atendimento médico	Descrição da categoria
Categoria 1	Imediato	Risco imediato de vida
Categoria 2	< 10 minutos	Risco iminente à vida ou exigência de tratamento imediato
Categoria 3	30 minutos	Potencial ameaça à vida/urgência
Categoria 4	60 minutos	Situação de potencial urgência ou de complicações/gravidade importante
Categoria 5	120 minutos	Menos urgente ou problemas clínicos administrativos

Fonte: *Australasian College Emergency Medicine* (ACEM), 2013.[13]

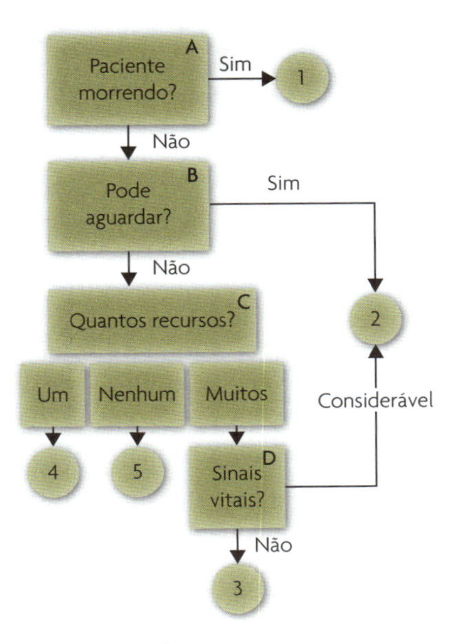

Figura 1.1 *Emergency Severity Index.*

(maior gravidade), a enfermeira segue a avaliação e analisa a quantidade de recursos que possivelmente o paciente vai precisar, determinando a classificação na escala em ESI 3, ESI 4 ou ESI 5. Alguns dos recursos considerados pela escala são: exames laboratoriais (sangue, urina), exames de imagem (tomografia, ultrassom), medicação intravenosa, medicação intramuscular, medicação inalatória e consulta com médico especialista.[9]

Embora guardem algumas semelhanças de conceitos, os protocolos de classificação de risco utilizados nos diferentes países possuem características específicas que os diferenciam. Essas características são apresentadas de forma sintetizada na Tabela 1.4.

Tabela 1.4 Principais características das escalas internacionais.

Parâmetros	*Australasian Triage Scale*	*Manchester Triage System*	*Canadian Triage Acuity Scale*	*Emergency Severity Index*
Tempo para entrar em contato com o médico	Imediato/10/30/60/120 min	Imediato/10/60/120/240 min	Imediato/15/30/60/120 min	Imediato/10 min/não especificado
Retriagem	Não especificado	É requerida	I:constante; II:15 min; III: 30 min; IV: 60 min; V: 120 min	É requerida
Escala de dor	Escala de quatro pontos	Escala de três pontos; essencial fator na triagem	Escala de dez pontos	Escala visual analógica (10 pontos); se escore > 7/10, Considere a alocação ESI 2

(continua)

Tabela 1.4 Principais características das escalas internacionais. (continuação)

Parâmetros	*Australasian Triage Scale*	*Manchester Triage System*	*Canadian Triage Acuity Scale*	*Emergency Severity Index*
Casos pediátricos	Não especificado, mas reconhecido como fator importante	Considerado	Versão especial da escala usado para crianças	Leva em consideração os sinais vitais, para diferenciar entre ESI 2 e ESI 3; febre critério para crianças < 24 meses
Lista de diagnósticos ou sintomas chaves	Sim	Utiliza 52 principais sintomas	Sim	Não usado explicitamente
Implementação e material de treinamento	Limitado	Sim	Sim	Sim

Fonte: Dtsch Arztebl Int 2010;107(50): 892-8.

CLASSIFICAÇÃO DE RISCO NO BRASIL

Em 2004, o Ministério da Saúde lançou no Brasil o Programa QualiSUS e a Política Nacional de Humanização (PNH), denominada HumanizaSUS, e um dos seu pilares foi o acolhimento com avaliação e classificação de risco como uma das ferramentas decisivas na reorganização da saúde em rede. A partir da política do Ministério da Saúde, o termo triagem foi substituído por "acolhimento com avaliação e classificação de risco".[8,14]

Nesse contexto, a classificação de risco é um processo decisivo de identificação dos pacientes que precisam de tratamento imediato diante do grau de agravos à saúde embasado em protocolo preestabelecido, e o profissional deve ter nível superior. O enfermeiro é o profissional que tem sido escolhido pelas instituições hospitalares[8,15] (Tabela 1.5). A realização da classificação de risco isoladamente não garante melhoria na qualidade da assistência. É necessário construir pactuações internas e externas para viabilização do processo, com a construção de fluxos claros por grau de risco.[8]

Tabela 1.5 Escala proposta pelo Ministério da Saúde.

Vermelho	Emergência – atendimento imediato	Prioridade zero
Amarelo	Urgência – atendimento o mais rápido possível	Prioridade 1
Verde	Prioridade não urgente	Prioridade 2
Azul	Consultadas de baixa complexidade atendimento de acordo com o horário de chegada	Prioridade 3

Fonte: Ministério da Saúde, 2004.

REFERÊNCIAS BIBLIOGRÁFICAS

1. O'Dwyer GO, Oliveira SP, Seta M. Avaliação dos serviços hospitalares de emergência do programa QualiSUS. Ciência & Saúde Coletiva. 2009;14(5):1881-90.
2. Ministério da Saúde. política nacional de atenção às urgências. Brasília, DF: O Ministério; 2003.
3. Schuetz, et al. Optimizing triage and hospitalization in adult general medical emergency patients: the triage project. BMC Emergency Medicine. 2013;13(12):2-11.
4. Farrohknia N, Castrén M, Ehrenberg A, Lind L, Oredsson S, Jonsson H, et al. Emergency Department Triage Scales and Their Components: A Systematic Review of the Scientific Evidence. Scandinavian Journal of Trauma, Resuscitation and Emergency Medicine. 2011;19(42):2-13.

5. Christ M, Grossmann F, Winter D, Bingisser R, Platz E. Modern Triage in the Emergency Department. Deutsches Ärzteblatt International | Dtsch Arztebl Int. 2010;107(50):892-8.
6. Tanabe P, Gimbel R, Yarnold PR, Adams JG. The Emergency Severity Index (version3)5-level triage system scores predict ED resource consumption. J Emerg Nurs. 2004;30(1):22-9.
7. Soler W, Gomez MM, Bragulat E, Avarez A. El triaje: herramienta fundamental en urgencias y emergencias. Anales Sis San Navarra. 2010. p. 55-68.
8. Ministério da Saúde. Humaniza SUS – acolhimento e classificação de risco nos serviços de urgência. Série B. Textos Básicos de Saúde. Brasília, DF: O Ministério, 2009.
9. Gilboy N, Tanabe P, Travers DA, Rosenau AM, Eitel DR. Emergency Severity Index, Version 4: Implementation Handbook 2012 edition. AHRQ Publication nº 05-0046-2. Rockville, MD: Agency for Healthcare Research and Quality. November 2011.
10. Mackway-Jones K, Marsden J, Windle J. Sistema Manchester de Classificação de Risco – Classificação de Risco na Urgência e Emergência. 2 ed. Belo Horizonte: Grupo Brasileiro de Classificação de Risco; 2010.
11. Grouse AI, Bishop RO, Bannon AM. The Manchester Triage System provides good reliability in an Australian emergency department. Emerg Med J. 2009;26(7):484-6.
12. Canadian Association of Emergency Physicians. Implementation Guidelines. [Acessado em 05 de maio de 2015]. Disponível em: http://caep.ca/resources/ctas/implementation-guidelines#goals-of-triage
13. Australasian College for Emergency Medicine. Guidelines on the Implementation of the ATS in Emergency Departments. [Acessado em 05 de maio de 2015]. Disponível em: http://www.acem.org.au.
14. Ministério da Saúde. Humaniza SUS – Acolhimento com classificação de risco: um paradigma ético-estético no fazer em saúde. Brasília, DF: O Ministério da Saúde; 2004.
15. Souza CC, Araújo FA, Chianca TCM. Produção científica sobre a validade e confiabilidade do Protocolo de Manchester: revisão integrativa da literatura. Rev Esc Enferm USP. 2015;49(1):144-51.

capítulo 2

Tais Couto Rego da Paixão

Vias Aéreas e Oxigenoterapia na Emergência

CONCEITO

A via aérea e a respiração são componentes da avaliação no atendimento emergencial, por isso a importância do manejo correto da via aérea e da efetiva ventilação na condução do paciente grave. O objetivo deste capítulo é, portanto, discorrer sobre o manejo da via aérea o manejo das vias aéreas e a realização de ventilação e oxigenação efetivas.[1]

O claro entendimento da anatomia da via aérea superior é essencial para o correto manejo dos dispositivos artificiais da via aérea, pois estes são produzidos para o uso em diferentes locais e possuem estruturas que se alojam em determinadas localidades anatômicas (Figura 2.1).[2]

ATENDIMENTO INICIAL[1,2]

A avaliação inicial realizada sobre a via aérea e a ventilação do paciente tem dois principais objetivos:

1. Verificar se a via aérea está pérvia, e se o paciente consegue proteger e manter a via aérea permeável.
2. Verificar presença e adequação da respiração.

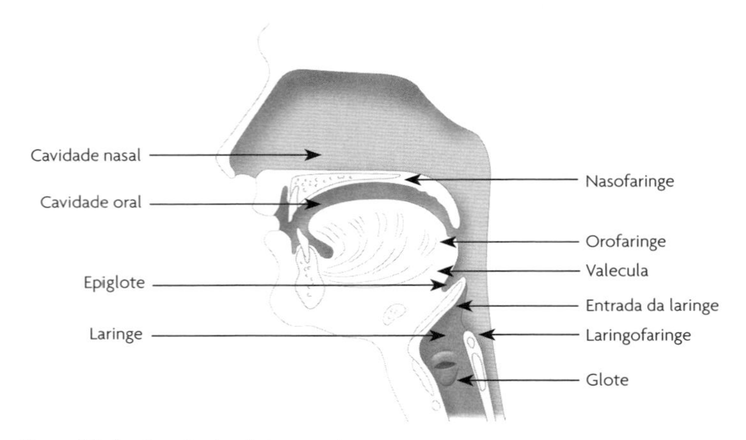

Figura 2.1 Anatomia via aérea superior.
Fonte: Modificada de: http://dx.doi.org/10.1017/CBO9780511544811.004

Para isso, o enfermeiro deve utilizar da propedêutica clínica seguindo ordem estabelecida: inspeção, palpação, ausculta e percussão.

Na inspeção, observe a presença de corpo estranho, fluidos ou estruturas anatômicas deslocadas de sua posição normal que impeçam a passagem adequada do ar. Analise também a expansibilidade torácica, pois a presença de assimetria é indicativa de anormalidade.

Além disso, esse é o momento de observar a fala do paciente, pois fala normal é indicativa de via aérea pérvia; porém, a presença de estridor inspiratório é associado à obstrução parcial de via aérea superior ao nível da laringe, e o estridor expiratório é associado à obstrução parcial da traqueia; já o ronco indica, na maioria das vezes, obstrução parcial da via aérea superior ao nível da faringe e a rouquidão ao nível da laringe. É importante ressaltar que a obstrução da laringe pode ocorrer após a inalação de produtos agressivos à mucosa laríngea e à inalação de ar quente levando à lesão por queimadura; esses casos devem ser avaliados com rigor, pois a via aérea pode evoluir em processo inflamatório com edema levando à obstrução total da via aérea. A afonia em pacientes conscientes é um sinal preocupante, pois representa um possível colapso da respiração espontânea.

O próximo passo é realizar a palpação da face e da mandíbula, à procura de descontinuidade da integridade, e a inspeção da face anterior do pescoço, à procura de ferimentos penetrantes, pois esses ferimentos podem causar obstrução parcial ou total da via aérea. A presença de enfisema subcutâneo à palpação indica lesão de via aérea ou pulmonar.

A ausculta deve detectar a presença de murmúrios vesiculares em todos os lobos pulmonares e na mesma intensidade. A presença de abolição dos sons respiratórios pode indicar pneumotórax, hemotórax ou derrame pleural; já a presença de sibilos indica obstrução parcial de via aérea inferior, e o estertor indica a presença de líquidos pulmonares, como em edema agudo de pulmão.

A percussão auxilia o resultado encontrado na ausculta à medida que, ao deparar-se com presença de sons timpânicos em região com ausculta negativa, pode-se pensar em pneumotórax; já no hemotórax ou na presença de massas tem-se a presença de sons maciços.

AÇÕES DE ENFERMAGEM[1-4]

Na presença de alguma anormalidade encontrada durante a avaliação primária, o enfermeiro deve atuar diante de cada problema apresentado pelo paciente. Portanto, assegurar que o paciente apresente e mantenha a via aérea aberta é essencial para que ocorra ventilação adequada.

O paciente consciente e sem alteração anatômica traumática apresenta e mantém a via aérea aberta devido à presença de reflexos neurológicos que o protegem da aspiração como, por exemplo, a tosse. No entanto, em pacientes inconscientes e severamente críticos ocorrem dois processos: eles perdem o reflexo de proteção e perdem o tônus da musculatura que sustenta a língua e a epiglote, tornando-se, assim, incapazes de manter via aérea pérvia com aumento do risco de aspiração.

Nesses casos, a abertura de via aérea superior pelo profissional é eficaz para a manutenção da permeabilidade e adequada ventilação; para isso, contamos com duas manobras: manobra de inclinação da cabeça e elevação do queixo (Figura 2.2) e manobra de *jaw thrust*, sem inclinação da cabeça (Figura 2.3); esta segunda deve ser realizada em pacientes com suspeita de trauma cervical, pois a elevação da mandíbula é feita sem movimentação cervical.

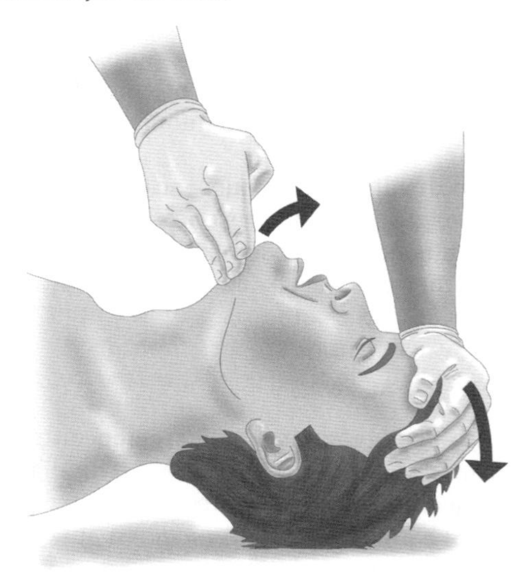

Figura 2.2 Manobra de elevação da cabeça e inclinação do queixo.
Fonte: Modificada de: http//www.bombeirosemergencia.com.br/analiseprimaria.html

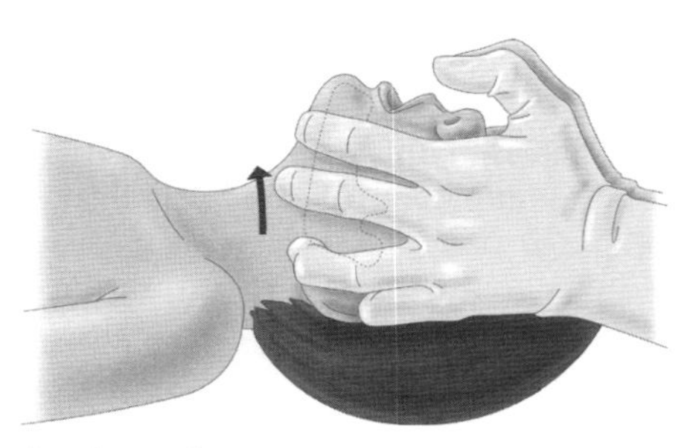

Figura 2.3 Manobra de *jaw thrust*.
Fonte: Modificada de: www.bibliomed.com.br/bibliomed/bmbooks/pediat/livro3/fig32-04.htm

USO DE DISPOSITIVOS DE VIA AÉREA NÃO AVANÇADA E AVANÇADA

Vários dispositivos artificiais foram desenvolvidos para abrir e manter a via aérea aberta e pérvia.

Cânula orofaríngea[1,2]

A cânula orofaríngea é um dispositivo curvado que tem como objetivo manter a língua distante da parte posterior da parede da faringe enquanto promove uma passagem para o oxigênio e abertura para realização de sucção. Ela é indicada para pacientes conscientes, mas que não apresentam de maneira adequada os reflexos de proteção à aspiração.

A cânula orofaríngea apresenta diversos tamanhos e sua correta escolha é necessária para seu uso adequado. A medição é feita posicionando seu início no canto da boca e seu final deve chegar e não ultrapassar a curvatura da mandíbula.

Para inseri-la, deve-se iniciar o procedimento com sua curvatura para baixo, pois, conforme a cânula entra na cavidade oral, ela empurra a língua para a região inferior da boca; após inserção da metade do dispositivo, realize uma rotação de 180° e termine de inseri-la (Figura 2.4).[5]

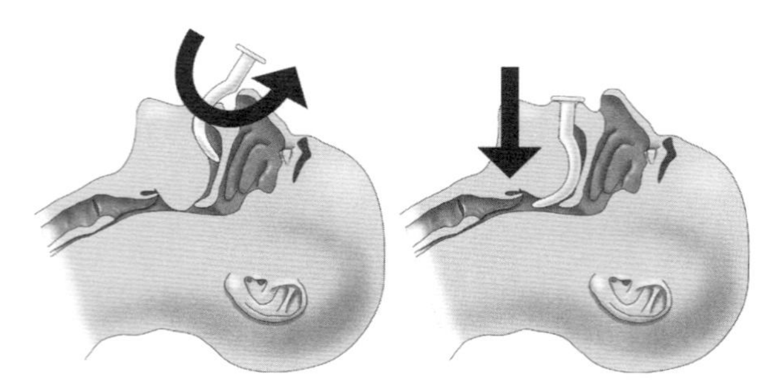

Figura 2.4 Inserção de cânula orofaríngea.
Fonte: Modificada de: http://www.scielo.br/scielo.php?script=sci_arttext&pid=S0066-782X2013003600001#fig26

Máscara laríngea[1,2]

A máscara laríngea (Figura 2.5) é composta por um tubo com um *cuff* acoplado ao seu final e é considerada um dispositivo de via aérea avançado aceito como alternativa para o tubo endotraqueal. Na sua correta inserção, ela fecha a entrada da laringofaringe impedindo o retorno gástrico e deixa posicionada na sua abertura a glote; assim, a regurgitação e a aspiração são menos prováveis.

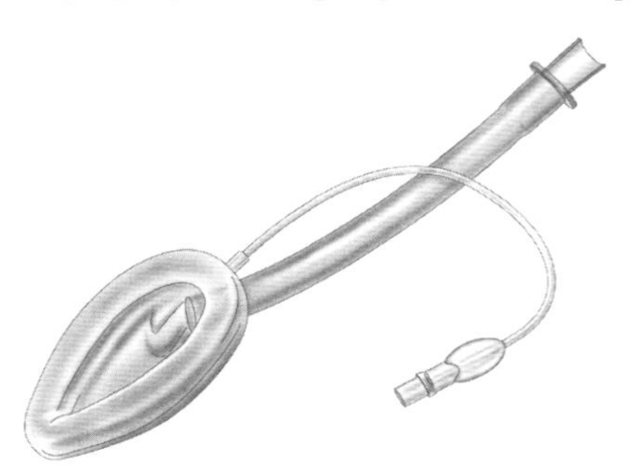

Figura 2.5 Máscara laríngea.
Fonte: Modificada de: http://parana.all.biz/lma-unique-mscara-larngea-g69747#.VUpBHvlViko

Como a inserção da máscara laríngea não necessita de laringoscopia e visualização das cordas vocais, o seu treino e uso são mais simples do que em uma intubação endotraqueal.

Técnica de inserção da máscara laríngea (Figura 2.6)

Antes de tudo, teste o *cuff* com 15 a 20 ml de ar em uma seringa; realize também a lubrificação do dispositivo com lubrificante apropriado.

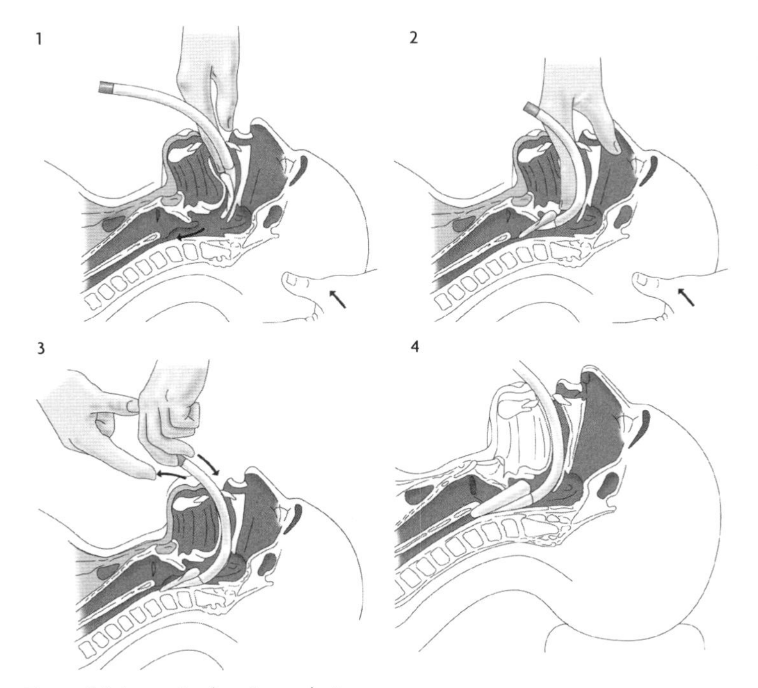

Figura 2.6 Inserção da máscara laríngea.
Fonte: Modificada de: http://portuguese.alibaba.com/product-gs/flexible-wire-reinforced-silicone-laryngeal-mask-airway-573906826.html

1. Segurando o dispositivo com a mão dominante, mantenha o dedo indicador para baixo como guia. Obs.: não aplique pressão cricoide, pois ela pode prejudicar a inserção da máscara.
2. Insira o dispositivo mantendo o dedo indicador como apoio até a presença de resistência. Essa resistência indica que a parte distal do dispositivo alcançou a hipofaringe.
3. Com o uso da outra mão, mantenha o dispositivo fixado e retire a mão que realizou a inserção com cuidado para não realizar deslocamentos.
4. Insufle o *cuff* e teste a ventilação.

Tubo endotraqueal[1,2]

O tubo endotraqueal (Figura 2.7) é um dispositivo de via aérea avançada e definitiva que facilita a oferta de altas concentrações de oxigênio e fluxo, mantendo assim adequada ventilação, a sua inserção depende da visualização das cordas vocais do paciente.

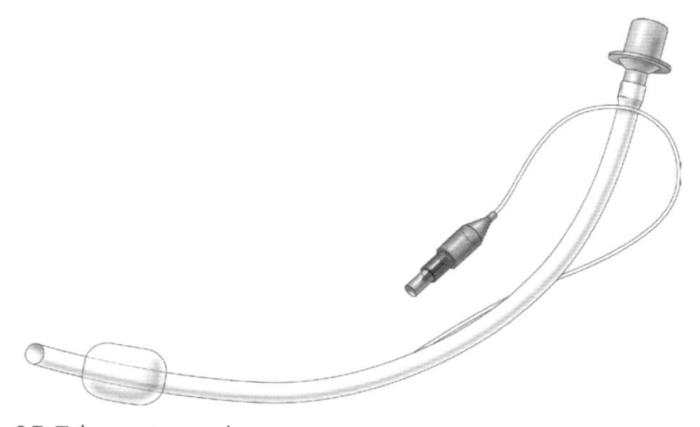

Figura 2.7 Tubo orotraqueal.
Fonte: Modificada de: http://magazinemedica.com.br/produtos/sonda-endotraqueal-desc-cbl-solidor/

As vantagens da inserção do tubo endotraqueal são:

- Permite efetiva sucção das secreções traqueobrônquicas.
- Torna possível ventilação com uso de pressão positiva.
- Promove via alternativa para administração de algumas substâncias de ressuscitação quando a via intravenosa e a intraóssea não forem obtidas.

A intubação endotraqueal é um ato médico e há quatro indicações fundamentais para a escolha da inserção do tubo endotraqueal:

1. Falha na ventilação ou oxigenação.
2. Impossibilidade de manter ou proteger a via aérea.
3. Potencial deterioração clínica do paciente.
4. Segurança do paciente e proteção – pacientes agitados, combativos e confusos por vezes necessitam de intubação profilática para adequação da sedação.

Pacientes que apresentam parada respiratória, respiração agônica ou apresentam-se não responsivos requerem imediata intubação sem a necessidade de suplementação de substâncias farmacológicas. Tecnicamente mais simples e de ação imediata, essa abordagem apresenta como vantagens a resolução rápida da permeabilidade aérea, porém o estresse da realização da intubação sem medicamentos eleva a pressão intracraniana e aumenta o risco de êmese e aspiração.

Sequência rápida de intubação orotraqueal[2]

Para pacientes que não se enquadram no caso anterior, deve-se utilizar a sequência rápida de intubação (Tabela 2.1).

A sequência rápida consiste na administração, depois de um período de oxigenação a 100%, de um sedativo de ação rápida e curta, seguida por um bloqueador neuromuscular com as mesmas características, além da aplicação de pressão na cartilagem cricoide (manobra de *Sellick*), a fim de realizar rapidamente, e em melhores condições, a laringoscopia seguida da intubação orotraqueal. Tem o propósito de evitar tentativas malsucedidas, ventilação manual com bolsa e máscara, diminuindo o risco de distensão, regurgitação, vômito e aspiração.

Os passos para a realização da sequência rápida de intubação orotraqueal podem ser lembrados como os 9 p's (ver Tabela 2.1, a seguir).

Tabela 2.1 Descrição da sequência rápida de intubação orotraqueal.

Tempo	Ação	Descrição da ação
10 a 0 minutos	Possibilidade de sucesso *Possibility for success*	Avaliação quanto à presença de via aérea difícil
10 a 0 minutos	Preparação *Preparation*	Preparação dos materiais utilizados como aparelho de sucção, tubo endotraqueal testado e pronto, aparelhos de monitorização, medicação preparada e via de administração medicamentosa pronta
5 a 0 minutos	Pré-oxigenação *Pre-oxygenation*	Administração de O_2 via dispositivo Bolsa-Válvula-Máscara (AMBU) sob a boca e nariz do paciente sem insuflação ativa promove 100% de O_2 para o paciente.
3 a 0 minutos	Pré-tratamento *Pretreatment*	O uso de succinilcolina e a realização do procedimento em si aumentam o risco de: ▪ pressão intracraniana ▪ ↑ do volume gástrico ▪ ↑ da pressão intraocular ▪ broncoespasmo ▪ ↑ de descargas simpáticas ▪ bradicardias Para diminuir esses riscos, são administrados: lidocaína, opioides, atropina e pancurônio

(*continua*)

Tabela 2.1 Descrição da sequência rápida de intubação orotraqueal. *(continuação)*

Tempo	Ação	Descrição da ação
Tempo zero	Paralisia induzida *Paralysis with induction*	Administração de bloqueadores neuromusculares ▪ succinilcolina ▪ rocurônio (Atenção: antes da administração, deve-se realizar a sedação do paciente) ▪ tiopental ▪ midazolan ▪ propofol ▪ quetamina ▪ etomidato
0 a 20/30 segundos	Proteção e posicionamento *Protection and position*	Obter a proteção da via aérea pela manobra *Sellick* Obter o correto posicionamento com auxílio de coxins
0 a 45 segundos	Localização *Placement*	Realizar a manobra de BURP para auxiliar na localização das cordas vocais
0 a 45 segundos	Prova/teste *Proof*	Avaliação clínica do posicionamento correto do tubo Uso de equipamentos de monitorização de CO_2 exalado Realização do raios X de tórax
0 a 1 minuto	Manejo pós-intubação *Post-intubation management*	Fixação do tubo Monitorização de sinais vitais Verificação de algum efeito adverso

Correta posição do paciente para a realização da intubação orotraqueal[2-4]

Dependendo da idade do paciente, da sua anatomia e condição clínica, o paciente deve ser cuidadosamente posicionado para que se aumente a chance de intubação de sucesso.

A via aérea pode ser vista como tendo três eixos separados (Figura 2.8): o eixo oral, o eixo faríngeo e o eixo traqueal. Uma posição correta do laringoscópio ajuda a manter esses três eixos alinhados promovendo melhor visualização da glote e das cordas vocais, porém, na posição neutra esses eixos não se alinham. A utilização de um apoio na região occipital do paciente ajuda no alinhamento do eixo traqueal e faríngeo, e a extensão da cabeça com o pescoço ajuda no alinhamento dos três eixos. Os pacientes com trauma devem manter sempre posição neutra.[6]

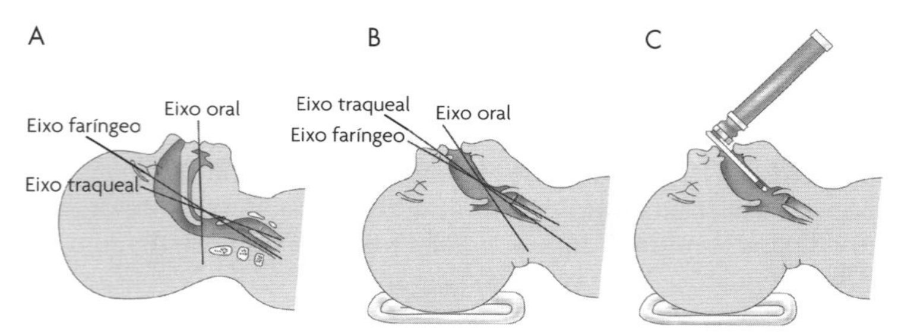

Figura 2.8 Eixos da via aérea e posicionamento para correto alinhamento.

Manobra *Sellick* e BURP[2]

A manobra *Sellick* (Figura 2.9) deve ser aplicada por um assistente assim que é notado que o paciente perdeu a consciência. A aplicação de uma pressão firme na cartilagem cricoide comprime o esôfago e previne a regurgitação de conteúdos estomacais.

A utilização dessa manobra de maneira rotineira na sequência rápida de intubação tem sido questionada, porém sua eficiência ainda justifica seu uso em casos de emergências, nos quais deve-se supor que o paciente apresente estômago cheio.

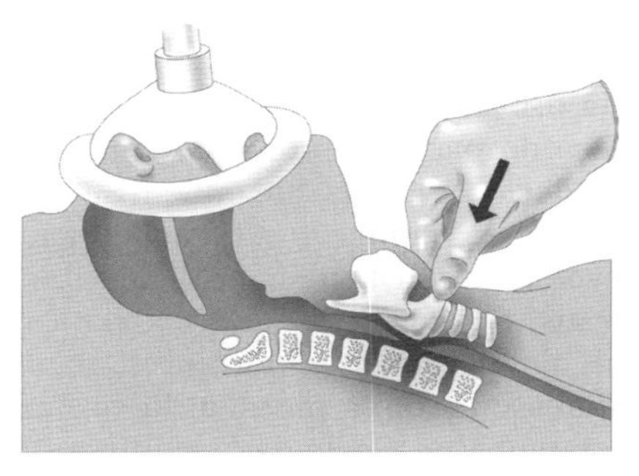

Figura 2.9 Manobra de *Sellick*.
Fonte: Modificada de: http://dx.doi.org/10.1017/CBO9780511544811.004

A manobra de BURP (Figura 2.10) em inglês *Backward* (1), *Upward* (2), *Rightward* (3) *Pressure* é uma manobra realizada por um assistente para melhorar a visualização da glote durante a laringoscopia; a mão é posicionada sobre a cartilagem da tireoide que realiza uma pressão para dentro, depois para cima e depois para direita.

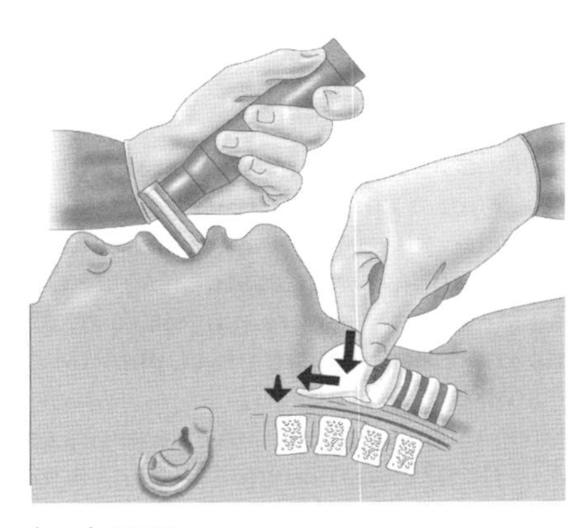

Figura 2.10 Manobra de BURP.
Fonte: Modificada de: http://dx.doi.org/10.1017/CBO9780511544811.004

Fixação do tubo endotraqueal

A adequada fixação do tubo é um importante mecanismo para a segurança do paciente, pois ela mantém o tubo firme, evitando, assim, deslocamentos que podem alterar a ventilação, causar lesão pulmonar, traqueal e extubações acidentais.

Existem diversas técnicas de fixação de tubo com diversos tipos de materiais, porém, para todas as técnicas e materiais, devem-se seguir alguns pontos importantes: manter o tubo centralizado, pois, desse modo, a pressão do *cuff* mantém-se por igual na traqueia; manter a pele da face íntegra, assim como a circulação sanguínea da face e cervical; e manter o circuito ventilatório apoiado em suporte adequado, evitando as trações devido a seu peso.

Uma revisão sistemática foi conduzida para realizar a identificação e análise da melhor técnica para a fixação do tubo traqueal, foram avaliados as fixações feitas com pedaços de fita, algodão, fita adesiva, gaze e dispositivos manufaturados; algumas técnicas utilizaram mais de um tipo de material, porém nenhum método mostrou-se superior a outro para a melhor estabilização do tubo.[7]

SUPLEMENTAÇÃO DE OXIGÊNIO E VENTILAÇÃO[1,3,4]

Há uma variedade de técnicas de suplementação de oxigênio de acordo com a concentração de O_2 desejada e a circunstância clínica. A administração deve começar com níveis mínimos de suplementação para saturação de $O_2 > 94\%$. Atenção ao uso de oxigenoterapia para pacientes retentores de CO_2, pois o aumento da concentração de O_2 elimina a estimulação do *drive* respiratório.

A ventilação é alcançada quando a via aérea está permeável e a concentração de oxigênio adequada para a oxigenação dos tecidos.

Cateter nasal

O cateter nasal é um sistema de baixo fluxo de O_2. O aumento de fluxo na ordem de 1 L/min irá aumentar a concentração de oxigênio inspirado em cerca de 4%.

Indicações:

- Pacientes com adequada respiração espontânea, mecanismo de proteção de via aérea eficaz e volume eficiente.
- Pacientes com saturação arterial de O_2 acima de 94%.
- Pacientes com mínimos problemas respiratórios e de oxigenação.
- Pacientes que não toleram máscara facial.

Máscara facial simples

A máscara facial simples de oxigênio administra um baixo fluxo de oxigênio no nariz e boca do paciente. A fração de inspiração real da máscara depende que ela se acople adequadamente à face do paciente. Um fluxo de oxigênio de, no mínimo, 6 L/min é necessário para prevenir a reinalação de CO_2.

Máscara de Venturi

A máscara de Venturi oferece uma fração de oxigênio mais real e controlada, por isso sua indicação para pacientes retentores de CO_2. Deve-se lembrar que para pacientes com DPOC, deve-se manter saturação de O_2 entre 90% a 92%; para isso, a máscara de Venturi tem diversas válvulas que ofertam diferentes níveis de FiO_2. Deve-se escolher sempre a que proporciona saturação adequada com menor nível de FiO_2.

Máscara facial com reservatório de oxigênio

A máscara facial com reservatório de oxigênio é uma máscara facial com uma bolsa reservatória de O_2. A máscara facial com reservatório (máscara não reinalante) oferece de 95% a 100%

de oxigênio com fluxo de 10 a 15 L/min. Nesse dispositivo, um constante fluxo de oxigênio entra e se fixa no reservatório.

Use a máscara facial com reservatório em pacientes que:

- Estão seriamente doentes, responsivos, com respiração espontânea, e adequado volume e necessitam de alta concentração de oxigênio.
- Podem evitar intubação endotraqueal se as intervenções produzirem rápida melhora clínica.
- Possuem indicação relativa para manejo avançado de via aérea, mas mantêm intactos os reflexos de proteção de via aérea.
- Possuem indicação relativa para manejo avançado de via aérea, mas com barreiras físicas para intubação imediata, como lesão de coluna cervical.
- Estão sendo preparados para intubação endotraqueal.

Precauções:

Esses pacientes podem apresentar diminuição de nível de consciência, assim como risco para náusea e vômitos. Uma máscara facial acoplada ao rosto sempre necessita de monitorização constante. Dispositivos de sucção devem estar prontamente disponíveis.

Ventilação bolsa-valva-máscara com reservatório de O_2 (AMBU)

O dispositivo consiste em uma bolsa de insuflação e uma valva não reinalante que pode ser usada como máscara facial ou dispositivo de via aérea avançada. As máscaras devem ser apropriadas para se acoplarem adequadamente ao rosto, cobrindo ao mesmo tempo boca e nariz. Esses dispositivos são utilizados para administrar altas concentrações de oxigênio por pressão positiva em pacientes que não respiram.

Ventilação adequada com uso de AMBU

- Use em um adulto uma bolsa de 1 a 2 L para administrar um volume de cerca de 600 mL.
- Para criar um acoplamento correto da máscara, faça e mantenha a cabeça inclinada, e então utilize o polegar e o indicador para formar um "C" pressionando a máscara na face do paciente. Depois use os dedos restantes para levantar o ângulo da mandíbula abrindo, assim, a via aérea formando um "E" com os dedos. A efetividade da ventilação será verificada na presença de elevação do tórax e manutenção de saturação dentro da normalidade.

A Tabela 2.2 apresenta os dispositivos de distribuição de oxigênio com suas características.

Tabela 2.2 Dispositivos de distribuição de oxigênio com suas características.

Dispositivo de distribuição de O_2	Fluxo (L/min)	Concentração (%)	Outras características
Cateter nasal	1 a 6	24 a 44	A concentração de O_2 inspirada depende do fluxo escolhido e do volume corrente do paciente
Máscara facial simples	6 a 10	35 a 60	Pode promover retenção de CO_2 na presença de bradipneia
Máscara de Venturi	2 a 12	24 a 60	Controla com precisão a proporção de O_2 inspirada. Usada em pacientes com hipercapnia crônica, como na DPOC
Máscara facial com reservatório de O_2	12 a 15	60 a 90	Promove maiores concentrações de O_2 inspirado
Bolsa-valva-máscara (AMBU)	15	100	Promove maior concentração de O_2 inspirado

REFERÊNCIAS BIBLIOGRÁFICAS

1. American Heart Association Guideline for Cardiopulmonary Resuscitation and Emergency Cardiovascular Care. Airway and Ventilation,2015.
2. Mahadevan SV, Sovndal S. Airway management. In: An Introduction to Clinical Emergency Medicine. Cambridge Books Online© Cambridge University Press. Cambridge. 2011; p. 19-45. Disponível em: http://dx.doi.org/10.1017/CBO9780511544811.004 (22 Out 2011)
3. Junior EBS, Veronese P. Manuseio das vias aéreas. In: Condutas em urgências e emergências para o clínico, edição revisada e atualizada. São Paulo: Atheneu. 2009; p.19-29.
4. Falcão LFR, Costa LHD. Manejo de vias aéreas. In: Emergências: fundamentos e prática. 1 ed. São Paulo: Martinari. 2010; p. 21-31.
5. Gonzalez MM, Timerman S, Gianotto-Oliveira R, Polastri TF, Canesin MF, Schimidt A, et al. I Diretriz de Ressuscitação Cardiopulmonar e Cuidados Cardiovasculares de Emergência da Sociedade Brasileira de Cardiologia. Arq Bras Cardiol. 2013;101(2);Supl. 3. Disponível em: http://dx.doi.org/10.5935/abc.2013S006 (27 Mai 2015)
6. Matsumoto T, Carvalho WB. Intubação traqueal. J Pediatr 2007;83(2 Suppl):S83-90. Disponível em: http://dx.doi.org/10.1590/S0021-75572007000300010. (27 Mai 2015)
7. Gardner A, Hughes D, Cook R, Henson R, Osborne S, Gardner G. Best practice in stabilisation of oral endotracheal tubes: a systematic review. Australian Critical Care. 2005;18(4):158-65.

capítulo 3

Guilherme dos Santos Zimmermann
Cibelli Rizzo Cohrs

Acidente Vascular Cerebral e Convulsão

ACIDENTE VASCULAR CEREBRAL

Conceito

A doença cerebrovascular está entre as principais causas de morte no país e é considerada uma importante causa de internação hospitalar. Cerca de 85% desse evento têm etiologia isquêmica – Acidente Vascular Cerebral isquêmico (AVCi), e 15% têm etiologia hemorrágica – Acidente Vascular Cerebral hemorrágico (AVCh).[1]

Fisiopatologia

O AVC pode ser classificado, conforme sua patologia, em Ataque Isquêmico Transitório (AIT), isquêmico e hemorrágico.[2]

Denomina-se AIT evento transitório o déficit neurológico menor que 24 horas, sem infarto agudo. O AIT é um importante fator de risco para o desenvolvimento de um AVCi; sua fisiopatologia ainda não está muito bem esclarecida, uma vez que há melhora dos sintomas neurológicos.[2]

Na maioria das vezes, o mecanismo fisiopatológico do AVCi está relacionado a um evento tromboembólico ou placas ateroscleróticas em artérias cerebrais. Com a interrupção ou diminuição brusca do fluxo sanguíneo cerebral, sem a irrigação de circulação colateral, causada pela ruptura de uma placa aterosclerótica ou tromboembolismo, é iniciada uma cascata de eventos deletérios ao Sistema Nervoso Central (SNC).[1,2]

Com a queda do fluxo sanguíneo local, mecanismos compensatórios de respiração celular anaeróbico são iniciados pelo desbalanço entre oferta e demanda de oxigênio. Ocorre a liberação de lactato, o que causa acidose do pH sanguíneo, liberação de aminoácidos excitatórios, radicais livres e mediadores inflamatórios, como óxido nítrico, causando morte celular. Além disso, há ruptura da membrana celular, com consequente edema intracelular, diminuindo o fluxo sanguíneo cerebral e piorando o estado de infarto local. O dano neuronal ocorre sobretudo na área mais central de irrigação; regiões periféricas podem ainda estar viáveis e sem lesão tecidual – essa região denomina-se área de penumbra, na qual se focaliza os esforços da terapia de reperfusão.[1,2]

Os AVCh são sangramentos intracranianos ou subaracnoides, podendo estar ou não associados a um trauma. Dentre as causas e os fatores de risco relacionados estão as malformações arteriovenosas, rupturas de aneurismas, angiopatias do SNC e distúrbios de coagulação. A lesão neuronal ocorre pelo extravasamento de sangue no espaço subaracnóideo ou intraparenquimatoso, causando um efeito mecânico compressivo, levando a hipoperfusão. Além disso, a ativação da cascata inflamatória, causada pelo extravasamento de componentes sanguíneos e degradação da hemácia, com a liberação de mediadores inflamatórios, acarreta lesão tecidual com piora do edema intracraniano.[3,4]

Sinais e sintomas

Os sinais e sintomas podem variar de acordo com a região cerebral afetada e o tempo de início dos sintomas, que pode ser agudo, progressivo ou início agudo, com platô seguido de melhora. A definição exata do início dos sintomas, mesmo que sejam sinais inexpressivos, é importante para determinação do tratamento. De modo geral, o quadro clínico sugestivo de AVC pode variar conforme o Quadro 3.1.[5]

Quadro 3.1 Sinais e sintomas sugestivos de AVC.

- Afasia
- Hemiparesia
- Perda de sensibilidade
- Déficit visual
- Disartria
- Desequilíbrio e alteração de marcha
- Hemiplegia
- Desvio de rima labial
- Confusão aguda
- Náusea/vômitos
- Cefaleia súbita

Atendimento inicial na emergência

O tempo de atendimento ao doente vítima de AVC é determinante no sucesso da terapêutica e na redução de danos. O enfermeiro responsável pela classificação de risco do paciente na emergência deve ter bem claro os principais sinais e sintomas, assim como o fácil acesso a escalas que facilitam o diagnóstico de AVC, a fim de classificar adequadamente o paciente. Durante a anamnese, devem-se identificar sobretudo os antecedentes pessoais e o horário do inicio dos sintomas, contribuindo, assim, para a definição da terapia utilizada. Segundo o *National Institutes of Neurological Disorders and Stroke* (NINDS), recomenda-se que o atendimento ao paciente vítima de AVC proceda conforme o Quadro 3.2.[6]

A avaliação inicial do paciente neurológico assemelha-se ao de outros doentes: A, B e C (*airway, breathing* e *circulation*), ou seja, estabilização da vias aéreas, manutenção da respiração e oxigenação, e cuidados com a hemodinâmica. Paralelamente recomenda-se, se houver condições clínicas, a coleta do histórico de enfermagem direcionado com o paciente ou com a família. Em seguida, a avaliação neurológica deverá ser realizada juntamente com a avaliação pupilar e aplicação das escalas de Coma de Glasgow e de Cincinatti.[6]

Quadro 3.2 Tempo de atendimento ao paciente vítima de AVC.

Atividade	Tempo recomendado
Admissão à avaliação médica	10 minutos
Admissão à avaliação do neurologista	15 minutos
Admissão do início da tomografia	25 minutos
Admissão até a interpretação da tomografia	45 minutos
Admissão até a infusão de drogas (se indicado)	1 hora
Admissão até admissão na UTI	3h

A avaliação do médico especialista em neurologia e/ou neurocirurgia deverá ser solicitada o mais breve possível. Com isso, alguns exames complementares podem ser solicitados para auxiliar no diagnóstico e na terapêutica, descritos a seguir:[1,6]

- **Tomografia Computadorizada (TC):** torna possível uma avaliação detalhada do acometimento cerebral, como localização, tamanho, região vascular e presença de sangramento, o que poderá guiar o tratamento – especialmente a terapia de reperfusão.
- **Ressonância Magnética (RM):** traz também uma avaliação detalhada e mais precisa da área de sangramento ou isquemia. Apresenta alta sensibilidade (88% a 100%) e especificidade (95% a 100%) na detecção de AVCi.
- **Exames laboratoriais:** como glicemia, eletrólitos, função renal, hemograma, contagem de plaquetas, eletrocardiograma, teste de gravidez, CK, CK-MB e troponina, RNI, TP e TTPA, poderão ser solicitados. Alguns desses exames guiarão a terapia de reperfusão, como o coagulograma.
- **Eletroencefalograma:** poderá ser solicitado aos pacientes que apresentarem convulsão.

Tratamento

Alguns dos principais cuidados clínicos relacionados com o AVC estão no Quadro 3.3.[1,6]

Quadro 3.3 Principais cuidados clínicos no AVC.

Via aérea, suporte ventilatório e suplementação de O_2	▪ Manutenção da oferta de oxigênio é fundamental na prevenção de lesão secundária ao tecido nervoso; ▪ Causas comuns de hipóxia são: broncoespasmo, atelectasias, rebaixamento de nível de consciência e obstrução de via aérea; ▪ Manutenção da saturação acima de 94%.
Manutenção da temperatura	▪ Hipertermia está associada ao aumento da demanda metabólica com consequente lesão secundária ao AVC; ▪ Manter temperatura próxima a 36,5 °C.
Monitorização cardíaca	▪ Monitorização cardíaca está indicada nas primeiras 24h de internação. Arritmias podem piorar o quadro clínico do paciente.
Manutenção da pressão arterial	▪ A flutuação da pressão arterial piora o desfecho clínico dos pacientes com AVC. Tanto a hipertensão como a hipotensão são indicativas de mau prognóstico; ▪ Nos pacientes com AVCh, o controle pressórico deve ser rigoroso quanto ao aumento da pressão arterial sistólica acima de 180 mmHg ou pressão arterial média acima de 110 mmHg, pelo risco de aumento do sangramento; ▪ Já nos pacientes vítimas de AVCi, a tendência é a pressão arterial manter-se elevada nos primeiros momentos do evento. Sabe-se que a pressão arterial sistólica acima de 180 mmHg também é deletéria ao SNC; entretanto, nenhum agente hipotensor deve ser usado com a pressão sistólica abaixo de 220 mmHg pela necessidade de manutenção da pressão de perfusão cerebral.
Controle glicêmico	▪ O estado hipoglicêmico é altamente deletério para o tecido cerebral, sendo necessária correção imediata para diminuir o risco de lesão secundária; ▪ A hiperglicemia é um achado comum em pacientes com AVCi e está associado a outras comorbidades, como dislipidemia e hipertensão. Seus valores devem ser mantidos entre 140 e 180 mg/dL.

Terapia de reperfusão

Nos casos de AVCi, a obstrução ocorre, em muitos casos, pela formação de trombo, seja por embolia, seja por ativação da cascata de coagulação causada pela ruptura da placa aterosclerótica. Em 1996, o ativador de plasminogênio tecidual recombinante (rtPA) foi aprovado pela *Food and Drugs Administration* nos EUA e desde então é utilizado como terapia de reperfusão química.[1,6]

O rtPA é um agente trombolítico utilizado na tentativa de dissolver o trombo e otimizar a perfusão, garantindo, assim, a viabilidade da área de penumbra. Pode ser utilizado em até 4 horas e meia após o início dos sintomas. A dose recomendada é de 0,9 mg/kg, sendo a dose máxima 90 mg. Deve ser realizado em infusão contínua em, no mínimo, 60 minutos, sendo 10% da dose em *bolus* no primeiro minuto.[1,6]

Na utilização do rtPA é importante seguir os critérios de elegibilidade com o objetivo de diminuir o principal efeito colateral, que é o sangramento e a transformação do AVCi em AVCh. Os critérios de elegibilidade estão descritos no Quadro 3.4.[1,6]

Quadro 3.4 Critérios de exclusão para utilização do rtPA.

Idade acima de 80 anos	Punção arterial não compressível
História prévia de AVC e diabetes	História de hemorragia anterior
AVC grave	Neoplasia intracraniana
Trauma cranioencefálico	Malformação arteriovenosa ou aneurisma
Sintomas sugestivos de hemorragia subaracnoide	Cirurgia de grande porte em até 14 meses
Pressão sistólica acima de 180 mmHg e diastólica acima de 110 mmHg	Hemorragia interna ativa ou sangramento gastrointestinal ou urinário recente
Plaquetas abaixo de 100.000/mm^3	Heparina nas últimas 48h
Uso de anticoagulante oral	Glicemia abaixo de 50 mg/dL
TC com infarto multilobar	Infarto agudo do miocárdio recente
Gestação	Convulsão no início do quadro

Abordagem cirúrgica

Algumas vezes a terapêutica no AVCh é cirúrgica, porém seu papel ainda é controverso. A abordagem cirúrgica utiliza técnica para controle e drenagem da hemorragia. Um procedimento utilizado é a Derivação Ventricular Externa (DVE), em casos de hemoventrículo e hidrocefalia.[1]

Diagnósticos e cuidados de enfermagem

Os principais diagnósticos e cuidados de enfermagem indicados para os pacientes que apresentam AVC estão listados no Quadro 3.5.

Quadro 3.5 Principais diagnósticos e cuidados de enfermagem no AVC.

Principais diagnósticos de enfermagem[7]	Intervenções de enfermagem[8]
Risco de perfusão tissular cerebral ineficaz	▪ Monitorar pressão arterial, pressão intracraniana e alteração pupilar ▪ Realizar escala de Glasgow e avaliação pupilar ▪ Observar alterações do nível de consciência e sinais de confusão ▪ Controlar rigorosamente a temperatura (manter próximo a 36,5°C) ▪ Manter controle glicêmico entre 140 e 180 mg/dL
Capacidade adaptativa intracraniana diminuída	▪ Observar presença de Tríade de Cushing ▪ Atentar para valores da pressão arterial, pressão intracraniana e alteração pupilar ▪ Manter cabeceira elevada ▪ Observar alterações do nível de consciência e sinais de confusão ▪ Controlar rigorosamente a temperatura (manter próximo a 36,5°C) ▪ Manter controle glicêmico entre 140 e 180 mg/dL

(continua)

Quadro 3.5 Principais diagnósticos e cuidados de enfermagem no AVC. *(continuação)*

Principais diagnósticos de enfermagem[7]	Intervenções de enfermagem[8]
Risco de sangramento	▪ Monitorar repetidas vezes a frequência cardíaca e a pressão arterial ▪ Avaliar o nível de consciência ▪ Realizar balanço hídrico ▪ Manter repouso absoluto
Mobilidade física prejudicada	▪ Identificar déficits cognitivos e físicos do paciente capazes de aumentar o potencial de quedas ▪ Promover ambiente seguro a fim de evitar quedas e lesões ▪ Auxiliar nas atividades de autocuidado ▪ Realizar exercícios passivos, orientar paciente e acompanhante quanto a sua realização

CONVULSÃO

Conceito

A crise convulsiva pode ser definida como uma alteração neuronal paroxística, causada pela despolarização anormal dos neurônios centrais. Nessa mesma linha, define-se epilepsia como uma condição recorrente caracterizada como crises convulsivas duradouras e não provocadas. Logo, crise convulsiva pode estar relacionada a condições específicas, como febre e hipoglicemia; já a epilepsia caracteriza-se por certa cronicidade. [9]

Classificação e manifestações clínicas

Em 2010, a *International League Against Epilepsy* (ILAE) revisou e classificou as crises convulsivas e a epilepsia em novas terminologias. A classificação, assim como suas manifestações clínicas, são destacadas no Quadro 3.6.[9,10]

Quadro 3.6 Classificação das crises convulsivas e epilepsia.

Tipo	Subtipo	Manifestações clínicas
Convulsões generalizadas	Crise de ausência	Ocorre estado de ausência e irresponsividade, com movimentos motores mínimos e movimentos oculares discretos, que pode durar até 10 segundos, podendo evoluir para tônico-clônicas.
	Tônico-clônica	Conhecida como grande mal. Caracterizada por contrações simétricas e bilaterais, contrações involuntárias (tônico), espasmos musculares, seguido de relaxamento (clônica) e perda da consciência.
	Mioclônica	Ocorre repentina e brevemente, com leves contrações musculares, sem perda da consciência.
	Aclônica	Envolve a perda do tônus corporal e perda temporária da consciência, resultando em queda.
Convulsões focais (parciais)	Parcial simples	Tendem a ocorrer no córtex sensorial e motor, causando sintomas sensitivos, como *flashes* de luz, alucinações, sintomas psíquicos atividades clônicas rítmicas e parestesias.
	Parcial complexa	Ocorre quando a consciência é prejudicada, na maioria das vezes com prejuízo no lobo temporal, no qual o indivíduo é incapaz de responder a estímulos verbais e táteis. Pode ocorrer amnésia.
Espasmos epilépticos		De origem desconhecida, caracterizada por repetida flexão e extensão das extremidades; pode ocorrer em qualquer idade.

Fisiopatologia

As crises convulsivas ocorrem quando há aumento da excitação ou inibição da atividade central, causando alterações cerebrais em diferentes regiões. Esse desbalanço entre excitação e inibição da atividade cerebral pode estar relacionado com fatores genéticos ou adquiridos. Em relação aos fatores genéticos, alterações no receptor Ácido Gama-Aminobutírico (GABA) e canais iônicos (como os canais de potássio) podem ser responsáveis pelo excesso de inibição. Situações similares nos fatores adquiridos podem ocorrer, como, por exemplo, no trauma cranioencefálico ou febre, em que ocorrem alterações dos potenciais de membrana, sobretudo no hipocampo, favorecendo as manifestações de crise convulsiva; ou como no uso abusivo de drogas, que podem agonizar ou antagonizar os efeitos do GABA. Outro fator de risco importante é a idade, tendo em vista que nessa fase da vida o neurotransmissor GABA passa a ser excitatório e não inibitório. Dentre as principais causas das crises convulsivas, podemos citar:[9,10]

- Idiopática;
- Retirada de drogas anticonvulsivantes;
- Doenças do SNC;
- Metabólico (hipoglicemia, infecção sistêmica, febre);
- Trauma;
- Toxicidade (drogas, medicamentos);
- Abstinência alcoólica;
- Infecção do SNC;
- Tumor;
- Lesão congênita;
- Epilepsia prévia.

Atendimento inicial na emergência

A prioridade do atendimento ao paciente vítima de convulsão na emergência deve ser a garantia de sua integridade física e privacidade. O atendimento segue com a estabilização da cervical, cuidados para evitar queda, como vias aéreas, monitorização multiparamétrica, cuidados respiratórios e hemodinâmicos.[10]

Exames complementares podem ser solicitados para complementar o diagnóstico clínico, como glicemia sérica, eletrólitos, cálcio, função renal e hepática e hemograma. O eletroencefalograma pode ser útil ao diagnóstico e tratamento, porém exames como TC e RM podem ser mais úteis para detecção de alterações estruturais.[10]

Tratamento

O tratamento das crises convulsivas ocorre em três fases: abordagem inicial, terapia farmacológica e medidas de controle de novas crises.[10]

Na abordagem inicial, como já mencionado, são necessárias medidas de suporte ventilatório e hemodinâmico, além de coleta de exames laboratoriais e de imagem, a fim de consolidar o diagnóstico médico. O tempo médico preconizado para o atendimento nessa fase é de, no máximo, 5 minutos.[10]

A fase da terapia farmacológica é bastante variável, no entanto, a droga mais utilizada no país é o diazepam (0,1 mg/kg) ou o midazolam (0,05 mg/kg) via endovenosa e sem diluição, na tentativa de interrupção do estado convulsivo. Em paralelo, utiliza-se a fenitoína 20 mg/kg como fármaco para prevenção da recorrência de novas crises. Já que a fenitoína é um medicamento com alta chance de precipitação, recomenda-se a infusão em via exclusiva. Caso não haja interrupção da crise com essas medidas, outra dose de fenitoína (10 mg/kg) pode ser utilizada, além de outras substâncias, como propofol, fenobarbital ou pentobarbital. Caso ocorra a infusão dessas substâncias, destaca-se a necessidade de preparação para intubação endotraqueal. Após o controle das crises, é necessário tratamento da causa e monitorização contínua.[9,10]

Diagnósticos e cuidados de enfermagem

Os principais diagnósticos e cuidados de enfermagem indicados para os pacientes que apresentam convulsão são listados no Quadro 3.7.

Quadro 3.7 Principais diagnósticos e cuidados de enfermagem na convulsão.

Diagnósticos de enfermagem da NANDA[7]	Intervenções de enfermagem[8]
Mobilidade física prejudicada	▪ Identificar déficits cognitivos e físicos do paciente capazes de aumentar o potencial de quedas ▪ Promover ambiente seguro, a fim de evitar quedas e lesões ▪ Auxiliar nas atividades de autocuidado ▪ Manter repouso no leito
Desobstrução ineficaz de vias aéreas	▪ Posicionar paciente para manutenção de via aérea pérvia ▪ Estimular tosse ▪ Aspirar as vias aéreas ▪ Monitorizar padrão respiratório
Risco de aspiração	▪ Manter cabeceira elevada a 30 graus ▪ Monitorizar padrão respiratório ▪ Lateralizar o paciente para evita broncoaspiração
Risco de queda	▪ Manter grades no leito ▪ Orientar paciente/família quanto aos riscos e prevenção de quedas ▪ Auxiliar na deambulação ▪ Manter vigilância constante

REFERÊNCIAS BIBLIOGRÁFICAS

1. Rosário AL. Acidente vascular cerebral isquêmico. In: Azevedo LCP. Medicina intensiva: abordagem prática. Barueri, SP: Manole. 2013; p. 355-73.
2. Kernan WN, Ovbiagele B, Black HR, Bravata DM, Chimowitz MI, Ezekowitz MD, et al. Guidelines for the prevention of stroke in patients with stroke and transient ischemic attack: a guideline for healthcare professionals from the American Heart Association/American Stroke Association. Stroke. 2014;45: 2160-236;
3. Steiner T, Al-Shahi Salman R, Beer R, Christensen H, Cordonnier C, Csiba, L, et al. European Stroke Organisation (ESO) guidelines for the management of spontaneous intracerebral hemorrhage. International Journal of Stroke. 2014;9:840-55.

4. Andrade F. Acidente vascular cerebral hemorrágico. In: Azevedo LCP. Medicina Intensiva: abordagem prática. Barueri, SP: Manole. 2013; p. 374-91.
5. Wijdicks EFM, Sheth KN, Carter BS, Greer DM, Kasner SE, Kimberly WT, et al. Recommendations for the management of cerebral and cerebellar infarction with swelling: a statement for healthcare professionals from the American Heart Association/American Stroke Association. Stroke. 2014;45:1-18.
6. Jauch EC, Saver JL, Adams HP Jr, Bruno A, Connors JJ, Demaerschalk BM, et al. Guidelines for the early management of patients with acute ischemic stroke: a guideline for healthcare professionals from the American Heart Association/American Stroke Association. Stroke. 2013;44:870-947.
7. North American Nursing Diagnosis Association. Diagnósticos de enfermagem da NANDA: definições e classificação 2009-2011. Porto Alegre: Artmed; 2010.
8. Doenges ME, Moorhouse MF, Murr AC. Diagnósticos de enfermagem – intervenções, prioridades, fundamentos. 10ª ed. Rio de Janeiro: Guanabara Koogan; 2009.
9. Stafstrom CE, Carmant L. Seizures and epilepsy: an overview for neuroscientists. Cold Spring Harb Perspect Med. 2015;5(6):a022426.
10. Ladeira JP. Estado de mal epiléptico. In: Azevedo LCP. Medicina Intensiva: abordagem prática. Barueri, SP: Manole. 2013; p. 345-54.

capítulo 4

Luiz Felipe Sales Maurício.

Síndromes Coronarianas Agudas

CONCEITO

As doenças cardiovasculares, dentre elas o Infarto Agudo do Miocárdio (IAM), são as principais causas de óbitos no Brasil e no mundo. Em São Paulo, foram registrados 2.028 óbitos, no ano de 2013, por essa doença em apenas um mês, e no Brasil ocorrem cerca de 100 mil óbitos anuais.[1] Nos EUA, cerca de 1,5 milhão de pessoas apresentam IAM, e destes aproximadamente 250 mil morrem antes do atendimento hospitalar.[2]

O prognóstico desses pacientes depende proporcionalmente do tempo de atendimento, visto que a maioria morre na primeira hora após o início dos sinais e sintomas.[3,4]

O termo "Síndrome Coronariana Aguda" (SCA) refere-se ao conjunto de manifestações clínicas compatíveis com a isquemia aguda do miocárdio decorrente da diminuição da oferta de oxigênio ao músculo cardíaco.[5,6]

As Síndromes Coronarianas Agudas (SCAs) apresentam variações clínicas de acordo com o grau de obstrução das artérias coronárias e alteração em exames laboratoriais.[7]

- **Angina instável:** caracterizada por dor ou desconforto torácico, sem elevação dos marcadores de necrose miocárdica; exige estabilização clínica precoce e estratificação de risco para definição de estratégias terapêuticas;

- **IAM com Supradesnivelamento do Segmento ST (IAMCSST):** caracterizado pela obstrução total das artérias coronárias, com elevação dos marcadores de necrose miocárdica;
- **IAM sem Supradesnivelamento do Segmento ST (IAMSSST):** caracterizado pela obstrução parcial das artérias coronárias, com elevação dos marcadores de necrose miocárdica.

Os fatores de risco para o desenvolvimento das SCAs podem ser classificados em constitutivos, ou seja, características próprias do indivíduo; e adquiridos.[8,9] Os fatores constitutivos são: idade (homens > 45 anos e mulheres > 55 anos), gênero (mulher > homem) e presença de antecedentes familiares. Os fatores adquiridos são: tabagismo, hipertensão arterial sistêmica, dislipidemia, diabetes *mellitus*, obesidade, sedentarismo, estresse e uso de contraceptivos hormonais.

FISIOPATOLOGIA[8]

As três formas clínicas da SCAs envolvem o mesmo substrato fisiopatológico que é, na maioria das vezes, a ruptura de uma placa aterosclerótica seguida por uma trombose sobreposta produzindo isquemia do miocárdio.

A placa aterosclerótica é basicamente formada por lipídeos na camada íntima e uma capa fibrótica externa, rica em colágeno e elastina, e responsável pela proteção da placa contra a tensão produzida na luz da artéria pela pressão do fluxo sanguíneo e o estresse provocado sobre esse endotélio.

A doença coronariana aguda apresenta forte componente inflamatório que é desencadeado pela deposição de macrófagos e linfócitos T no interior da placa. Os macrófagos e os linfócitos T são responsáveis por promoverem a degradação da capa fibrótica, tornando a placa mais vulnerável à ruptura.

Com a ruptura da placa aterosclerótica, há exposição de colágeno subendotelial resultando em ativação das plaquetas e indução da adesão e agregação no local da ruptura. Além disso, ocorre ativação da cascata de coagulação pela liberação do fator tecidual da placa rota, originando a formação de trombina, produção de fibrina que, associadas às plaquetas, formam o trombo intraluminal. O trombo, por sua vez, pode ser mais ou menos obstrutivo, provocando os graus de intensidade, as variações clínicas e a duração da isquemia miocárdica.

SINAIS E SINTOMAS[4]

A dor torácica é o sintoma mais comum nas SCAs, caracteriza-se como opressiva ou do tipo peso, intensa, com irradiação para membro superior esquerdo, pescoço, dorso ou região do abdome superior, podendo estar associada ou não a sudorese, tonturas e vômitos.

Durante a avaliação de pacientes com suspeita de SCA, deve-se caracterizar a dor quanto ao horário de início, local, presença de irradiação para outras partes do corpo, intensidade, fatores de melhora e piora, e sintomas associados.

Os pacientes que não apresentam dor torácica nos casos de SCA podem apresentar sinais e sintomas como dispneia isolada, náusea e/ou vômitos, palpitações, síncope, ou mesmo parada cardíaca. Essa apresentação, denominada equivalente isquêmico, normalmente acomete idosos, mulheres e diabéticos, e pode associar-se a maior mortalidade, pois o reconhecimento da SCA é mais tardio, implicando tratamento inadequado.

EXAMES DIAGNÓSTICOS

O tempo entre o início dos sintomas e o acesso ao Serviço Médico de Emergência (SME) é uma variável proporcionalmente relacionada com a morbimortalidade desses pacientes.[8] A mortalidade pode ser reduzida em até 50% dos pacientes com IAMCSST que são submetidos à terapia em até 1 hora após o início dos sintomas.[10,11]

O diagnóstico de SCA é realizado por meio dos achados clínicos, ou seja, sinais e sintomas relacionados com a SCA, alterações eletrocardiográficas e alterações dos marcadores plasmáticos de necrose miocárdica.

O eletrocardiograma (ECG) de 12 derivações é o único meio de identificar alterações do segmento ST, sendo considerado o centro decisório da abordagem terapêutica para esses pacientes, e sua obtenção deve ocorrer nos primeiros 10 minutos da entrada do paciente no serviço de emergência.[12] O ECG pode identificar:[10,11]

- IAM com elevação do segmento ST (IAMCSST) (Figura 4.1).

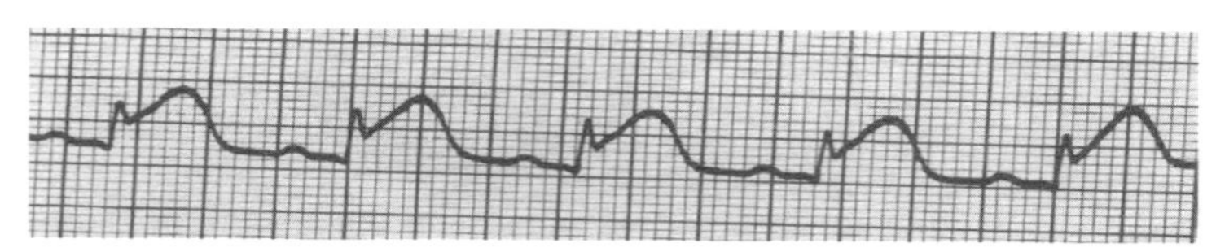

Figura 4.1 Infarto agudo do miocárdio com elevação do segmento ST.[13]

- IAM sem elevação do segmento ST (IAMSSST) (Figura 4.2) ou angina instável.

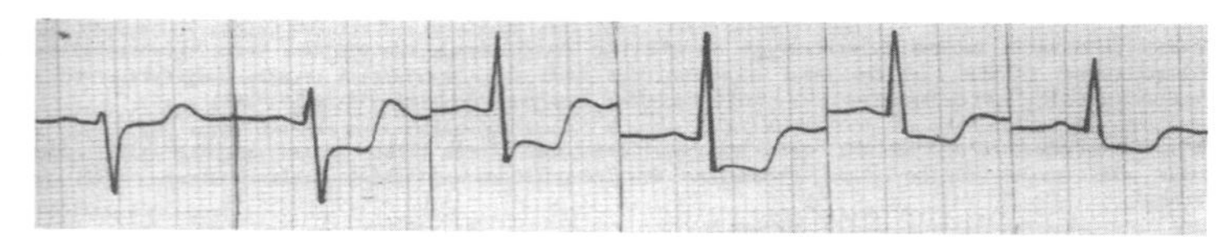

Figura 4.2 Infarto agudo do miocárdio sem elevação do segmento ST.[13]

Os marcadores de necrose miocárdica são macromoléculas liberadas na corrente sanguínea após a morte e perda da integridade da membrana dos miócitos e auxiliam no diagnóstico, na quantificação da extensão do IAM e na avaliação da terapia de reperfusão.[7,14-16]

A Creatinofosfoquinase (CK) pode ser encontrada no cérebro e nos músculos esquelético e cardíaco, e apresenta três frações – as isoenzimas CK-BB, CK-MB e CK-MM. A CK-MB é considerada o padrão-ouro no diagnóstico de IAM, sendo detectada no sangue a partir de 4 a 6 horas do início dos sintomas.

As troponinas, especificamente as do tipo I e T, são complexos proteicos reguladores da interação actina-miosina e têm como vantagens não serem detectadas em indivíduos saudáveis e de se elevarem bem acima dos limites de referência em casos de IAM. Esses marcadores são detectáveis no sangue de 4 a 6 horas após a injúria miocárdica.[7,14-16]

TRATAMENTO PRINCIPAL

Pacientes com achados sugestivos de SCA devem ser atendidos na sala de emergência. Os que apresentarem achados de gravidade, ou seja, instabilidade hemodinâmica ou elétrica, dor típica e edema pulmonar devem ser tratados imediatamente.[12]

A abordagem inicial na sala de emergência está apresentada no Quadro 4.1.

Quadro 4.1 Abordagem inicial do paciente com suspeita de SCA na sala de emergência.[2,7,9,17]

M	Monitorização	De preferência no desfibrilador ou no monitor multiparamétrico devido ao risco de arritmias ou bloqueio atrioventricular
O	Oxigênio	Oxigenoterapia, se saturação de oxigênio < 94% pode proporcionar aumento da oferta de oxigênio ao tecido miocárdico isquêmico
V	Acesso venoso	De preferência calibroso para coleta de exames laboratoriais e administração de medicamentos na emergência

Fonte: Mendes NT, Oliveira VL, Gonçalves VCS, Campanharo CRV, Cohrs CR, Guimarães HP. Manual de Enfermagem em Emergências. 2014.

O tratamento geral e imediato para os casos suspeitos de SCA está apresentado no Quadro 4.2.

Quadro 4.2 Terapêutica geral para os casos suspeitos de SCA.[2,7,9,12,17]

M	Morfina	**Indicação:** dor refratária ao uso de nitrato **Ação:** analgesia, redução da ativação neuro-humoral e da demanda de oxigênio do miocárdio, diminuição da pós-carga e auxílio na redistribuição do volume sanguíneo pulmonar **Dose:** 2 a 4 mg, conforme dor **Precauções:** hipotensão e rebaixamento do nível de consciência
O	Oxigênio	**Indicação:** se saturação de oxigênio < 94% **Ação:** aumento do aporte para o tecido miocárdico isquêmico **Dose:** 3 a 5 L/min. **Precauções:** doença pulmonar obstrutiva crônica
N	Nitrato	**Indicação:** dor anginosa **Ação:** vasodilatação coronariana e aumento do fluxo sanguíneo para o miocárdio isquêmico, redução da pré e pós-carga com diminuição do consumo de oxigênio pelo miocárdio **Dose:** 5 mg a cada 5 min (dose máxima de 15 mg) **Precauções:** hipotensão, arritmias e infarto do ventrículo direito
A	Antiagregante plaquetário (ácido acetilsalicílico)	**Indicação:** suspeita de SCA **Ação:** diminuição da agregação plaquetária no trombo **Dose:** 160 a 325 mg **Precauções:** hipersensibilidade à substância, hemorragias e distúrbios sanguíneos recentes, nos quais sua utilização é contraindicada

Os betabloqueadores podem ser administrados nas primeiras 24 horas para diminuir a frequência cardíaca e o consumo de oxigênio pelo miocárdio, se não houver contraindicações clássicas para o seu uso, como: bloqueios atrioventriculares de 2º e 3º graus, broncoespasmo prévio, insuficiência cardíaca aguda, sinais de baixo débito cardíaco (hipotensão e choque) e chances de evoluir com choque cardiogênico (idade > 70 anos, PAS < 120 mmHg, FC > 110 bpm ou < 60 bpm e período longo entre o início dos sintomas e a procura pelo hospital).

A terapia de reperfusão tem o objetivo de restaurar a patência do vaso de forma química, por meio de trombolíticos; ou mecânica, pela angioplastia coronariana, e deve ser realizada o mais cedo possível, já que nesses casos "tempo é músculo".[2,5,7,9,12,17]

O uso de trombolíticos está indicado nos casos de IAMCSST > 1 mm em pelo menos duas derivações periféricas ou IAM com SST > 2 mm em derivações precordiais e nos quais os sintomas iniciaram a menos de 12 horas.[5] Os trombolíticos disponíveis para uso no Brasil são a estreptoquinase, a alteplase e a tenecteplase. O tempo preconizado para a realização de trombolíticos, também denominado tempo "porta-agulha", é de 30 minutos após a chegada do paciente no serviço de emergência.[6,18]

As contraindicações para a utilização da terapia trombolítica estão apresentadas no Quadro 4.3.

A angioplastia coronariana é definida como a recanalização da artéria ocluída por meio da dilatação com cateter-balão e está indicada nos seguintes casos: IAM extenso com duração dos sintomas < 12 horas associado à contraindicação para terapia trombolítica; IAM associado a choque cardiogênico ou disfunção ventricular; pacientes com revascularização miocárdica nos quais pode ter ocorrido recente oclusão dos enxertos e ambulatoriamente após tratamento clínico.[6] O tempo preconizado para a realização de angioplastia coronariana, também denominado tempo "porta-balão", é de 60 minutos após a chegada do paciente no serviço de emergência.[6,18]

DIAGNÓSTICOS E INTERVENÇÕES DE ENFERMAGEM

O Quadro 4.4 apresenta os principais diagnósticos e intervenções de enfermagem para pacientes com suspeita de SCA.

Quadro 4.3 Contraindicações para o uso de trombolíticos.[5,6]

Absolutas	Relativas
AVC hemorrágico prévio	AVC isquêmico com tempo > 3 meses do evento
AVC isquêmico nos últimos 3 meses	Hipertensão arterial grave (PAS > 180 mmHg ou PAD > 90 mmHg) no serviço de emergência
Lesão estrutural no SNC	História de hipertensão grave não controlada no ambulatório
Cirurgia no SNC ou medular nos últimos 2 meses	Uso atual de anticoagulante oral
Suspeita de dissecção de aorta	Ressuscitação cardiopulmonar > 10 minutos
Sangramento ativo	Sangramento interno nas últimas 2-4 semanas, mas não atual
Trauma facial ou craniano grave nos últimos 3 meses	Cirurgia de grande porte nas últimas 3 semanas
Hipertensão arterial grave e não controlada no serviço de emergência	Gravidez
Se estreptoquinase, hipersensibilidade ou uso prévio nos últimos 6 meses	Punção vascular em locais não compressíveis, úlcera péptica ativa e demência

AVC: Acidente Vascular Cerebral; SNC: Sistema Nervoso Central.

Fonte: Martins HS, Neto RAB, Neto AS, Velasco IT. Emergências Clínicas: abordagem prática. 9 ed. rev. e atual. Barueri, São Paulo: Manole: 795-6. 2014.

Quadro 4.4 Principais diagnósticos e intervenções de enfermagem para pacientes com suspeita de SCA.[5,19]

Diagnósticos de enfermagem	Intervenções de enfermagem
Perfusão tissular cardíaca diminuída (Risco) Débito cardíaco diminuído	▪ Manter repouso absoluto no leito ▪ Monitorar, anotar e comunicar pulso, pressão arterial e perfusão periférica ▪ Monitorar, anotar e comunicar alterações no traçado eletrocardiográfico ▪ Monitorar, anotar e comunicar alterações no nível de consciência ▪ Monitorar, anotar e comunicar ocorrência de palidez cutânea, pele fria e sudorese ▪ Realizar balanço hídrico
Dor aguda	▪ Monitorar, anotar e comunicar ocorrência de dor

O Quadro 4.5 apresenta os principais diagnósticos e intervenções de enfermagem para pacientes submetidos à trombólise química.

Quadro 4.5 Principais diagnósticos e intervenções de enfermagem para pacientes submetidos à trombólise química.[5,19]

Diagnósticos de enfermagem	Intervenções de enfermagem
Risco de sangramento Risco de choque	▪ Monitorar, anotar e comunicar ocorrência de sangramento visível ▪ Monitorar, anotar e comunicar pulso, pressão arterial e perfusão periférica ▪ Monitorar, anotar e comunicar alterações no nível de consciência ▪ Monitorar, anotar e comunicar ocorrência de palidez cutânea, pele fria e sudorese ▪ Realizar balanço hídrico ▪ Monitorar, anotar e comunicar reações, como urticária, prurido, dispneia, broncoespasmo e edema periorbital

REFERÊNCIAS BIBLIOGRÁFICAS

1. http://datasus.saude.gov.br/noticias/atualizacoes/559-infarto-agudo-do-miocardio-e-primeira-causa-de-mortes-no-pais-revela-dados--do-datasus Publicado em 10/11/2014
2. Manenti E. Síndromes coronarianas agudas. Revista Médica da UCPel (Pelotas). 2004;(2):11-13.
3. Mussi FC, Ferreira SL, Menezes AA. Experiences of women in face of pain from acute myocardial infarction. Rev Esc Enferm USP. 2006;40(2):170-8. Portuguese. [Links]
4. Sociedade Brasileira de Cardiologia. IV Diretriz sobre o tratamento do infarto agudo do miocárdio com supradesnível do segmento ST. Arq Bras Cardiol. 2009; 93(6 Supl 2):e179-e264. [Links]
5. Mendes NT, Oliveira VL, Gonçalves VCS, Campanharo CRV, Cohrs CR, Guimarães HP. Manual de enfermagem em emergências. São Paulo: Atheneu Editora; 2014. p. 211-224;.
6. Martins HS, Neto RAB, Neto AS, Velasco IT. Emergências clínicas: abordagem prática. 9. ed. rev. e atual. Barueri, São Paulo: Manole; 2014. p. 756-817.
7. Pesaro AEP, Campos PCGD, Katz M, Correa TD, Knobel E. Síndrome coronariana aguda: tratamento e estratificação de risco. Revista Brasileira de Terapia Intensiva. São Paulo. 2008;20(2).
8. Bassan F, Bassan R. Abordagem da sindrome coronáriana aguda. Revista da Sociedade de Cardiologia do Rio Grande do Sul. ano XV n°07 jan/fev/mar/abr 2006.
9. Mansur PHG, Cury LKP, Destro-Filho JPBR, Oliveira LM, Moraes DCG, Freitas GRR, et al. Análise de registros eletrocardiográficos associados ao infarto agudo do miocárdio. Revista Brasileira de Cardiologia (São Paulo). 2006;87(2).
10. Gruppo Italiano per lo Studio Della Straptochinasi nell"Infarto Miocardio (GISSI). Effectiveness of intravenous trombolytic treatment in acute myocardial infarction. Lancet. 1986;1:397-402.
11. Weaver WD, Cerqueira M, Halltrom AP, et al. for the Myocardial Infarction Triage and Intervention Project Group. Prehospital-initiated VS hospital-intiated trombolytic terapy. The Myocardial Infarction Triage and Intervention Trial. JAMA. 1993;270:1211-6.
12. 2015 American Heart Association. Advanced Cardiovascular Life Support Provider Manual. Part 9: Acute coronary syndromes. Circulation. 2015;S2-483.

13. Carneiro EF. O eletrocardiograma – 10 anos depois. 5ª reimpressão. Livraria editora Enéas Ferreira Carneiro: Rio de Janeiro. 1997.
14. Martins HS, Neto RAB, Neto AS, Velasco IT. Emergências clínicas: abordagem prática. 9 ed. rev. e atual. Barueri, São Paulo: Manole. 2014. 327p.
15. Sociedade Brasileira de Cardiologia. Diretrizes da Sociedade Brasileira de Cardiologia sobre angina instável e infarto agudo do miocárdio sem supradesnível do segmento ST (II edição 2007) – atualização 2013/2014. Arq Bras Cardiol. 2014;102(1).
16. Teixeira R, Lourenço C, Antonio N, Monteiro S, Baptista R, Jorge E et al. A importância de um ECG normal em síndromes coronarianas agudas sem supradesnivelamento do segmento ST. Arq Bras Cardiol. São Paulo. 2010;94(1).
17. Nasi La. Rotinas em pronto-socorro. 2ª ed; Porto Alegre: Editora Artmed. 2005.
18. Gonzalez MM, Timerman S, Gianotto-Oliveira R, Polastri TF, Canesin MF, Lage SG, et al. Sociedade Brasileira de Cardiologia. I Diretriz de Ressuscitação Cardiopulmonar e Cuidados Cardiovasculares de Emergência da Sociedade Brasileira de Cardiologia. Arq Bras Cardiol. 2013;101(2Supl.3):1-221.
19. Enfermagem. Nursing diagnoses: definitions & classification – 2012-2014 / [NANDA International]; tradução Regina Machado Garcez; revisão técnica Alba Lucia Bottura Leite de Barros; [ET AL.]. Porto Alegre: Artmed; 2013.

capítulo 5

Ana Flávia Pereira Coutinho

Arritmias Cardíacas

CONCEITO

Arritmia cardíaca é definida como alteração da frequência, formação e/ou condução do impulso elétrico pelo miocárdio.[1]

As arritmias são responsáveis por inúmeras admissões hospitalares, com real impacto na morbimortalidade. Segundo dados do DATASUS,[2] elas representaram a quarta causa de admissões hospitalares por doenças do aparelho circulatório no âmbito do Sistema Único de Saúde (SUS) em 2014, com 89.524 internações.

O enfermeiro é o profissional que realiza o atendimento inicial na sala de emergência, devendo reunir conhecimento e habilidade para o pronto reconhecimento das anormalidades do ritmo cardíaco e adoção de condutas adequadas a cada situação.

FISIOPATOLOGIA

As arritmias cardíacas podem ser de origem cardíaca, como no caso do infarto agudo do miocárdio, nas cardiopatias dilatadas e nas valvulopatias e de origem extracardíaca, como nos casos de hipertireoidismo, situações de hipoxemia, distúrbios hidroeletrolíticos e intoxicação por fármacos. Além disso, o uso de álcool e drogas e o consumo excessivo de cafeína podem desencadear arritmias.[3]

ANATOMIA E FISIOLOGIA

O coração produz e conduz seu próprio estímulo elétrico, fazendo com que ocorra a contração muscular. O sistema de condução natural do coração é um conjunto formado pelo nó sinusal ou Sinoatrial (SA) –, conhecido como o marca-passo natural do coração, nó Atrioventricular (nó AV), feixe de Hiss, ramos direito e esquerdo de His e fibras de Purkinje. O ritmo cardíaco normal começa no SA e então segue a via de condução normal (Figura 5.1) através dos átrios, junção AV, ramos e ventrículos, resultando na despolarização dos átrios e ventrículos.[4]

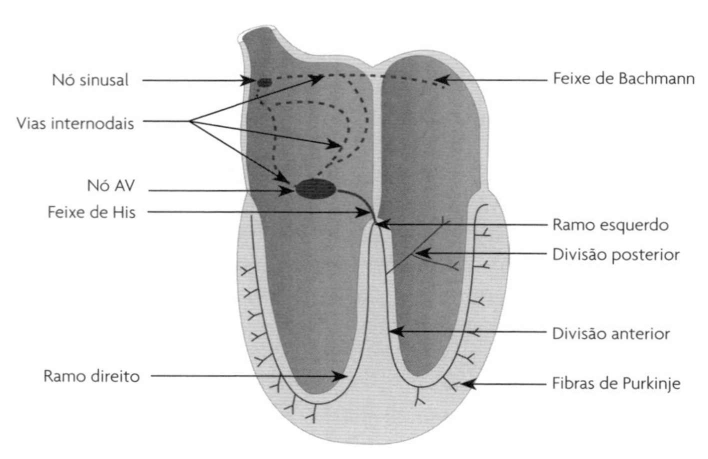

Figura 5.1 Sistema de condução elétrica.
Fonte: Lopes JL, Ferreira FG. Eletrocardiograma para enfermeiros. São Paulo: Atheneu, 2013.

Bradiarritmias

As bradicardias ocorrem quando a frequência é inferior a 60 batimentos por minuto e essa redução na frequência cardíaca provoca prejuízos clínicos e/ou hemodinâmicos, como baixo fluxo cerebral e redução do débito cardíaco.[5]

Os mecanismos desencadeantes dessas arritmias podem ser alterações da formação do impulso elétrico pelo nó sinusal ou da condução do impulso elétrico pelo nó atrioventricular e sistema His-Purkinje, como no caso dos bloqueios atrioventriculares.[5]

Taquiarritmias

As taquicardias são as arritmias em que a frequência atrial e/ou ventricular é superior a 100 por minuto. Elas podem ser classificadas de acordo com a duração do complexo QRS, estreito (< 0,12 s) em supraventriculares e QRS alargado (≥ 0,12 s) ventriculares.[6]

SINAIS E SINTOMAS

Anamnese e exame físico

Durante o atendimento inicial do paciente na sala de emergência, o enfermeiro deve realizar uma breve anamnese, questionando o paciente quanto ao início, duração e intensidade de sintomas como palpitação, síncope, tonturas, dor torácica, dispneia, fadiga/fraqueza, sobre suas comorbidades e histórico familiar de cardiopatias. Investigar também quanto ao uso de medicamentos, cafeína, álcool e drogas.[3]

Ao realizar o exame físico focado, deve-se avaliar o nível de consciência, aferir a pressão arterial, frequência cardíaca e pulsos, quanto a sua simetria, amplitude e regularidade, ausculta cardíaca e pulmonar, a fim de identificar o ritmo cardíaco e a presença de congestão pulmonar, e avaliar o tempo de enchimento capilar.[3]

EXAMES DIAGNÓSTICOS

O Eletrocardiograma (ECG) é considerado o exame padrão-ouro para o diagnóstico não invasivo das arritmias cardíacas, pelo seu fácil acesso e manuseio no momento de emergência.[1]

A atividade elétrica é registrada pelo ECG. No ECG são analisadas 12 derivações, que registram a atividade elétrica no coração a partir de 12 pontos de vista diferentes, sendo seis derivações periféricas (DI, DII, DIII, aVR, aVL e aVF) e seis derivações precordiais (V1 a V6). Essa atividade elétrica é registrada em papel milimetrado; a voltagem é medida na horizontal, e a duração, na vertical. Cada milímetro do papel equivale a 0,04 s em duração (tempo) e 0,1 em voltagem ou amplitude[7] (Figura 5.2).

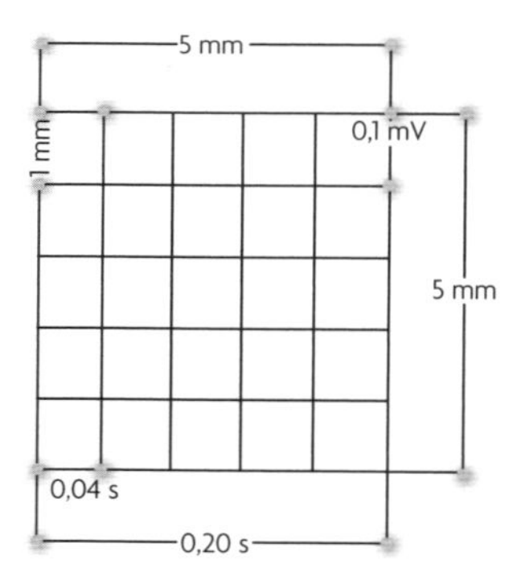

Figura 5.2 Papel milimetrado.

Fonte: Lopes JL, Ferreira FG. Eletrocardiograma para enfermeiros. São Paulo: Atheneu, 2013.

Para avaliação do ECG de forma didática, há seis perguntas iniciais a serem respondidas[8] (Figura 5.3):

1. O ritmo é regular (regularidade do intervalo R-R)?
2. Qual é a frequência cardíaca?
3. Tem onda P facilmente visível?
4. Todos os complexos QRS são precedidos por onda P?
5. O QRS é estreito (< 0,12 s) ou alargado (≥ 0,12 s)?
6. O intervalo P-R é < 0,20 s? É regular?

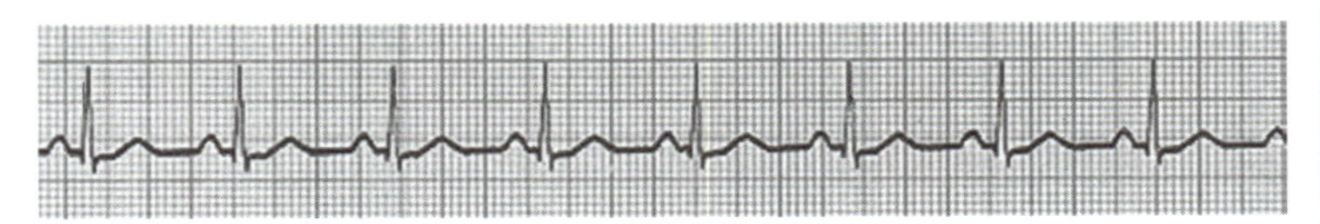

Figura 5.3 Eletrocardiograma normal.
Fonte: http://www.ambulancetechnicianstudy.co.uk/rhythms.html#.VVUYiPlVhBc

Classificação das principais arritmias (Figura 5.4).[3]

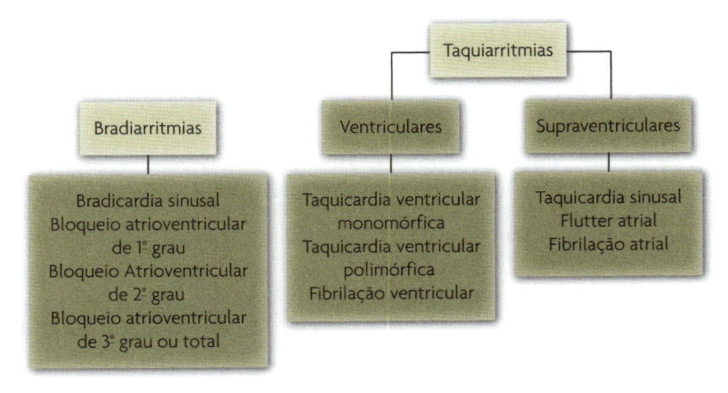

Figura 5.4 Classificação das principais arritmias.

As características eletrocardiográficas das bradiarritmias e taquiarritmias estão apresentadas nos Quadros 5.1 e 5.2, respectivamente.

Quadro 5.1 Características eletrocardiográficas das bradiarritmias.[5,8]

Bradicardia sinusal

Frequência: < 60 bpm
Intervalo R-R: regular
Morfologia do QRS: normal
Atividade atrial: presente, caracterizada por ondas P positivas nas derivações DI, DII e AVF
Relação P:QRS – 1P:1QRS

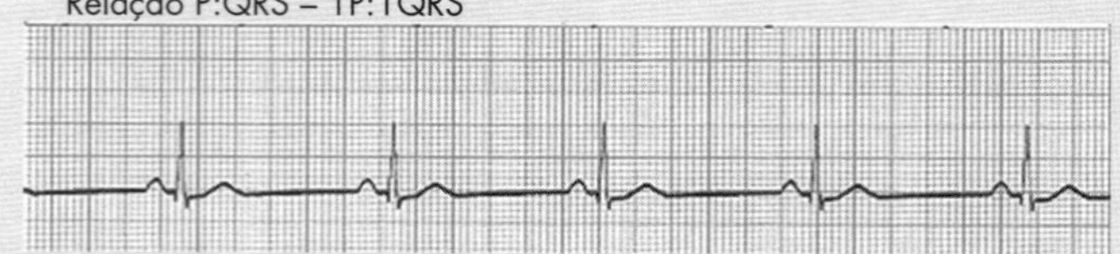

Bloqueio atrioventricular de 1º grau

Frequência: depende do grau de bloqueio. Quanto maior o bloqueio, menor a frequência
Intervalo R-R: em geral é regular
Morfologia do QRS: normal
Atividade atrial: onda P presente. Caracterizado por um intervalo P-R maior que 220 ms (> 0,20 s), podendo durar até 600 ms
Relação P:QRS – 1P:1QRS

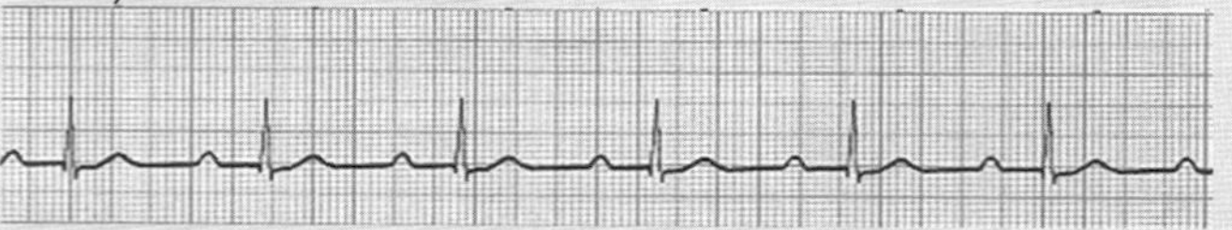

Bloqueio atrioventricular de 2º grau

Frequência: variável
Intervalo R-R: regular ou irregular
Morfologia do QRS: normal
Atividade atrial: presente
Relação P: QRS – Tipo I (*Mobitz I*): há prolongamento progressivo do intervalo P-R, até que uma onda P não é seguida de complexo QRS

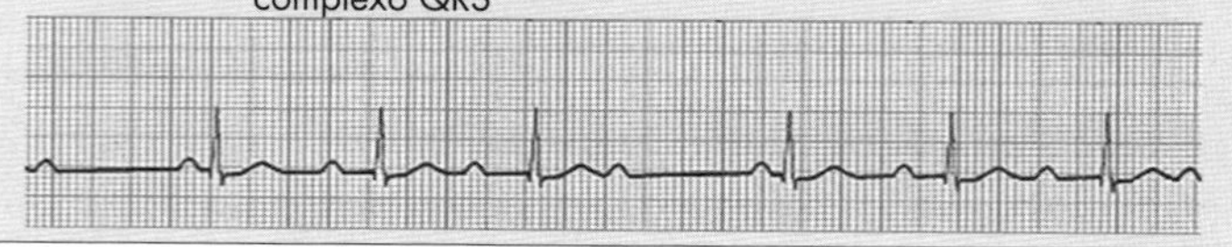

(*continua*)

Quadro 5.1 Características eletrocardiográficas das bradiarritmias.[5,8] (*continuação*)

Relação P:QRS – Tipo II (*Mobitz II*): há uma sequência repetitiva de impulsos atriais conduzidos seguidos de um ou mais impulsos atriais não conduzidos, provocando uma relação 2P:1QRS, 3P:1QRS, sucessivamente

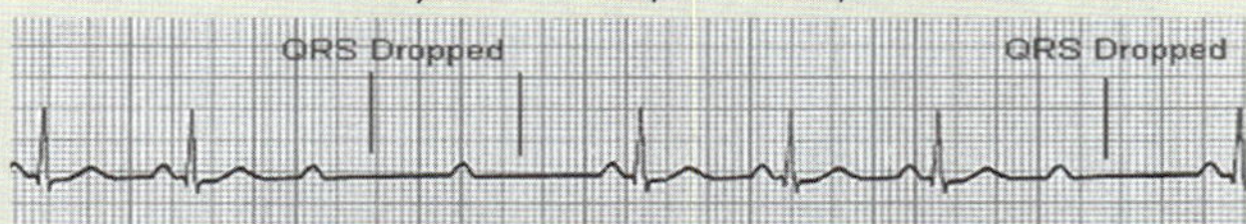

Bloqueio atrioventricular de 3º grau (total)

Frequência: 40 bpm ou menos

Intervalo R-R: em geral, é regular

Morfologia do QRS: normal, a não ser que coexista distúrbio de condução intraventricular

Atividade atrial: presente, porém totalmente dissociada da ventricular

Relação P:QRS – inexistente

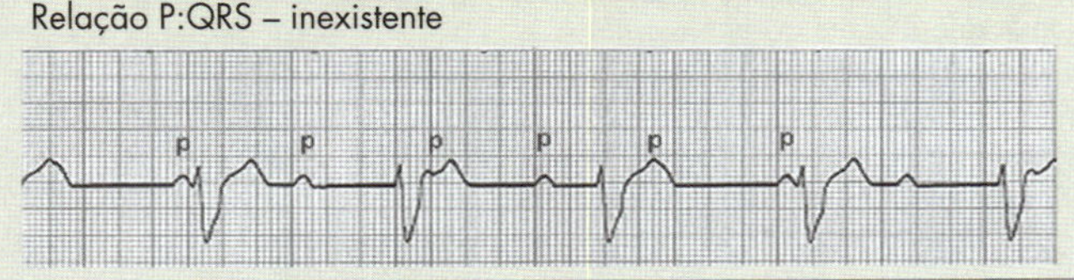

Fonte: http://www.ambulancetechnicianstudy.co.uk/rhythms.html#.VVUYiPlVhBc.

Quadro 5.2 Características eletrocardiográficas das taquiarritmias.[8-11]

Taquicardia sinusal

Causada por exercício, estresse emocional, hipóxia, ansiedade, dor, febre ou injúrias cardíacas (infarto agudo e fibrose)

Frequência: > 100 bpm

Intervalo R-R regular

Morfologia do QRS: normal

Atividade atrial: presente e característica do nó sinusal

Relação P:QRS – 1P:1QRS

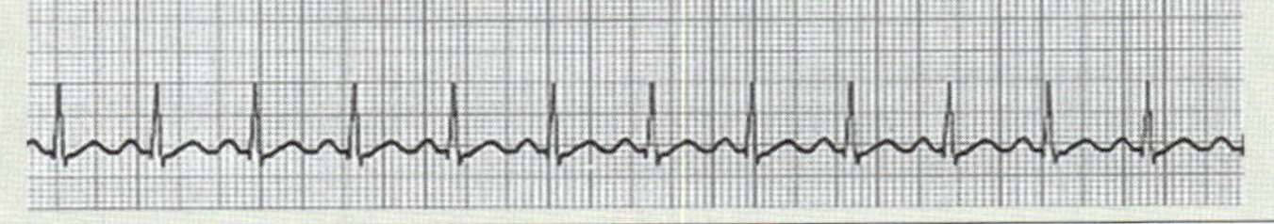

(*continua*)

Quadro 5.2 Características eletrocardiográficas das taquiarritmias.[8-11] *(continuação)*

Flutter atrial

Frequência atrial: 250 a 350 bpm; ventricular: 150 bpm
Intervalo R-R em geral regular
Morfologia do QRS: normal
Atividade atrial: presente e anormal caracterizado por ondas F, de aspecto serrilhado
Relação P:QRS – variável

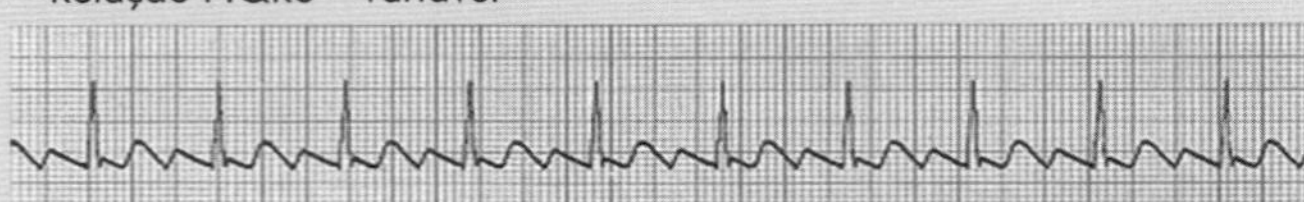

Fibrilação atrial

O impulso elétrico é produzido e disparado por vários focos atriais
Pode estar associada a condições temporárias (drogas ilícitas, cirurgias torácicas, infarto do miocárdio, pericardite, embolia pulmonar e distúrbios metabólicos)
A estase sanguínea nos átrios predispõe à formação de trombos e maior incidência de eventos embólicos

Frequência atrial: 350 a 600 bpm; ventricular: 100 a 160 bpm
Intervalo R-R irregular
Morfologia do QRS: normal, porém pode apresentar diferentes graus de aberrância
Atividade atrial: presente e caótica caracterizada por ondas 'f'
Relação P:QRS irregular

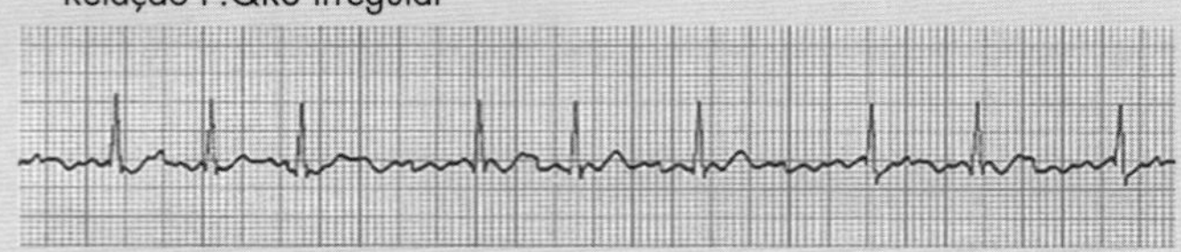

Taquicardia ventricular

Frequência: 100 a 250 bpm
Intervalo R-R usualmente regular
Morfologia do QRS: sempre bizarra; com duração superior a 120 ms (> 0,12 s)
Atividade atrial: nas frequências elevadas é não detectável
Relação P: QRS – não há relação fixa (átrios e ventrículos despolarizam-se em frequências distintas)

(continua)

Quadro 5.2 Características eletrocardiográficas das taquiarritmias.[8-11] (continuação)

Taquicardia ventricular monomórfica sustentada

Sustentada: presença de batimentos ventriculares repetitivos com duração superior a 30 segundos, podendo associar-se a colapso hemodinâmico

Não sustentada: presença de batimentos ventriculares repetitivos com duração inferior a 30 segundos e, usualmente, término espontâneo

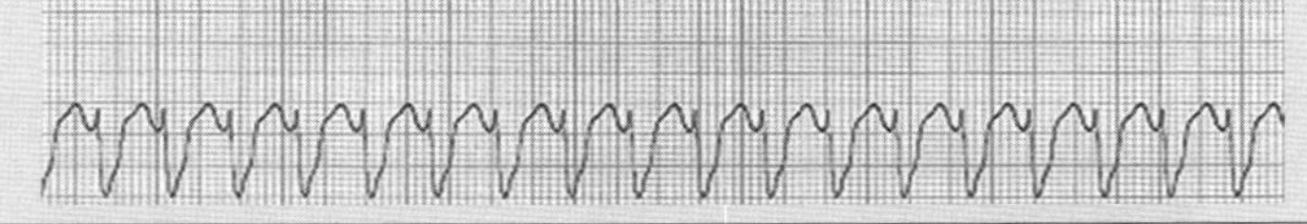

Fibrilação ventricular

Ritmo de parada cardiorrespiratória

Frequência: muito rápida e desorganizada

Intervalo R-R: irregular

Difícil identificar complexos QRS distintos

Morfologia do QRS: bizarra

Atividade atrial: inexistente

Relação P:QRS – inexistente

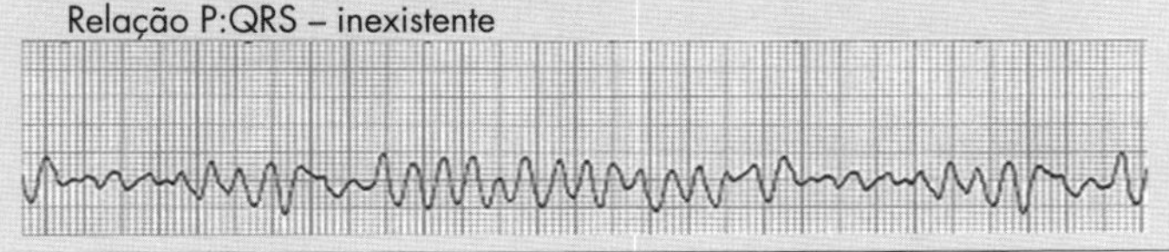

Fonte: http://www.ambulancetechnicianstudy.co.uk/rhythms.html#.VVUYiPlVhBc

TRATAMENTO PRINCIPAL

Figura 5.5 e Quadro 5.3.

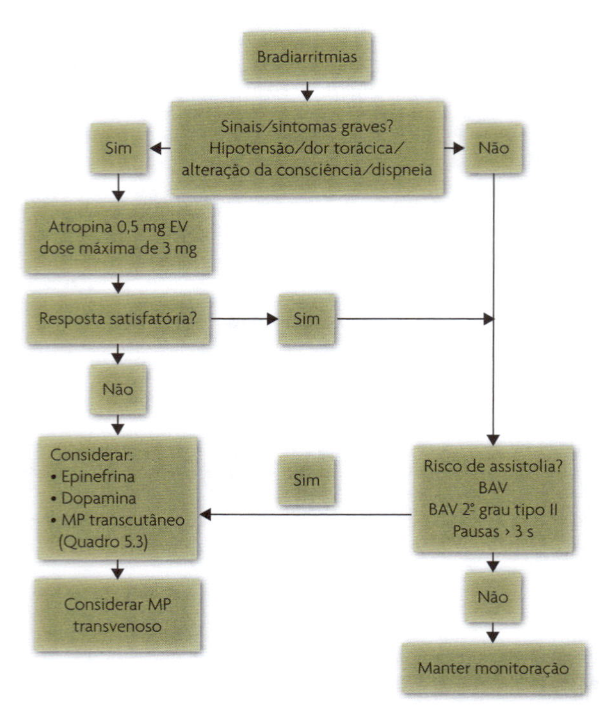

Figura 5.5 Algoritmo para a abordagem das bradiarritmias em situações de emergência.[12]

Quadro 5.3 Principais cuidados de enfermagem na utilização do marca-passo.

Marca-passo provisório transcutâneo[13,14]	
Analgesia e sedação	▪ Deve ser sempre realizada, para tornar suportável a dor decorrente das contrações musculares da parede torácica; ▪ Atentar para a dose e diluição adequadas do medicamento prescrito pelo médico; ▪ Providenciar material para o controle das vias aéreas e da respiração, atentando para sinais de depressão respiratória; ▪ Providenciar acesso venoso calibroso, atentando para sinais de depressão cardiovascular; ▪ Providenciar medicação antagonista específica.
Durante o procedimento	▪ Orientar o paciente quanto ao procedimento a ser realizado e às possíveis reações sentidas; ▪ Proceder à tricotomia quando necessária e manter o tórax limpo; ▪ Aplicação dos eletrodos (pás autoadesivas com gel condutor), posicionar, preferencialmente, o eletrodo anterior à esquerda do esterno e o posterior nas costas, diretamente atrás do eletrodo anterior e à esquerda da coluna vertebral torácica; ▪ Auxiliar na definição e controlar os parâmetros de estimulação: frequência de disparo (no geral, 70 a 80 bpm), energia (30 a 200 mA) e modo de estimulação (demanda ou fixo).
Após o procedimento	Decidir junto à equipe outro método de estimulação visto que, com o passar das horas, nota-se perda da eficácia.
Marca-passo provisório transvenoso[3,14,15]	
Avaliação	▪ Data, hora, método e sítio de inserção; ▪ Localização do eletrodo (átrio, ventrículo ou atrioventricular); ▪ Parâmetros de estimulação; ▪ Tolerância do paciente ao dispositivo; ▪ Estado do sítio de inserção;

(continua)

Quadro 5.3 Principais cuidados de enfermagem na utilização do marca-passo. (*continuação*)

Marca-passo provisório transvenoso[3,14,15]	
Avaliação	▪ Realização de radiografia de tórax; ▪ Perfusão distal ao sítio de inserção; ▪ Presença/ausência de soluços ou contraturas musculares; ▪ Fixação das conexões e do dispositivo; ▪ Verificar a bateria do dispositivo e realizar troca, se necessário; ▪ Atentar para riscos e complicações, como pneumotórax ou hemotórax, hematoma por punção arterial, perda de comando do marca-passo, deslocamento do eletrodo, problemas no gerador, infecção e arritmias.
Intervenção	▪ Orientar o paciente quanto ao procedimento a ser realizado; ▪ Monitorização cardíaca contínua; ▪ Realizar curativo no local de inserção de acordo com protocolo institucional; ▪ Manter paciente em repouso absoluto no leito; ▪ Manter a segurança elétrica do paciente com a ajuda de um leito adequadamente aterrado; ▪ O marca-passo nunca deverá ser desligado abruptamente devido ao risco de assistolia. Deve-se diminuir gradualmente a frequência de estimulação, observando o ritmo cardíaco do paciente.
Registro	▪ Registrar a avaliação, cuidados com o sítio de inserção e parâmetros de estimulação, bem como problemas, intervenções e resultados de enfermagem.

TAQUIARRITMIAS

O tratamento das taquicardias ventriculares deve seguir os seguintes passos (Figura 5.6 e Quadro 5.4):[11]

- Monitorização cardíaca, da pressão arterial não invasiva e oximetria de pulso. Em caso de saturação de oxigênio < 94%, considerar a instalação de oxigênio;

- Punção de acesso venoso periférico calibroso para coleta de exames laboratoriais (eletrólitos, função renal, perfil toxicológico, dosagem de medicamentos, marcadores de necrose miocárdica e gasometria) e infusão de medicamentos;
- Realização do ECG de 12 derivações.

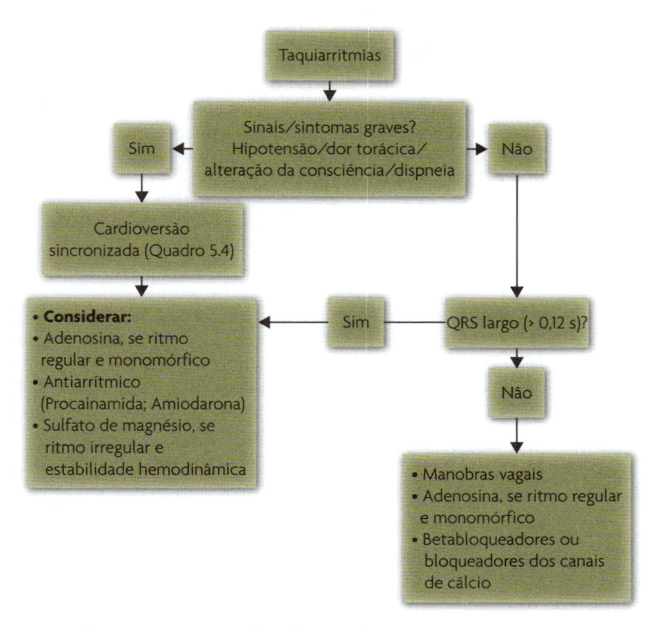

Figura 5.6 Algoritmo para a abordagem das taquiarritmias em situações de emergência.[12]

Quadro 5.4 Cuidados de enfermagem durante a cardioversão elétrica sincronizada.[11,15]

Aspecto	Cuidados de enfermagem
Sedação	▪ Deve ser sempre realizada; ▪ Atentar para a dose e diluição adequadas do medicamento escolhido pelo médico; ▪ Providenciar material para o controle das vias aéreas e da respiração, atentando para sinais de depressão respiratória; ▪ Providenciar acesso venoso calibroso, atentando para sinais de depressão cardiovascular; ▪ Providenciar medicação antagonista específica.
Cardioversão	▪ Providenciar material para atendimento a parada cardiorrespiratória; ▪ Orientar o paciente quanto ao procedimento a ser realizado e às possíveis reações sentidas ▪ Retirar próteses dentárias; ▪ Manter jejum oral (6h), quando possível; ▪ Providenciar monitorização cardíaca e de oximetria de pulso; ▪ Ofertar terapia suplementar com oxigênio; ▪ Proceder à tricotomia, quando necessário; ▪ Colocar uma quantidade generosa de gel na parte condutora das pás; ▪ Atentar para o tipo de onda do aparelho (monofásica ou bifásica) e para a energia selecionada para a aplicação do choque; ▪ Acionar e atentar para o sincronismo do aparelho com o complexo QRS; ▪ Não posicionar as pás sobre marca-passos e outros dispositivos implantados ou aderidos ao tórax; ▪ O intervalo entre dois choques não deve ser inferior a 1 minuto para se evitar o dano miocárdico; ▪ Incentivar a aplicação de pressão, cerca de 13 kg, durante o choque.
Após a cardioversão	▪ Atentar para a reversão do ritmo; ▪ Oferecer suporte ventilatório e hemodinâmico até a completa reversão da arritmia; ▪ Realizar ECG de 12 derivações; ▪ Discutir com a equipe e estar pronto para a utilização de agentes antiarrítmicos.

A identificação dos diagnósticos de enfermagem nas arritmias cardíacas auxilia os enfermeiros na elaboração de intervenções fundamentadas e adequadas às necessidades individuais de cada paciente, colaborando para a implementação de ações rápidas e eficazes para a resolução dos problemas identificados, como demonstradas no quadro abaixo.

Quadro 5.5 Principais diagnósticos e intervenções de enfermagem nas arritmias.

Principais diagnósticos de enfermagem[16]	Intervenções de enfermagem[17]
Débito cardíaco diminuído	▪ Monitorar, anotar e comunicar pulso, pressão arterial e perfusão periférica ▪ Monitorar, anotar e comunicar alterações no nível de consciência ▪ Monitorar, anotar e comunicar ocorrência de palidez cutânea, pele fria e sudorese ▪ Realizar balanço hídrico
Intolerância à atividade	▪ Manter repouso no leito ▪ Monitorar, anotar e comunicar saturação de oxigênio ▪ Monitorar, anotar e comunicar frequência respiratória e padrão respiratório ▪ Monitorar, anotar e comunicar crepitações pulmonares ▪ Monitorar, anotar e comunicar pressão arterial e pulso

REFERÊNCIAS BIBLIOGRÁFICAS

1. Sociedade Brasileira de Cardiologia. Diretrizes da Sociedade Brasileira de Cardiologia sobre Análise e Emissão de Laudos Eletrocardiográficos (2009). Arq Bras Cardiol. 2009;93(3 supl.2):1-19.
2. DATASUS [Internet]. Brasilia (DF). Ministério da Saúde, 2015 [citado 2015 abr 25]. Disponível em: http://datasus.gov.br/.
3. Sociedade Brasileira de Cardiologia. Diretrizes para avaliação e tratamento de pacientes com arritmias cardíacas. Arq Bras Cardiol. 2002;79(supl. 5).

4. Scatolini Neto A, Pozan G. Anatomia do sistema de condução do coração e bases fisiológicas celulares. In: Martinelli Filho M, Zimerman LI. Bases fisiopatológicas das arritmias cardíacas. São Paulo: Atheneu, 2008.
5. Libby P, Mann DL, Bonow Ro, et al. Braunwald: Tratado de doenças cardiovasculares. 8 ed. Rio de Janeiro: Elsevier. 2009; p.909.
6. Friedman AA. Eletrocardiograma em 7 aulas: temas avançados e outros métodos. Barueri: Manole, 2011.
7. Sociedade Brasileira de Cardiologia. Diretriz de interpretação de eletrocardiograma de repouso. Arq Bras Cardiol. 2003;80(supl 2).
8. Lopes JL, Ferreira FG. Eletrocardiograma para enfermeiros. São Paulo: Atheneu, 2013.
9. Sociedade Brasileira de Cardiologia. Diretrizes Brasileiras de Fibrilação Atrial. Arq Bras Cardiol. 2009;92(6 supl.1):1-39.
10. Quilici AP, Bento AM, Ferreira FG, Cardoso LF, Moreira RSL, Silva SC. Enfermagem em Cardiologia. 2 ed. São Paulo: Atheneu, 2014.
11. Kawabata VS, Martins HS. Taquiarritmias e cardioversão elétrica. In: Martins HS, Neto RAB, Neto AS, Velasco IT. Emergências clínicas: abordagem prática. 2ª ed. São Paulo: Manole. 2006; p. 517-46.
12. American Heart Association Guidelines for Cardiopulmonary Resuscitation and Emergency Cardiovascular Care, 2010.
13. Link MS, Berkow LC, Kudenchuk PJ, Halperin HR, Hess EP, Moitra VK, Neumar RW, O'Neil BJ, Paxton JH, Silvers SM, White RD, Yannopoulos D, Donnino MW. Part 7: adult advanced cardiovascular life support:2015 American Heart Association Guidelines Update for Cardiopulmonary Resuscitation and Emergency Cardiovascular Care. Circulation. 2015;132(suppl 2):S444–S464.
14. Sharman J. Clinical skills: cardiac rhythm recognition and monitoring. British Journal of Nursing. 2007;16 (5):306-11.
15. Morton PG, Fontaine DK, Hudak CM, Gallo BM. Cuidados críticos de enfermagem: uma abordagem holística. 8ª ed. Rio de Janeiro: Guanabara Koogan. 2007; p. 351-63.
16. North American Nursing Diagnosis Association (NANDA International). Diagnósticos de enfermagem da NANDA-I: definições e classificação 2009-2011. Porto Alegre: Artmed; 2010.
17. Johnson M, Bulechek G, Butcher H, Dochterman JM, Maas M. Ligações entre: NANDA, NOC e NIC: Diagnósticos, resultados e intervenções de enfermagem. 2ª ed. Porto Alegre: Artmed; 2009.

capítulo 6

Monica Isabelle Lopes Oscalices

Insuficiência Cardíaca Descompensada

INTRODUÇÃO

A Insuficiência Cardíaca (IC) é uma síndrome clínica sistêmica, definida como inadequada capacidade cardíaca em oferecer suprimento sanguíneo para atender necessidades metabólicas periféricas, ou fazê-lo somente com elevadas pressões de enchimento ventricular. A IC é a via final comum da maioria das doenças do coração, sendo um dos mais importantes desafios atuais na área da saúde.[1,2]

A IC aguda é definida como de início rápido ou mudança clínica dos sinais e sintomas, resultando na necessidade urgente de terapia.[3] A IC aguda pode ainda ser nova ou devido à piora de uma IC preexistente (IC crônica descompensada).[4,5]

O aumento da prevalência da IC deve-se ao aumento da expectativa de vida, à maior sobrevida de doentes após infarto do miocárdio e ao prolongamento de vida de pacientes portadores de doenças cardiovasculares. A taxa de mortalidade por IC é de cerca de 40% no primeiro ano após o diagnóstico, sendo que, em cinco anos, em torno de 50% dos pacientes evoluem para óbito.[4,5]

O alto custo da internação desses pacientes representa um grande problema de saúde pública – 79% das visitas ao serviço de emergência por descompensação são recorrentes e apenas 21% são a primeira descompensação. As reinternações ocorrem em 2% dos casos em dois dias, 20% em até um mês e 50% em seis meses após a alta hospitalar, sendo responsáveis pela primeira causa relacionada a custos em países desenvolvidos.[4,5]

FISIOPATOLOGIA

A IC pode ser caracterizada por pressões elevadas de enchimento de ambos os ventrículos, aumento da resistência vascular periférica e diminuição do débito cardíaco. A resposta do metabolismo à diminuição do débito cardíaco é manter a pressão arterial e a perfusão sistêmica adequadas mediante o aumento da pré-carga (enchimento ventricular) e pós-carga (resistência vascular periférica). Devido ao aumento da pré e pós-carga, a função ventricular é comprometida pela regurgitação das valvas atrioventriculares, decorrente do alto volume sistólico. Além disso, o aumento dessa carga ventricular causa maior estresse da parede do ventrículo, acarretando a piora da função miocárdica.[6]

A IC pode ser causada por disfunção sistólica (contração) e/ou diastólica (relaxamento). A IC sistólica ocorre quando a queda do débito cardíaco é devida a um problema na contratilidade miocárdica e diminuição da Fração de Ejeção (FE) do ventrículo esquerdo. Um terço dos episódios é associado a eventos de insuficiência coronária aguda (necrose e isquemia). A isquemia miocárdica ocasiona disfunção ventricular e IC devido à perda da massa, atordoamento e aumento da rigidez do miocárdio isquêmico, promovendo aumento nas pressões de enchimento, redução no volume sistólico e diminuição do débito cardíaco.[6]

A IC com disfunção diastólica ocorre quando a FE é preservada, mas há uma queda no débito cardíaco devido ao enchimento cardíaco inadequado, por redução da complacência miocárdica e disfunção diastólica, decorrente de estresse agudo, como nas situações de hipervolemia, venoconstricção ou exercício, hipertensão arterial, fibrilação atrial e insuficiência mitral.[6]

As causas mais comuns de descompensação da IC estão apresentadas na Tabela 6.1.

Tabela 6.1 Causas da descompensação da IC.

Cardiovasculares	Sistêmicas	Relacionadas ao paciente
Isquemia/infarto Hipertensão Doenças valvares Fibrilação atrial Arritmias Embolia pulmonar Doença de Chagas	Infecções Anemia Diabetes *mellitus* descompensado Disfunção da tireoide Gravidez Doença renal Drogas/medicações Distúrbios eletrolíticos	Não aderência ao tratamento farmacológico Abuso de sal e água Consumo de álcool Desconhecimento sobre a doença Tabagismo Automedicação

Há diversas classificações para a IC e a severidade da doença, muitas vezes, pode ser definida por meio delas. A classificação da *New York Heart Association* (NYHA) é a mais antiga e utilizada para pacientes com IC crônica, classificando-os de acordo com o seu grau de limitação funcional,[1] conforme ilustrado na Tabela 6.2.

Tabela 6.2 Classificação da NYHA.

Classe funcional	Limitação
Classe I	Não possui limitações para atividade física
Classe II	Discreta limitação para atividade física Atividades habituais causam dispneia, palpitação e fadiga
Classe III	Importante limitação para atividade física Atividade com intensidade inferior às habituais causam dispneia, palpitação e fadiga
Classe IV	Limitação para qualquer tipo de atividade física Sintomas em repouso

A classificação da *American Heart Association/American College of Cardiology* (AHA/ACC) foca nos estágios de desenvolvimento da IC,[1] conforme ilustrado na Tabela 6.3.

Tabela 6.3 Classificação da AHA para IC.

Estágio	Descrição
A	Ausência de sintomas e/ou sinais de IC. Ausências de cardiopatia estrutural. Risco elevado para desenvolver IC
B	Ausência de sintomas e/ou sinais de IC. Presença de cardiopatia estrutural correlacionada a IC
C	Presença de sintomas e/ou sinais de IC associado à cardiopatia estrutural
D	Cardiopatia estrutural avançada, com sintomatologia exuberante em repouso, apesar da terapêutica otimizada

SINAIS E SINTOMAS

Os sinais e sintomas da IC são resultantes da congestão (pulmonar e sistêmica) e hipoperfusão, sendo comuns dispneia em repouso, fadiga, cansaço, edema de membros inferiores, taquicardia, taquipneia, turgência jugular e hepatomegalia. A Tabela 6.4 apresenta os principais dados de história clínica que sevem ser investigados e exame físico relacionados à IC.

Tabela 6.4 Sinais e sintomas de IC.

História clínica	Exame físico
Sintoma prévio de IC	**Sinais e sintomas de congestão**
Histórico de infarto agudo do miocárdio	Dispneia em repouso/ortopneia
Histórico de doença arterial coronariana	Estase jugular

(continua)

Tabela 6.4 Sinais e sintomas de IC.	*(continuação)*
História clínica	**Exame físico**
Duração dos sintomas	Ausculta pulmonar (roncos/ crepitações)
Tipo de dispneia	Ausculta cardíaca (sopros/B3 e B4/ atritos)
Grau de limitação funcional	
Ortopneia	Edema de membros inferiores
Número de internações prévias	**Sinais e sintomas de hipoperfusão**
Tabagismo	Hipotensão e pulso filiforme
Comorbidades	Confusão
Dispneia paroxística noturna	Cianose
Sintomas associados (febre/ expectoração)	Palidez
Medicações em uso	Diminuição da perfusão periférica
Aderência ao tratamento	Sonolência
Etilismo	Oligúria

A dispneia relacionada com a IC deve ser investigada como diagnóstico diferencial de asma, doença pulmonar obstrutiva crônica e edema agudo de pulmão não cardiogênico.[6]

EXAMES DIAGNÓSTICOS

Na maiorias das vezes, a presença de IC e sua descompensação podem ser bem definidas com um bom histórico clínico e exame físico, porém alguns exames são importantes para o diagnóstico e prognóstico, pela avaliação da gravidade da doença.

O Eletrocardiograma (ECG) pode revelar a origem e o motivo da descompensação da IC apresentando alterações como distúrbios do ritmo e da frequência cardíaca (atrial ou ventricular), isquemia ou necrose miocárdica e dilatação das câmaras cardíacas.[6]

A radiografia de tórax é um exame de fácil acesso e pode revelar sinais de congestão pulmonar, derrame pleural, pneumotórax, aumento das câmaras cardíacas e diferenciar causas de dispneia.[6]

Os exames laboratoriais podem auxiliar na avaliação das fontes de descompensação da IC e determinar o prognóstico da doença (Tabela 6.5).

Tabela 6.5 Alterações laboratoriais e diagnósticos diferenciais.

Exames laboratoriais	Alterações	Causas
Função renal	Aumento da creatinina e ureia	IC grave Doença renal Excesso de diuréticos
Hemograma	Anemia	IC crônica (pior prognóstico) Doença renal
Sódio	Hiponatremia	IC crônica (pior prognóstico) Excesso de diuréticos
Potássio	Hipercalemia	Doença renal
BNP/pro-BNP	Elevados	IC aguda ou crônica
Enzimas cardíacas	Elevadas	Necrose do miocárdio IC crônica (pior prognóstico) Doença renal
PCR	Elevada	Infecção/inflamação sistêmica

BNP: Peptídeo Natriurético Cerebral; PCR: Proteína C Reativa.

A gasometria arterial poderá ser solicitada em pacientes com distúrbio respiratório grave e sinais de baixo débito cardíaco, possibilitando, além da análise da oxigenação e do equilíbrio acidobásico, identificar hipoperfusão periférica e pior prognóstico da doença.[6]

O ecocardiograma é um exame não invasivo que torna possível verificar a etiologia da IC, sua gravidade, possíveis causas de descompensação e seu prognóstico, permitindo o estudo anatômico e funcional das câmaras cardíacas, função dos ventrículos e das valvas e dimensionamento do coração.[6]

TRATAMENTO PRINCIPAL

Os objetivos do tratamento de um paciente com IC descompensada são: a compensação das anormalidades agudas hemodinâmicas e investigação das causas de descompensação, o alívio dos sintomas, evitando a morte em curto prazo e o início do tratamento para diminuição da progressão da doença em longo prazo, melhorando a sobrevida do paciente.

A abordagem do paciente com IC no serviço de emergência[3] depende do grau e tipo de descompensação. Desse modo, classifica-se o paciente em grupos (Figura 6.1) de acordo com os sinais e sintomas de má perfusão e congestão (Tabela 6.6).[3]

Tabela 6.6 Sinais de má perfusão e congestão na IC.

Evidências de má perfusão	Evidências de congestão
Pele fria e pegajosa	Dispneia/ortopneia
Hipotensão	Edema/ascite
Sonolência	Estase jugular
Confusão	Crepitação pulmonar
Aumento do tempo de enchimento capilar	

A proposta terapêutica é escolhida a partir do perfil do paciente.[4,5]

- **PERFIL A:** ajuste de medicação via oral para manutenção do estado volêmico.
- **PERFIL B:** introdução ou aumento de diuréticos para diminuir a congestão.

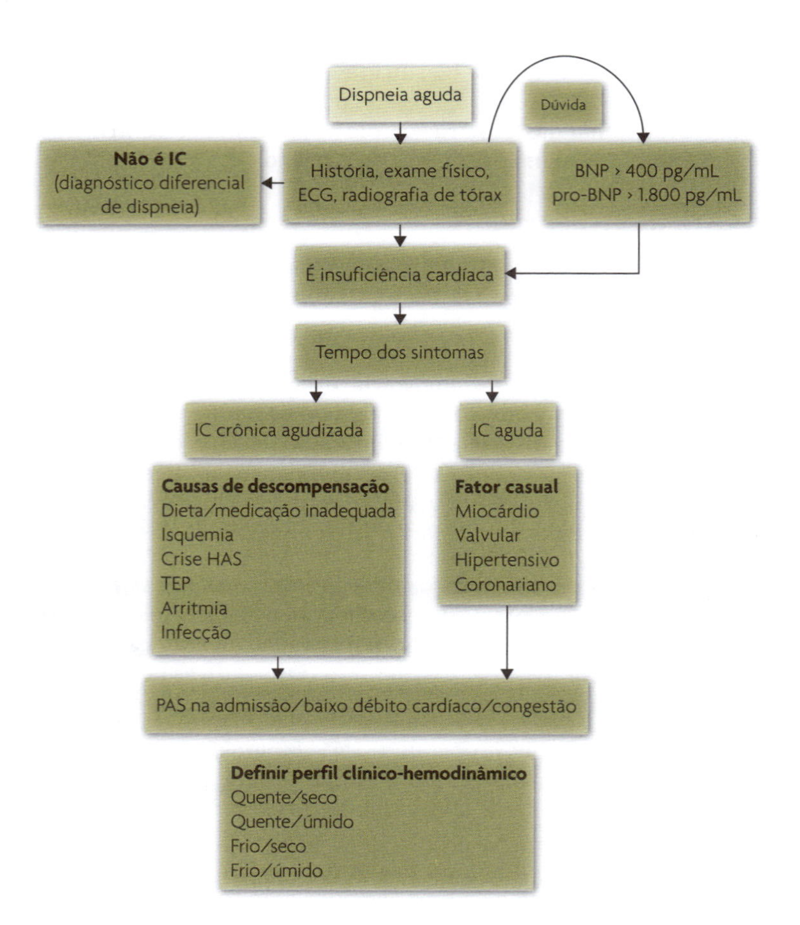

Figura 6.1 Fluxograma de atendimento de IC descompensada na emergência.

HAS: Hipertensão Arterial Sistêmica; TEP: Tromboembolismo Pulmonar; PAS: Pressão Arterial Sistólica

Fonte: II Diretriz Brasileira de Insuficiência cardíaca Aguda.

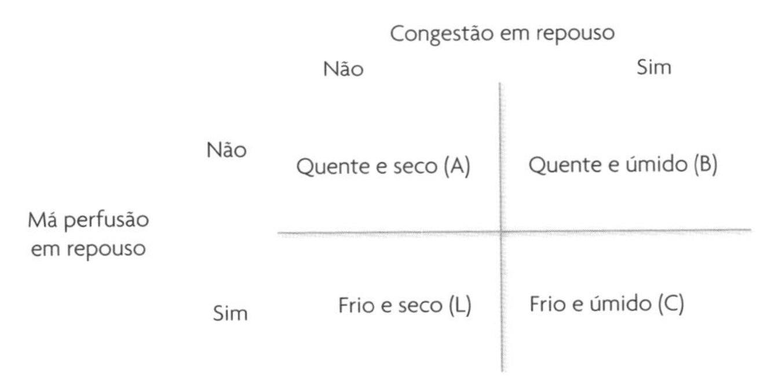

Figura 6.2 Perfil clínico-hemodinâmico de IC descompensada.
Fonte: Suporte Avançado de Vida em Insuficiência Cardíaca (SAVIC).

- **PERFIL C:** introdução ou aumento de diuréticos para diminuir a congestão, associado a vasodilatadores intravenosos para diminuição da pós-carga e melhora da perfusão periférica, e inotrópicos intravenosos para melhora da hipotensão, em casos mais graves.
- **PERFIL L:** pode ser necessária reposição volêmica criteriosa, uso de vasodilatadores intravenosos para diminuição da pós-carga e melhora da perfusão periférica, e inotrópicos intravenosos para a melhora da hipotensão.

Os pacientes que procuram o serviço de emergência por IC descompensada estão, em sua maioria, congestos, com cianose, dispneia e, algumas vezes, com má perfusão periférica, devendo ser encaminhados à sala de emergência para avaliação imediata.[4,5]

Os cuidados gerais para pacientes com IC descompensada são: manutenção de decúbito elevado; monitorização multiparamétrica; obtenção de acesso venoso periférico, para coleta de exames laboratoriais e administração de medicamentos e fornecimento de aporte de oxigênio, se necessário.[4,5]

A seguir, as principais classes de medicamentos[5] utilizadas para o tratamento da IC ou da sua descompensação.

Diuréticos

Causam venodilatação em cerca de 20 minutos, diminuindo a pré-carga, e induzem a diurese em 30 minutos, aliviando a congestão.

Inotrópicos

Proporcionam aumento da força de contração do miocárdio e aumento do débito cardíaco, aliviando a congestão e melhorando a perfusão.

Vasodilatadores

Aliviam a congestão pulmonar, reduzem a pré e a pós-carga, diminuindo o consumo de oxigênio pelo miocárdio.

Após a compensação do quadro agudo, devem-se pesquisar possíveis causas da descompensação, como isquemias, infecções ou arritmias, dose inadequada de medicamentos prescritos, falta de adesão ao tratamento e acompanhamento ambulatorial. A orientação de alta para o paciente com IC é de extrema importância para o esclarecimento da necessidade da adesão medicamentosa e mudança de hábitos de vida com uma dieta saudável e a prática de exercícios físicos.[6]

Diagnósticos e intervenções de enfermagem (Tabela 6.7)[7,8]

Tabela 6.7 Principais diagnósticos e intervenções de enfermagem para pacientes com IC descompensada.

Diagnósticos de enfermagem	Intervenções de enfermagem
Volume de líquido excessivo	▪ Monitorar, anotar e comunicar pulso e pressão arterial ▪ Monitorar, anotar e comunicar saturação de oxigênio

(*continua*)

Tabela 6.7 Principais diagnósticos e intervenções de enfermagem para pacientes com IC descompensada. *(continuação)*

Diagnósticos de enfermagem	Intervenções de enfermagem
Volume de líquido excessivo	▪ Monitorar, anotar e comunicar frequência respiratória e padrão respiratório ▪ Monitorar, anotar e comunicar crepitações pulmonares ▪ Monitorar, anotar e comunicar extensão de edemas ▪ Realizar balanço hídrico ▪ Realizar peso diário ▪ Avaliar localização e extensão do edema ▪ Distribuir ingesta de líquidos ao longo das 24h
Padrão respiratório ineficaz	▪ Manter decúbito elevado ▪ Monitorar, anotar e comunicar saturação de oxigênio ▪ Monitorar, anotar e comunicar frequência respiratória e padrão respiratório ▪ Monitorar, anotar e comunicar crepitações pulmonares
Débito cardíaco diminuído	▪ Monitorar, anotar e comunicar pulso, pressão arterial e perfusão periférica ▪ Monitorar, anotar e comunicar alterações no nível de consciência ▪ Monitorar, anotar e comunicar ocorrência de palidez cutânea, pele fria e sudorese ▪ Realizar balanço hídrico
Intolerância à atividade	▪ Manter repouso no leito ▪ Monitorar, anotar e comunicar saturação de oxigênio ▪ Monitorar, anotar e comunicar frequência respiratória e padrão respiratório ▪ Monitorar, anotar e comunicar crepitações pulmonares ▪ Monitorar, anotar e comunicar pressão arterial e pulso

(continua)

Tabela 6.7 Principais diagnósticos e intervenções de enfermagem para pacientes com IC descompensada. *(continuação)*

Diagnósticos de enfermagem	Intervenções de enfermagem
Autocontrole ineficaz da saúde	▪ Orientar o paciente sobre o seu estado clínico ▪ Disponibilizar tempo e espaço para que o paciente expresse seus sentimentos, dúvidas e preocupações ▪ Verificar os fatores que possam impedir a adesão do paciente ao tratamento

REFERÊNCIAS BIBLIOGRÁFICAS

1. Bocchi EA, Marcondes-Braga FG, Ayub-Ferreira SM, Rohde LE, Oliveira WA, Almeida DR, et al. Sociedade Brasileira de Cardiologia. III Diretriz Brasileira de Insuficiência Cardíaca Crônica. Arq Bras Cardiol. 2009;93(1 supl.1):1-71.
2. Bocchi EA, Marcondes-Braga FG, Bacal F, Ferraz AS, Albuquerque D, Rodrigues D, et al. Sociedade Brasileira de Cardiologia. Atualização da Diretriz Brasileira de Insuficiência Cardíaca Crônica. Arq Bras Cardiol. 2012; 98(1 supl. 1):1-33.
3. Montera MW, Almeida RA, Tinoco EM, Rocha RM, Moura LZ, Réa-Neto A, et al. Sociedade Brasileira de Cardiologia. II Diretriz Brasileira de Insuficiência Cardíaca Aguda. Arq Bras Cardiol. 2009;93 (3 supl. 3):1-65.
4. Canesin MF, et al. Suporte avançado de vida em insuficiência cardíaca (SAVIC). 3 ed. Barueri, SP: Manole, 2014.
5. Alla F, Zannad F, Filippatos G. Epidemiology of acute heart failure syndromes. Heart Fail Ver. 2007;12:91-5.
6. Martins HS, et al. Emergências clínicas: abordagem prática; 8 ed. rev e atual. Manole. Barueri, SP. 2013; p. 366-88.
7. Diagnóstico de enfermagem da NANDA: definições e classificações – 2012-2014. Tradução de Regina Machado Garcez. Porto Alegre: Artmed; 2012.
8. McCloskey JC, Bulechek GM, organizadoras. Classificação das intervenções de enfermagem (NIC). 5 ed. Rio de Janeiro: Elsevier; 2010.

capítulo 7

Satomi Mori Hasegawa

Insuficiência Renal Aguda

CONCEITO

O conceito de Insuficiência Renal Aguda (IRA) passou por revisões e alterações significativas nos últimos anos em razão da grande variação de definições existentes. Estima-se que haja cerca de 35 definições para a IRA.[1-3] A ausência de um padrão conceitual pode dificultar em diversos aspectos, desde a comparação dos resultados de estudos científicos até a prática clínica no tratamento dos pacientes, bem como a análise da evolução dos pacientes.[4]

Hoje também utiliza-se o termo Lesão Renal Aguda (LRA) por ser mais abrangente e englobar amplamente os aspectos do prejuízo renal, não considerando apenas a fase mais avançada da doença que se manifesta pela falência do órgão.[1] A LRA pode ser considerada uma síndrome clínica que inclui diversas doenças de origem renal ou extrarrenal, as quais podem comprometer a estrutura e a função desse órgão. Dentre essas condições patológicas, que podem ocasionar a LRA, citam-se a nefrite intersticial aguda, a doença glomerular aguda, a isquemia e a lesão por toxicidade.[2]

Diante do importante aspecto da ausência de padronização conceitual, algumas iniciativas foram realizadas para a validação de sistemas que definem e classificam a IRA. A princípio, em 2004, a organização denominada *Acute Dialysis Quality Initiative* propôs um sistema de classificação considerando o nível sérico da creatinina, a taxa de filtração glomerular e a produção de urina. Esse foi denominado RIFLE e cada letra tem o seguinte significado: R (*risk*) – risco, I (*injury*) – injúria, F (*failure*) – falência, L (*loss*) – perda, ESKD (*end stage renal disease*) – estágio final da doença renal,[5] conforme descrito na Tabela 7.1.

Tabela 7.1 Sistema de classificação RIFLE.[5]

Classificação	Taxa de filtração glomerular	Débito urinário
Risco	↑ CrS* × 1,5 ou ↓TFG† > 25%	< 0,5 mL/kg/h em 6h
Injúria	↑ CrS × 2 ou ↓TFG > 50%	< 0,5 mL/kg/h em 12h
Falência	↑ CrS × 3 ou ↓TFG > 75% ou CrS > 4 mg/dL	< 0,3 mL/kg/h em 24h ou anúria por 24h
Perda da função	Perda completa da função renal por > 4 semanas	
Estágio final da doença renal	Necessidade de diálise por > 3 meses	

*CrS: creatinina sérica; †TFG: Taxa de Filtração Glomerular.

Em 2007, a organização *Acute Kidney Injury Network* (AKIN) publicou outro sistema de definição e classificação da LRA. A definição da LRA proposta considera a redução abrupta da função renal no período de 48 h, observando-se:[6]

- Creatinina sérica (CrS) ≥ 0,3 mg/dL (≥ 26,4 µmol/L) ou aumento da CrS ≥ 50% de seu basal;
- Oligúria: volume urinário < 0,5 mL/kg por ≥ 6 horas.

A classificação dos estágios da LRA foi elaborada a partir do critério RIFLE que foi modificado conforme descrito na Tabela 7.2.

Tabela 7.2 Classificação AKIN.[6]		
Estágio	**Creatinina sérica**	**Débito urinário**
1	↑ CrS * ≥ 0,3 mg/dL ou ↑ de 1,5 a 2 vezes do valor basal	< 0,5 mL/kg/h por 6h
2	↑ CrS 2 a 3 vezes do valor basal	< 0,5 mL/kg/h por > 12h
3	↑ CrS > 3 vezes do valor basal ou ≥ 4,0 mg/dL com ↑ agudo de pelo menos 0,5 mg/dL	< 0,3 mL/kg/h por > 24h ou anúria por 12h

*CrS: creatinina sérica.

E recentemente, em 2012, a organização *Kidney Disease Improving Global Outcomes* (KDIGO) definiu a LRA pela presença de qualquer um dos seguintes critérios:[2]

- Aumento da creatinina sérica ≥ 0,3 mg/dL (≥ 26,5 µmol/L) em 48 horas; ou
- Aumento da creatinina sérica para 1,5 vezes o valor basal que, conhecida ou presumidamente, ocorreu no período de sete dias; ou
- Volume urinário < 0,5 mL/kg/h por 6 horas.

A classificação do estágio da LRA é realizada de acordo com critérios descritos na Tabela 7.3.

Tabela 7.3 Classificação KDIGO.[2]		
Estágio	**Creatinina sérica**	**Débito urinário**
1	↑ CrS * 1,5 a 1,9 vezes do valor basal ou ≥ 0,3 mg/dL (≥ 26,5 µmol/L)	< 0,5 mL/kg/h por 6h-12h
2	↑ CrS 2 a 2,9 vezes do valor basal	< 0,5 mL/kg/h por ≥ 12h
3	↑ CrS 3 vezes do valor basal ou ≥ 4,0 mg/dL (≥ 353,6 µmol/L) ou início da terapia de substituição renal ou em pacientes < 18 anos, ↓ da TFG < 35 mL/min por 1,73 m^2	< 0,3 mL/kg/h por ≥ 24h ou anúria por ≥ 12h

*CrS: creatinina sérica.

Recomenda-se hoje utilizar qualquer um desses três sistemas de definição e classificação para se avaliar a IRA.[1]

A LRA é uma condição clínica comum, prejudicial e potencialmente tratável. Mesmo uma pequena redução na função renal pode influenciar no prognóstico do paciente.[2] A incidência da IRA é de 1% a 25% em pacientes internados em unidades de terapia intensiva, e de 13% a 18% em pacientes adultos submetidos a internação hospitalar. Já a mortalidade varia consideravelmente de acordo com a gravidade dos pacientes variando entre 15% e 60%.[1,2]

FISIOPATOLOGIA

O rim é um órgão que pode tolerar exposição a vários insultos sem sofrer alteração estrutural significativa ou funcional. Portanto, qualquer alteração aguda na função renal muitas vezes indica degeneração sistêmica grave e pode indicar pior prognóstico. O risco para o desenvolvimento de IRA aumenta na presença de:[2]

- **Fatores causadores**: sepses, doenças críticas, choque circulatório, queimaduras, trauma, cirurgia cardíaca (especialmente com circulação extracorpórea), cirurgias de grande porte, medicamentos nefrotóxicos, uso de contrastes e intoxicações.
- **Fatores de susceptibilidade**: desidratação ou depleção volêmica, idade avançada, gênero feminino, afrodescendentes, doença renal crônica, doenças crônicas (coração, pulmão, fígado), diabetes mellitus, câncer e anemia.

Conforme observado, a IRA pode ocorrer secundária a diversas condições clínicas e, para a melhor compreensão de seus processos fisiopatológicos, são classificadas de acordo com a etiologia em:[7]

- **IRA renal:** secundária às condições que causam danos nas estruturas renais, como o uso de medicações nefrotóxicas

(p. ex., antibióticos, contrastes radiográficos); à isquemia (p. ex., choque, reação transfusional); e às doenças renais (p. ex., glomerulonefrite, nefrite intersticial aguda).

- **IRA pós-renal:** causada pela obstrução parcial ou total do fluxo da urina, comumente observada em pacientes que apresentam cálculos renais, tumores que impedem o escoamento da urina e estenose de ureter.
- **IRA pré-renal:** relacionada às condições que causam a hipoperfusão renal, provocando diminuição na taxa de filtração glomerular. Dentre essas condições, mencionam-se: hipovolemia (p. ex., queimaduras, hemorragias, perdas gastrintestinais); resistência vascular alterada (p. ex., choque, anafilaxia, hipertensão arterial sistêmica); e diminuição do débito cardíaco (p. ex., arritmias, insuficiência cardíaca, tamponamento cardíaco).

SINAIS E SINTOMAS

A manifestação dos sinais e sintomas na IRA varia de acordo com as causas e o grau da disfunção renal. Em geral são inespecíficos e podem ser mascarados pela doença de base. Nesse sentido, é importante que se estabeleça seus fatores de riscos, a sua causa e também a gravidade da IRA. No entanto, é comum o paciente apresentar as seguintes alterações:[4]

- **Sistema neurológico:** sonolência, tremores, agitação, torpor, convulsão, coma que podem ocorrer secundários ao distúrbio eletrolítico, à acidose metabólica e à uremia.
- **Cardiorrespiratório:** dispneia, hipertensão ou hipotensão arterial, insuficiência cardíaca e edema agudo de pulmão secundário à hipervolemia. Bem como arritmias em decorrência de distúrbios eletrolíticos, pericardite e pleurite secundárias à uremia.
- **Digestivo:** inapetência, náuseas, vômitos incoercíveis, sangramento digestivo em decorrência da uremia.

EXAMES DIAGNÓSTICOS

Para a identificação da IRA, recomenda-se a coleta da creatinina sérica, avaliação do débito urinário e a utilização de qualquer um dos seguintes sistemas de definição e classificação da IRA: RIFLE, AKIN e KDIGO.[1]

Outros exames podem ser indicados para complementar o processo de diagnóstico e para análise do grau de comprometimento da IRA: laboratoriais (ureia sérica, eletrólitos séricos e urina), ultrassom e biópsia renal.[1]

TRATAMENTO PRINCIPAL

O tratamento do paciente com IRA é realizado tendo como foco a manutenção da perfusão renal e a prevenção do agravo da função renal. Ele engloba os seguintes aspectos: correção do desequilíbrio de fluidos, correção do desequilíbrio eletrolítico e ácido-básico, prevenção de novos danos renais, controle do estado nutricional e glicêmico e, em algumas situações, a indicação de terapia de substituição renal.[7]

- **Correção do desequilíbrio de fluidos e manutenção da perfusão renal:**
  - **Reposição volêmica**: em pacientes que apresentam hipovolemia não relacionada ao choque hemorrágico, é recomendado o uso de soluções cristaloides isotônicas em vez de coloides para a expansão do volume intravascular.[1,2]
  - **Drogas vasoativas**: não se recomenda a administração de dopamina em doses baixas para a prevenção ou o tratamento da IRA. Em pacientes com choque vasomotor, indica-se administrar vasopressores como a noradrenalina em conjunto com fluidos.[1,2]
  - **Diuréticos**: não se recomenda administrar diuréticos de alça rotineiramente. Deve-se considerar o seu uso para o tratamento de sobrecarga de líquidos, na presença de edema em pacientes que aguardam por terapia de

substituição renal ou quando a função renal está em recuperação sem tratamento dialítico.[1,2]

- **Correção do desequilíbrio eletrolítico e ácido-básico:** esses distúrbios são complicações comumente observadas em pacientes que desenvolvem IRA, especialmente a hipercalemia e a acidose metabólica. Portanto, os profissionais de saúde devem estar atentos quanto à prevenção e ocorrência dessas condições.[2] Para o estudo desse tema, consulte o Capítulo 20.
- **Prevenção de novos danos renais:** as medidas preventivas para a IRA englobam diversos cuidados que abrangem a manutenção da volemia adequada do paciente, a adequação da dosagem de drogas nefrotóxicas ou, se possível, evitar o seu uso; dentre as quais, citam-se: aminoglicosídeos, anfotericina B, ciclosporinas, quimioterápicos e contrastes radiológicos. Além disso, recomenda-se não utilizar diuréticos de alça para a prevenção da nefrotoxicidade.[4]
- **Controle do estado nutricional e glicêmico:** é importante que o enfermeiro esteja atento às necessidades nutricionais dos pacientes com IRA, pois a desnutrição proteicocalórica é um importante preditor independente de mortalidade intra-hospitalar em pacientes com IRA. Sugere-se que o consumo energético total seja de 20 a 30 kcal/kg/dia para os pacientes que apresentam IRA em qualquer estágio da doença. Com relação à ingesta proteica, propõe-se que sua restrição seja evitada, a fim de prevenir ou retardar o início da terapia de substituição renal. Sugere-se a administração de 0,8 a 1,0 g/kg/dia de proteína em pacientes com IRA não catabólica e sem necessidade de diálise; de 1,0 a 1,5 g/kg/dia em pacientes com lesão renal aguda em tratamento dialítico. É recomendado até um máximo de 1,7 g/kg/dia em pacientes com terapia de substituição renal contínua e em

doentes que apresentem hipercatabolismo. Em pacientes criticamente enfermos, sugere-se a insulinoterapia para manutenção nos valores da glicose plasmática entre 110 a 149 mg/dL.[2]

- **Terapia de substituição renal**: recomenda-se consultar um nefrologista para avaliar a indicação potencial e precoce da terapia dialítica, a fim de reduzir a possibilidade da manifestação da uremia e de outras complicações da IRA. Ressalte-se que a decisão para iniciar a terapia de substituição renal não deve basear-se no valor isolado da ureia, da creatinina ou do potássio.[1]

DIAGNÓSTICOS E CUIDADOS DE ENFERMAGEM

Os principais diagnósticos e cuidados de enfermagem indicados para os pacientes que apresentam IRA estão listados no Quadro 7.1.

Quadro 7.1 Principais diagnósticos e cuidados de enfermagem na IRA.

Principais diagnósticos de enfermagem[8]	Cuidados de enfermagem[9]

Risco de perfusão renal ineficaz	▪ Verificar o padrão miccional
	  ▪ frequência
	  ▪ volume urinário
	  ▪ características da urina
	▪ Realizar balanço hídrico
	▪ Avaliar o nível de consciência
	▪ Aferir a pressão arterial
	▪ Avaliar presença de edema
	▪ Acompanhar os resultados dos exames laboratoriais

Risco de desequilíbrio eletrolítico	▪ Avaliar o nível de consciência ▪ Monitorar o traçado eletrocardiográfico ▪ Acompanhar os resultados dos exames laboratoriais ▪ Realizar balanço hídrico

(continua)

Quadro 7.1 Principais diagnósticos e cuidados de enfermagem na IRA. *(continuação)*

Principais diagnósticos de enfermagem[8]	Cuidados de enfermagem[9]
Volume de líquido excessivo	▪ Pesar o paciente ▪ Avaliar presença de edema ▪ Verificar sinais vitais: pressão arterial, frequência cardíaca, frequência respiratória ▪ Realizar ausculta pulmonar para identificar presença de estertores ▪ Verificar ocorrência de dispneia/desconforto respiratório ▪ Realizar balanço hídrico
Débito cardíaco diminuído	▪ Monitorar frequentemente a frequência cardíaca, pressão arterial e perfusão periférica ▪ Avaliar o nível de consciência ▪ Auxiliar nas atividades de autocuidado ▪ Indicar e estimular o repouso apropriado
Risco de confusão aguda	▪ Manter ambiente calmo e eliminar estimulação excessiva ▪ Implementar medidas de segurança: supervisão, manter grades elevadas, colocação da campainha ao alcance do paciente ▪ Acompanhar os resultados dos exames laboratoriais
Nutrição desequilibrada: menos que as necessidades corporais	▪ Pesar o paciente ▪ Estimular e/ou auxiliar na ingesta apropriada dos nutrientes ▪ Registrar a quantidade de dieta ingerida pelo paciente
Intolerância à atividade	▪ Identificar as limitações do paciente ▪ Auxiliar nas atividades de autocuidado ▪ Indicar o tipo de repouso do paciente ▪ Promover ambiente seguro, a fim de evitar quedas e lesões ▪ Monitorar, anotar e comunicar o padrão respiratório e a saturação de oxigênio ▪ Monitorar, anotar e comunicar pressão arterial e pulso

REFERÊNCIAS BIBLIOGRÁFICAS

1. National Institute for Health and Clinical Excellence: Guidance. Acute Kidney Injury: Prevention, Detection and Management Up to the Point of Renal Replacement Therapy [Internet] London: Royal College of Physicians (UK). [internet]. 2013 [acesso em 2015 mai 4]. Disponível em: http://www.ncbi.nlm.nih.gov/pubmedhealth/PMH0068968/pdf/TOC.pdf
2. Kidney Disease: Improving Global Outcomes (KDIGO) Acute Kidney Injury Work Group. KDIGO Clinical Practice Guideline for Acute Kidney Injury. Kidney Inter. 2012;2(Suppl):1-138.
3. Kellum JA, Levin N, Bouman C, et al. Developing a consensus classification system for acute renal failure. Curr Opin Crit Care. 2002;8: 509-14.
4. Comitê de Insuficiência Renal Aguda da Sociedade Brasileira de Nefrologia. Insuficiência Renal aguda. [internet]. 2007. [acesso em 2015 mai 4]. Disponível em: http://www.sbn.org.br/pdf/diretrizes/Diretrizes_Insuficiencia_Renal_Aguda.pdf
5. Bellomo R, Ronco C, Kellum JA, Mehta RL, Palevsky P. Acute Dialysis Quality Initiative workgroup. Acute renal failure – definition, outcome measures, animal models, fluid therapy and information technology needs: the Second International Consensus Conference of the Acute Dialysis Quality Initiative (ADQI) Group. Crit Care. 2004;8(4):R204-12.
6. Mehta RL, Kellum JA, Shah SV, Molitoris BA, Ronco C, Warnock DG, et al. Acute kidney injury network: report of an initiative to improve outcomes in acute kidney injury. Crit Care. 2007;11(2):R31.
7. Hinkle C. Sistema renal. In: Chulay M, Burns SM. Fundamentos de enfermagem em cuidados críticos da AACN. 2ª ed. Porto Alegre: AMGH; 2012.
8. North American Nursing Diagnosis Association. Diagnósticos de enfermagem da NANDA: definições e classificação 2009-2011. Porto Alegre: Artmed; 2010.
9. Doenges ME, Moorhouse MF, Murr AC. Diagnósticos de enfermagem – intervenções, prioridades, fundamentos. 10ª ed. Rio de Janeiro: Guanabara Koogan; 2009.

capítulo 8

Flávia Lie Maeshiro

Politrauma

CONCEITO

O termo politrauma é empregado quando o paciente tem mais de uma região do corpo com lesões concomitantes, de diversas naturezas, intencional ou acidentalmente, determinadas por agentes mecânicos, podendo comprometer diversos órgãos e sistemas. As circunstâncias que originam o estado do paciente politraumatizado o tornam diferente de pacientes com outras doenças.[1]

FISIOPATOLOGIA

A fisiopatologia do politrauma é baseada no desencadeamento da Síndrome da Resposta Inflamatória Sistêmica (SIRS). A SIRS inicia-se no primeiro impacto ao organismo, no qual se produz uma lesão tissular inicial inespecífica originando dano endotelial, ativação do complemento, da cascata de coagulação e liberação de mediadores da resposta inflamatória, que levam ao aumento da susceptibilidade às infecções e disfunção de órgãos e sistemas, que, se não corrigida, pode evoluir para falência múltipla de órgãos.[2]

A SIRS caracteriza-se pela presença de ao menos dois dos seguintes critérios clínicos:[2]

1. Frequência cardíaca > 90 bpm;
2. Frequência respiratória > 20 respirações/min; ou hiperventilação com $PaCO_2$ < 32 mmHg;

3. Temperatura > 38 °C ou < 36 °C;
4. Contagem de leucócitos > 12.000 céls./mm^3 ou < 4.000 céls./mm^3 ou ≥ 10% de leucócitos jovens (bastões).

SINAIS E SINTOMAS

Os sinais e sintomas no doente politraumatizado podem ser identificados por meio de avaliação rápida, completa e sistematizada denominada avaliação primária.[3]

Avaliação primária e reanimação[3]

O propósito da avaliação primária é identificar rápida e sistematicamente lesões e, em seguida, tratar as que ameaçam a vida, com intervenções específicas durante a reanimação. Utiliza-se a regra mnemônica ABCDE, que consiste em uma maneira rápida e organizada de avaliação, obedecendo a uma sequência lógica de tratamento, de acordo com as prioridades. A reanimação e o tratamento das lesões seguem, também, a sequência abaixo e ocorrem simultaneamente com a avaliação.

Avaliação das vias aéreas com proteção da coluna cervical

A via aérea deve ser avaliada em primeiro lugar para assegurar sua permeabilidade. Essa avaliação pode ser feita conversando-se com a vítima, que, quando apresenta resposta verbal, demonstra pouca probabilidade de haver obstrução da via aérea de imediato. No paciente inconsciente, a queda da base da língua pode causar obstrução da hipofaringe, que deve ser corrigida pela elevação do mento (*chin lift*) ou da tração da mandíbula (*jaw trust*).

Uma vez reposicionada a língua, ela deve ser mantida com a colocação de uma cânula orofaríngea (cânula de Guedel) ou nasofaríngea.

Além disso, a via aérea e a cavidade oral devem ser inspecionadas quanto à presença de resíduos alimentares, sangue, secreções ou corpos estranhos. Nesses casos, deve ser realizada a aspiração da cavidade com dispositivo de sucção de ponta rígida, necessariamente, para evitar falso trajeto em caso de fratura de base de crânio.

Pacientes com fatores mecânicos obstrutivos de vias aéreas, problemas ventilatórios ou com rebaixamento do nível de consciência necessitam de controle definitivo das vias aéreas por meio de intubação endotraqueal. Se a intubação estiver contraindicada ou não for possível, procede-se à cricotireoidostomia de urgência.

Durante toda a avaliação e manipulação da via aérea, o alinhamento da coluna cervical deve ser mantido com prancha rígida, colar cervical e protetores laterais de cabeça. Na falta desses materiais, a estabilização pode ser feita manualmente. Se houver necessidade de retirada temporária dos dispositivos de imobilização cervical, um dos membros da equipe deve imobilizar manualmente a cabeça e o pescoço, mantendo-os alinhados. Uma lesão específica de coluna deve ser diagnosticada posteriormente mediante avaliação e exames de imagem.

Avaliação da ventilação e da respiração

A permeabilidade da via aérea por si só não garante ventilação adequada. Por isso, cada componente da ventilação deve ser avaliado rapidamente. O pescoço e o tórax da vítima devem ser expostos para uma avaliação adequada quanto à distensão das veias jugulares, posição da traqueia e movimentação da parede torácica. Inspecione e avalie a frequência respiratória, a profundidade e o esforço respiratório, inclusive se há ou não uso de musculatura acessória. Ausculte os sons respiratórios para confirmar o fluxo de ar nos pulmões e sua qualidade. Na palpação, procure por crepitações, enfisema subcutâneo e/ou lesões. Além disso, a percussão pode identificar anormalidades, como sons timpânicos e maciços ao invés do som claro pulmonar.

A ventilação e a circulação podem ser comprometidas por pneumotórax hipertensivo e, devem ser tratadas imediatamente por descompressão torácica. Os sinais e sintomas de um pneumotórax hipertensivo são: desconforto respiratório, distensão das veias jugulares (pode não estar presente no paciente hipovolêmico), desvio de traqueia (pode não estar presente por ser um sinal tardio de lesão), ausência ou diminuição de murmúrios vesiculares no lado afetado, taquicardia e hipotensão. Para a descompressão do pneumotórax hipertensivo, é introduzido um cateter venoso de grosso calibre no segundo espaço intercostal, na linha média clavicular, acima da terceira costela. É obrigatória a passagem de um dreno de tórax após a descompressão, independente da saída de ar pelo cateter venoso.

O pneumotórax aberto é resultado de uma lesão grande aberta na parede do tórax que causa equilíbrio entre as pressões intratorácica e atmosférica. No caso de pneumotórax aberto, deve ser realizado um curativo de três pontas (valvulado). Posteriormente, a passagem de um dreno torácico e a substituição do curativo valvulado por um curativo oclusivo.

Todas as vítimas de trauma devem receber aporte de oxigênio. A melhor oferta de ar oxigenado é obtida por meio de máscara facial dotada de reservatório de oxigênio. Porém, outros métodos, como cateter nasal (do tipo óculos) e máscara sem mecanismo valvular, podem também melhorar a concentração de oxigênio. O cateter nasal do tipo sonda está contraindicado na suspeita de fratura de base de crânio e nos traumas de face. A monitorização e manutenção da saturação de oxigênio devem ser realizadas durante todo o atendimento.

Avaliação da circulação com controle de hemorragias

O primeiro passo na abordagem inicial do choque hemorrágico nas vítimas de trauma é reconhecer sua presença. Para isso, é essencial a avaliação rápida e precisa do estado hemodinâmico da vítima. Há três elementos clínicos que oferecem rapidamente informações importantes a respeito desse estado: nível de consciência (pode estar alterado se houver baixa perfusão cerebral resultante do volume sanguíneo diminuído); cor e temperatura da pele (coloração acinzentada ou esbranquiçada e pele fria são sinais de hipovolemia); pulso (habitualmente o pulso rápido e filiforme indica hipovolemia).

No caso de suspeita de hemorragia, deve-se identificar se a fonte de hemorragia é externa ou interna. A identificação da origem de um choque hemorrágico pode ser determinada, muitas vezes, pelo mecanismo delesão.

A hemorragia externa deve ser identificada e controlada, no caso de hemorragia significativa, durante a avaliação primária com compressão manual direta. Não utilizar torniquetes.

As principais áreas que podem ser fonte de hemorragia interna importante incluem o tórax, abdome, retroperitônio, bacia e ossos longos. A fonte de sangramento pode ser identificada pelo exame físico e de imagem. As fraturas podem ser fonte de sangramento significativo, isoladas ou em combinação com outras. Durante o exame físico, a palpação da pelve fraturada deve ser realizada apenas uma vez. Por ser o local de fratura com maior perda estimada de sangue, deve-se aplicar dispositivo ou lençóis para estabilização pélvica a fim de controlar a hemorragia.

O controle definitivo da hemorragia é essencial em conjunto com a reposição apropriada do volume intravascular. Deve ser iniciada a administração endovenosa de fluidos como soluções cristaloides, e todas as soluções endovenosas devem ser previamente aquecidas mediante armazenamento em ambiente próprio com controle de temperatura (37 °C a 40 °C). Enfatiza-se que elevar a pressão arterial rapidamente com uma reanimação volêmica agressiva, sem controle da hemorragia, pode aumentar o sangramento. Não respondendo à reposição com cristaloides, muito provavelmente o paciente necessitará de reposição sanguínea.

A fim de iniciar reposição volêmica vigorosa, dois acessos venosos de grosso calibre devem ser garantidos, atentando-se para não puncionar membros que possuam fraturas ou grandes ferimentos. Assim que a veia for puncionada, devem ser colhidas amostras de sangue para exames laboratoriais, teste de gravidez para mulheres em idade fértil, tipagem sanguínea e prova cruzada.

Além disso, cabe ao enfermeiro providenciar materiais para prováveis procedimentos como dissecções de veias (flebotomia), punção do pericárdio (pericardiocentese) e toracotomia.

Como medidas auxiliares durante a avaliação e manutenção da circulação, realizam-se monitoração cardíaca e de pressão arterial, bem como exames e procedimentos diagnósticos, como radiografias de tórax e pelve, lavagem peritoneal diagnóstica e ultrassonografia direcionada ao trauma.

Avaliação da disfunção neurológica

A avaliação neurológica é composta pela avaliação do nível de consciência, tamanho e reação pupilar.

O nível de consciência pode ser avaliado usando-se a Escala de Coma de Glasgow (ECG) que avalia a abertura ocular, melhor resposta verbal e melhor resposta motora, sendo escore > 13 classificado como Trauma Cranioencefálico (TCE) leve; de 9 a 12, como TCE moderado; e ≤ 8 indica TCE grave, com necessidade de via aérea definitiva (Quadro 8.1).

Quadro 8.1 Escala de coma de Glasgow.

Abertura ocular	Escore	Resposta verbal	Escore	Resposta motora	Escore
Espontânea	4	Orientado	5	Obedece a comandos	6
Ao estímulo verbal	3	Confuso	4	Localiza a dor	5
Ao estímulo doloroso	2	Palavras inapropriadas	3	Flexão normal	4
Nenhuma	1	Sons incompreensíveis	2	Decorticação	3
		Nenhuma	1	Descerebração	2
				Nenhuma	1

O tamanho, simetria e a reação pupilar também devem ser avaliados.

As alterações do nível de consciência podem ser resultantes de hipoperfusão e hipóxia cerebral (lesão cerebral secundária) ou lesão cerebral traumática. No entanto, devem ser levadas em conta a utilização de álcool, drogas e substâncias intoxicantes.

Exposição e controle do ambiente

A vítima deve ser totalmente despida para facilitar a avaliação, e sua imobilização deve ser mantida. Para examinar o dorso, a movimentação deve ser feita em bloco.

A hipotermia deve ser prevenida com uso de cobertores, mantas térmicas ou dispositivos de ar quente, conforme disponibilização do material no serviço. A temperatura da sala de atendimento também deve estar adequada para prevenir a hipotermia no paciente.

À medida que lesões graves são tratadas, outras lesões igualmente ameaçadoras à vida podem tornar-se aparentes. Portanto, reavaliações frequentes são essenciais para evitar negligência de novos achados e descobrir deterioração nos achados prévios que indiquem necessidade de intervenção adicional.

Como medidas auxiliares à avaliação primária, a introdução de sondas urinárias e gástricas deve ser considerada. No caso da sonda vesical, está contraindicada em suspeita de lesão de uretra (sangramento uretral, equimose perineal, deslocamento da próstata ou quando não é palpável ao toque retal). O débito urinário é um indicador da volemia do doente e reflete a perfusão renal. A sonda gástrica é indicada para reduzir a distensão gástrica, diminuir os riscos de aspiração e avaliar a presença de hemorragia no trato gastrointestinal alto. No caso de fraturas ou até mesmo suspeita de fratura de base de crânio, a sonda deve ser passada por via oral evitando falso trajeto.

Avaliação secundária[3]

Trata-se de um exame realizado sistematicamente de modo cefalocaudal com ênfase na identificação de outras lesões. Deve ser iniciado somente quando as condições que impõem risco à vida do paciente já foram tratadas.

- **História:** o paciente, familiares e/ou testemunhas devem ser questionados com o intuito de obter informações importantes do histórico desse paciente. Segundo o Colégio Americano de Cirurgiões, o mneumônico AMPLA é útil para obter essa história, sendo A = alergias; M = medicamentos de uso contínuo; P = passado médico e prenhez; L = líquidos e alimentos ingeridos recentemente; e A = ambiente e eventos relacionados ao trauma. Ter informações sobre o mecanismo do trauma ajuda a identificar precocemente possíveis lesões e a orientar quais locais merecem maior atenção.
- **Exame físico:** o exame físico deve ser realizado com inspeção, ausculta, palpação e percussão.
  - **Sistema neurológico:** reavalie as pupilas e o nível de consciência; reavalie o escore da Escala de Coma de Glasgow e avalie a função motora e sensitiva das extremidades inferiores e superiores.
  - **Cabeça e maxilofacial:** inspecione saída de fluidos pelas orelhas e nariz; palpe examinando todo o couro cabeludo e face em busca de lacerações, contusões, deformidades ósseas, hematomas subgaleais, sangramento e crepitações. Reavalie a permeabilidade da via aérea; reavalie a simetria, reatividade e tamanho das pupilas; repita a Escala de Coma de Glasgow; avalie a acuidade visual, presença de hemorragia conjuntival, lesões penetrantes, deformidades e dor na face. Retire

lentes de contato e avalie a necessidade da retirada de próteses dentárias.

- **Coluna cervical e pescoço:** inspecione e palpe procurando por deformidades, hematomas, enfisema subcutâneo e contusões; palpe a coluna cervical posterior; reavalie distensão jugular e desvio de traqueia; avalie se há rouquidão ou alteração na voz.
- **Tórax:** inspecione buscando contusões, feridas abertas e movimentos paradoxais do tórax; observe a simetria e expansibilidade torácica; palpe o tórax, incluindo ombros e clavículas; ausculte sons pulmonares e cardíacos; reavalie alocação de cânula traqueal ou dispositivo de via aérea definitiva; palpe à procura de lesões penetrantes, dor, crepitação e enfisema subcutâneo; reavalie a inserção de dreno torácico e monitore a drenagem.
- **Abdome e pelve:** inspecione em busca de sinais que indiquem lesões internas, como contusões, abrasões, hematomas ou "sinal do cinto de segurança"; procure por distensão; ausculte ruídos hidroaéreos; palpe à procura de sensibilidade e/ou rigidez; palpe a pelve à procura de dor, crepitação e instabilidade para avaliar sangramento interno. No caso de sinal de cinto de segurança positivo, suspeite de lesões internas ou fratura de coluna lombar.
- **Períneo, reto e vagina:** inspecione em busca de equimose e sangramento perineal ou escrotal; procure por presença de sangue no meato uretral; auxilie na realização do toque retal e avalie a região vaginal à procura de sangue no introito e nas paredes vaginais.
- **Sistema musculoesquelético:** inspecione em busca de deformidades, feridas abertas, equimoses e edemas; palpe à procura de crepitação, dor, movimento

anormal, instabilidade óssea ou de articulações; avalie cor, pulso, enchimento capilar, sensibilidade e integridade motora em cada uma das extremidades, comparando os dois lados; busque sinais ou sintomas da síndrome compartimental (dor intensa, parestesia, diminuição da sensibilidade e edema tenso na área lesionada); inspecione e palpe a região dorsal à procura de contusões, hematomas, feridas, dor e corpos estranhos e palpe a coluna procurando por instabilidade óssea, dor e crepitações.

EXAMES DIAGNÓSTICOS[3]

Durante a avaliação secundária, alguns exames diagnósticos devem ser realizados para identificar lesões específicas, como radiografias de crânio, coluna, tórax e pelve, além de tomografia computadorizada e ressonância nuclear magnética. Na maioria das vezes, eles requerem transporte do paciente, com monitorização e acompanhamento de médicos e enfermeiros, para outros setores do hospital.

TRATAMENTO

Parte do tratamento do paciente politraumatizado é realizado durante as avaliações iniciais (primária e secundária), conforme as prioridades. Outros tipos de tratamento, como cirurgias não urgentes, são definidos depois de estudos diagnósticos e realizados após a estabilização do paciente.[3]

DIAGNÓSTICOS E INTERVENÇÕES DE ENFERMAGEM[4,5]

Os diagnósticos de enfermagem para pacientes politraumatizados podem variar de acordo com o tipo de trauma sofrido. No Quadro 8.2 encontram-se os principais diagnósticos e intervenções de enfermagem no atendimento aos casos de trauma.

Quadro 8.2 Principais diagnósticos e intervenções de enfermagem para pacientes politraumatizados.[4,5]

Diagnósticos de enfermagem	Intervenções de enfermagem
Risco de aspiração	▪ Manter decúbito de 30° a 45°, se possível
Desobstrução ineficaz de vias aéreas	▪ Manter decúbito de 30° a 45°, se possível ▪ Aspiração de vias aéreas, conforme necessidade
Troca de gases prejudicada Padrão respiratório ineficaz	▪ Manter decúbito elevado ▪ Monitorar, anotar e comunicar frequência respiratória e saturação de oxigênio ▪ Monitorar, anotar e comunicar exame físico pulmonar
Risco de choque Risco de sangramento Risco de desequilíbrio do volume de líquidos	▪ Monitorar, anotar e comunicar ocorrência de sangramento visível ▪ Monitorar, anotar e comunicar pulso, pressão arterial e perfusão periférica ▪ Monitorar, anotar e comunicar alterações no nível de consciência ▪ Monitorar, anotar e comunicar ocorrência de palidez cutânea, pele fria e sudorese ▪ Realizar balanço hídrico
Confusão aguda Risco de perfusão tissular cerebral ineficaz	▪ Monitorar, anotar e comunicar nível de consciência, tamanho, simetria e presença de reatividade das pupilas ▪ Monitorar, anotar e comunicar força motora dos quatro membros ▪ Monitorar, anotar e comunicar frequência respiratória e saturação de oxigênio ▪ Monitorar, anotar e comunicar pulso, pressão arterial e perfusão periférica ▪ Monitorar, anotar e comunicar ocorrência de palidez cutânea, pele fria e sudorese

(*continua*)

Quadro 8.2 Principais diagnósticos e intervenções de enfermagem para pacientes politraumatizados.[4,5] *(continuação)*

Diagnósticos de enfermagem	Intervenções de enfermagem
Risco de temperatura corporal desequilibrada	▪ Manutenção da temperatura do ambiente ▪ Monitorar, anotar e comunicar temperatura ▪ Realizar medidas de aquecimento, como uso de cobertores e mantas térmicas, se hipotermia
Dor aguda	▪ Monitorar, anotar e comunicar ocorrência de dor

REFERÊNCIAS BIBLIOGRÁFICAS

1. Santos NS, Faria R, Costa AL, Correa AL. Atendimento de enfermagem na sala de emergência ao paciente politraumatizado – o protocolo em evidência. XIV Encontro Latino-americano de Iniciação Científica e X Encontro Latino-americano de Pós- Graduação Universidade do Vale do Paraíba – Faculdade de Ciências da Saúde. 2010.
2. Garcia EP, Duran L. Politraumatizado. 2011. Disponível em: https://www.ucm.es/data/cont/docs/420-2014-02-07-Trauma-Politraumatizado.pdf (04.05.2015)
3. American College of Surgeons, Committee on Trauma: Advanced Trauma Life Suport, 9th ed, 2012.
4. Diagnósticos de enfermagem da NANDA: definições e classificação 2009-2011/ NANDA International; tradução Regina Machado Garcez. Porto Alegre: Artmed, 2010.
5. Docheterman JM, Bulechek GM. Classificação das Intervenções de Enfermagem (NIC). 4ª ed. Porto Alegre: Artmed, 2008.

capítulo 9

Luciane Cristina Rodrigues Fernandes

Intoxicação Exógena

INTRODUÇÃO

De acordo com o Sistema Nacional de Informação Tóxico-farmacológica do Ministério da Saúde (SINITOX), em 2012 ocorreram 99.035 casos de exposições tóxicas em todo o país. As exposições mais frequentes foram aos medicamentos (27,27%) e aos agrotóxicos (6,87%). As circunstâncias que predominaram foram acidentais (54,56%) e tentativas de suicídio (16,63%).[1] Entre as tentativas de suicídio, 66,04% foram com uso de medicamentos. O número total de óbitos foi de 378, sendo 128 causados por agrotóxicos e 81 por medicamentos, entre outros.[1]

Diante desses dados, podemos discutir aspectos sociais e psicológicos da medicalização diante do acesso de pessoas com risco de autoagressão a medicações potencialmente tóxicas, entre outros. De modo mais prático, o preparo do profissional de saúde na abordagem do paciente intoxicado.

A abordagem ao paciente intoxicado é de suma importância para a condução do caso. Sempre que possível, o profissional de saúde deve requisitar informações de como aconteceu o incidente, pois isso será o grande norteador para tomada de decisão e avaliação da gravidade.

Na anamnese, podemos utilizar os princípios básicos de questionamento contidos no heptâmetro de Quintiliano

(30 a 90 d.C.), com pequenas adaptações, conforme pode ser observado na Tabela 9.1.

Tabela 9.1 Heptâmetro de Quintiliano adaptado para anamnese de intoxicações.

Perguntas	Objetivo
Quem?	Informações sobre a **idade** do paciente: ▪ criança, adolescente, adulto jovem ou idoso.
O quê?	Tentar identificar o **produto** exposto pelo paciente: ▪ medicamentos ou produto químico (domissanitário ou agrotóxico); ▪ nome comercial, nome de fantasia ou grupo químico; ▪ associações com outros produtos.
Onde?	Informações sobre o **local da ocorrência** ou onde o paciente foi encontrado: ▪ no trabalho, na escola, na via pública, em casa.
Quanto?	Informações sobre **quantidade**: ▪ dose/kg (padrão-ouro); ▪ número de comprimidos, cápsulas, drágeas ou goles; ▪ número de cartelas encontradas de medicamentos vazios.
Como?	O que o **motivou**: ▪ tentativa de suicídio ou acidental (erro de embalagem, de posologia?); ▪ exposição ocupacional; ▪ tentativa de homicídio.
Quando?	Informações sobre o **horário da exposição** e o horário de chegada ao serviço de saúde (minutos, horas ou dias?); ▪ exposição aguda ou crônica agudizada?
O que foi feito?	**O que foi feito** até a chegada ao serviço de atendimento? Esclarecer intervenções realizadas: ▪ alguma medida tomada por leigos? Em serviço de saúde? ▪ provocou vômito ou vômito espontâneo? (quantas vezes?) ▪ descontaminação (cutânea, ocular, LG?)...

As respostas a esses questionamentos são importantes para a avaliação do risco. O reconhecimento do produto ou grupo no qual o tóxico pertence auxilia na definição de quais casos podem se beneficiar de medidas de descontaminação, se há possibilidade de acelerar a eliminação e/ou se há antídoto específico para determinado tóxico. A intencionalidade está intimamente relacionada à dose ingerida. Os casos de tentativas de suicídio, mesmo que o paciente apresente-se assintomático, devem ser sempre vistos como potencialmente graves, uma vez que objetiva-se atingir uma dose capaz de causar a morte, diferentemente das exposições acidentais não intencionais, nas quais a dose ingerida, em geral, é limitada pelo gosto estranho e/ou percepção do ato acidental.

A maioria dos casos requer tratamento geral que envolve medidas de suporte e de descontaminação, visando diminuir a absorção do agente tóxico e aumentar a eliminação do que já foi absorvido. São pouquíssimas as situações nas quais um antídoto específico é necessário e útil.

DESCONTAMINAÇÃO GÁSTRICA

Objetiva-se com a descontaminação diminuir a absorção do agente tóxico ingerido. Para a descontaminação gástrica, podem ser utilizadas a técnica de esvaziamento gástrico por Lavagem Gástrica (LG), a adsorção do agente tóxico com o Carvão Ativado (CA) e a irrigação intestinal.

Um equívoco muito comum no primeiro atendimento ao intoxicado é a indicação de descontaminação independente do tóxico e tempo que o produto foi ingerido. A descontaminação gástrica não é um procedimento isento de riscos; assim, essas técnicas devem ser realizadas com cautela e somente quando os benefícios sobrepuserem seus riscos.

Lavagem gástrica

Consiste no esvaziamento gástrico com auxílio de uma sonda (grosso calibre) e administração e aspiração sequencial de

Soro Fisiológico (SF). Para realização da técnica, o volume a ser administrado em crianças a cada infusão é de 10 a 15 mL/kg de SF (não ultrapassar 250 mL), e, em adultos, 200 a 300 mL de SF; após cada infusão, deve-se aspirar o conteúdo gástrico. A fim de se evitar a distensão abdominal, o volume drenado deve ser igual ou superior (considerando que haja resíduo gástrico) ao volume infundido. Esse procedimento pode ser repetido enquanto não houver sinais de alerta (retorno com sangue e distensão abdominal), não havendo um volume máximo que indique interrupção; entretanto, deve-se observar o volume de cada infusão.

Há evidências que mostram que a quantidade de substâncias removidas é variável e diminui com o tempo. Não há evidências de melhora de evolução dos pacientes e o procedimento pode causar séria morbidade (injúria gástrica ou de vias aéreas).[2,3] Portanto, antes de iniciar o procedimento, alguns itens devem ser levados em consideração:

- **Toxicidade e quantidade do produto ingerido**. Para produtos de baixa toxicidade ou quantidade inferior à dose tóxica, esse procedimento deve ser abandonado.
- **Tempo decorrido após ingestão**. Para tempo maior que uma hora, a LG não é recomendada, pois os riscos sobrepõem os benefícios. Há exceção para substâncias anticolinérgicas ou opioides e comprimidos que formam bezoares. Porém, não há esclarecimento de quanto tempo mais pode ser somado mantendo os benefícios para o paciente.
- **Características físico-químicas do produto ingerido**. A lavagem gástrica nunca deve ser realizada quando se tratar de cáusticos (pH inferior a 3 e superior a 12) ou hidrocarbonetos. Essa prática dever ser abolida uma vez que os riscos são inúmeros. O produto cáustico pode causar sérias lesões em todo trajeto gástrico, iniciando em cavidade oral e/ou em esôfago (não se exclui lesão de esôfago

quando ela estiver ausente na cavidade oral), estômago e primeira porção intestinal. Para esses casos, a própria sondagem pode agravar o prognóstico do paciente, perfurando tecidos friáveis ou provocando sangramento das lesões. Para hidrocarbonetos, há risco aumentado para broncoaspiração. Para demais produtos, avaliar itens anteriormente listados.

Os riscos associados a LG são: pneumonia aspirativa, laringoespasmo, perfuração esofágica e hipernatremia (devido ao uso de soro fisiológico).[3,4]

Recomenda-se que não seja feita a LG em crianças menores de seis anos e em pacientes que realizaram cirurgias de redução de estômago. Em crianças, na maioria das vezes, as exposições são acidentais e de baixo risco.[4] No segundo caso, o risco de distensão abdominal é aumentado e, dependendo o tipo de cirurgia, nem sempre é possível chegar com a sonda até o estômago.

A Figura 9.1 apresenta um fluxograma para uma consulta rápida sobre a indicação de LG.

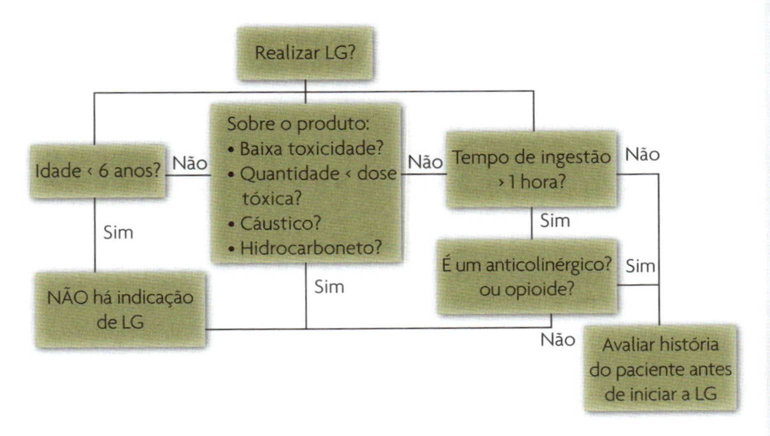

Figura 9.1 Fluxograma para avaliação da indicação de LG.

Uma vez iniciada a LG, esse procedimento deve ser continuado enquanto houver retorno de substâncias. Deve ser suspensa somente quando houver retorno límpido (objetivo do procedimento) ou complicações relacionadas (p. ex., sangramento, distensão abdominal).

Uso de Carvão Ativado (CA) para descontaminação gástrica

O carvão ativado (obtido por pirólise de materiais carbonáceos em altas temperaturas combinado com oxidantes) tem alta superfície de adsorção e, quando em contato com a substância no trato gastrointestinal, a adsorve reduzindo a sua absorção e, portanto, a sua biodisponibilidade.[5]

O CA tem sua eficácia diminuída com o tempo, sendo sua maior eficácia quando administrado dentro da primeira hora após a ingestão. Seu uso está indicado quando há ingestão de substâncias em doses potencialmente tóxicas e que sejam comprovadamente adsorvidas pelo CA. Está contraindicado quando há ingestão de alcoóis, hidrocarbonetos, óleos essenciais, hipoclorito de sódio e metais.[3,5] Ele pode ser administrado após LG, mesmo que ela tenha levado mais de uma hora para finalização.

A dose recomendada para crianças e adultos é de 1 g/kg, não devendo exceder 50 g.[5] Essas doses devem ser diluídas em água ou suco e administradas por SNG ou VO. Após administração por SNG, a sonda deve ser fechada, pois o objetivo é a eliminação fecal.

As complicações relacionadas são: vômitos, pneumonia aspirativa, constipação e apendicite. Há relato de abrasão de córnea por contato do CA com os olhos.[5]

Irrigação intestinal

Consiste na administração enteral de grandes quantidades de solução eletrolítica de polietilenoglicol osmoticamente balanceada (*Colon-peg)* com a finalidade de reduzir a absorção da droga por expulsão física do conteúdo intraluminal sem provocar distúrbios hidroeletrolíticos. Ocorre diminuição significativa na biodisponibilidade de algumas drogas, porém não há evidências que melhore a evolução dos pacientes. Tem como fator positivo a possibilidade de ser administrado após uso de CA sem alterar suas propriedades osmóticas nem a capacidade de adsorção do CA.[3,6]

Está indicada quando há ingestão de substâncias de liberação lenta, sustentada ou entérica. Tem seu uso consagrado para auxílio na eliminação de sais de ferro e pacotes de drogas ilícitas (*body packer*).[6]

A dose recomendada de polietilenoglicol é de 500 mL/h para crianças de nove meses a seis anos, de 1.000 mL/h para crianças com idade entre seis e 12 anos e de 1.500 a 2.000 mL/h para adolescentes e adultos.[6]

Está contraindicada em situações de obstrução ou perfuração intestinal, diminuição do peristaltismo, hemorragia gastrointestinal e instabilidade hemodinâmica. As complicações são cólicas, náuseas e vômitos.

AUMENTO DE ELIMINAÇÃO

Uso de Carvão Ativado (CA) para auxiliar no aumento da eliminação

Devido à característica adsorvente do CA, acreditava-se antes que seu uso era indicado para auxiliar no aumento da eliminação de qualquer substância que fizesse circulação êntero-hepática, êntero-gástrica ou êntero-entérica, mas estudos recentes mostram que, para essa finalidade, o CA apresenta grande eficácia apenas para alguns fármacos. Seu uso é consagrado para carbamazepina, fenobarbital, dapsona, teofilina e quinina, sendo discutível para fenitoína, digitálico, salicilato e fenilbutazona, porém com boa resposta quando comparado à velocidade de excreção por meio de níveis séricos de indivíduos que utilizaram CA seriado daqueles que não o utilizaram.[3,7]

A dose recomendada é de 10 a 25 g para crianças e de 50 g para adultos, repetindo a cada 4 ou 6 horas.[7] Evita-se usar laxantes nas primeiras 24 horas, aguardando a evacuação fisiológica. Porém, se não houver evacuação após esse período, devido ao efeito constipante, é indicado o uso de laxante osmótico.

Os laxantes indicados são o polietilenoglicol, o manitol ou o sorbitol. Devem-se evitar laxantes que acelerem o peristaltismo, e os oleosos; esse último nunca deve ser empregado, uma vez que a substância oleosa pode favorecer a absorção do fármaco.

As possíveis complicações relacionadas a seu uso são as mesmas descritas no uso de CA para descontaminação gástrica.

Uso de alcalinização urinária

A alcalinização urinária com bicarbonato de sódio é feita para aumentar a excreção de dois fármacos: fenobarbital e salicilato. A velocidade de excreção ocorre devido a essas drogas permanecerem na forma ionizada, diminuindo, assim, a sua reabsorção nos túbulos renais, e aumentando a eliminação.[3,8]

A fim de manter o pH urinário alcalino (entre 7,5 e 8,0), é recomendado o uso de bicarbonato de sódio em *bolus* de 1 a 2 mEq/kg (IV), podendo ser repetido até obtenção do resultado desejado. Essa supervisão pode ser feita com auxílio de fita urinária simples. Em seguida, manter infusão contínua de bicarbonato de 12 a 24 h, sempre atentando ao pH da urina (nunca exceder pH 8,0 em função do risco de alcalose metabólica).[8]

USO DE ANTÍDOTOS E ANTAGONISTAS

Antídotos são substâncias específicas que agem biologicamente diminuindo ou neutralizando a ação de um agente tóxico ou opondo-se a seus efeitos por meio de diferentes mecanismos. Antagonistas são substâncias que diminuem ou neutralizam a ação de outra substância por competição de um receptor específico.[9] Vale lembrar que existem antídotos ou antagonistas para um pequeno número de agentes tóxicos.

Para prestação de cuidados com qualidade, deve-se atentar para os efeitos colaterais e riscos associados. A indicação de antídotos e antagonistas deve ser avaliada com cautela, pois o fato de existir um antídoto específico para um determinado agente tóxico não significa que ele deva ser necessariamente utilizado.

A Tabela 9.2 apresenta alguns exemplos de antídotos/antagonistas, apresentação farmacêutica e exemplos de principais indicações de uso de acordo com o(s) agente(s) causador(es) de intoxicação ou toxicante(s).[10]

Tabela 9.2 Antídotos, apresentação farmacêutica e exemplos de suas principais indicações.

Antídotos, apresentação	Principais indicações
N-acetilcisteína, inj. e VO	Paracetamol
Ácido folínico (folinato de cálcio), inj.	Metanol; metotrexate
Anticorpo antidigoxina, inj.	Esteroides cardioativos (glicosídeos digitálicos) presentes em medicações, como digoxina e digitoxina, e em plantas, como *Nerium oleander* e *Thevetia peruviana*
Atropina, inj.	Inibidores da acetilcolinesterase (carbamatos e organofosforados)
Azul de metileno (cloreto de metiltionínio), inj.	Agentes metemoglobinizantes, como sulfonas, nitritos, nitratos, anilina, anestésicos locais (benzocaína), metoclopramida e fenazopiridina
Bicarbonato de sódio (8,4%, hipertônico), inj.	Alcalinização sérica: por antidepressivos tricíclicos e outras drogas com efeito bloqueador dos canais de sódio dos cardiomiócitos. Alcalinização urinária: para aumento da eliminação de drogas com pK_a ácido, como salicilatos e fenobarbital

(*continua*)

Tabela 9.2 Antídotos, apresentação farmacêutica e exemplos de suas principais indicações. *(continuação)*

Antídotos, apresentação	Principais indicações
Biperideno, inj.	Distonia aguda intensa desencadeada por bloqueadores dopaminérgicos como metoclopramida, butirofenonas (haloperidol) e fenotiazínicos (clorpromazina e tioridazina)
Dantrolene, inj.	Síndrome neuroléptica maligna e hipertermia maligna, geralmente desencadeada por bloqueadores dopaminérgicos, como butirofenonas e fenotiazínicos
Carvão vegetal ativado, VO	Adsorvente, utilizado para descontaminação gastrointestinal em dose isolada e, em doses múltiplas, para aumento da eliminação de xenobióticos com circulação entero-hepática, como dapsona, fenobarbital, carbamazepina, teofilina e quinina
Desferoxamina inj.	Sais de ferro
Diazepam, inj.	Tratamento de convulsões, agitação, rigidez muscular e na precordialgia secundária a espasmo coronariano causado por cocaína, anfetaminas e agonistas $beta_2$-adrenérgicos (p. ex., clenbuterol)
Difenidramina, inj.	Distonia aguda intensa desencadeada por bloqueadores dopaminérgicos, como metoclopramida, butirofenonas (haloperidol) e fenotiazínicos (sobretudo clorpromazina e tioridazina)
Dimercaprol (BAL), inj.	Arsênio, chumbo, mercúrio e ouro
Etanol (álcool absoluto), inj.	Metanol; etilenoglicol
Fisostigmina, inj.	Intoxicações graves por agentes anticolinérgicos antimuscarínicos, como atropina, hioscina, escopolamina e difenidramina, entre outros
Fitomenadiona (vitamina K1), inj.	Anticoagulantes cumarínicos, incluindo raticidas supervarfarínicos

(continua)

Tabela 9.2 Antídotos, apresentação farmacêutica e exemplos de suas principais indicações. *(continuação)*

Antídotos, apresentação	Principais indicações
Fomepizole, inj.	Metanol, etilenoglicol e dietilenoglicol
Gluconato de cálcio, gel	Ácido fluorídrico
Gluconato de cálcio, inj.	Bloqueadores de canal de cálcio; ácido fluorídrico (casos graves: injeção intra-arterial próxima ao local do contato)
Glucagon, inj.	Betabloqueadores; bloqueadores de canal de cálcio; antidepressivos tricíclicos
Flumazenil, inj.	Intoxicação exclusiva por benzodiazepínicos
Hidroxicobalamina, inj.	Cianeto
Naloxona, inj.	Opioides (com depressão respiratória)
Glicose 50%, inj.	Hipoglicemiantes orais (sulfonilureias) como glibenclamida, glipizida e gliburida
Octreotida, inj.	Hipoglicemiantes orais (p. ex., sulfonilureias como glibenclamida, glipizida e gliburida)
Piridoxina, inj.	Isoniazida
Polietilenoglicol (solução eletroliticamente balanceada)	Irrigação intestinal nas intoxicações por comprimidos de sais ferro, lítio e na ingestão de envelopes de cocaína ou heroína para tráfico de drogas ("mulas")
Pralidoxima	Inibidores da acetilcolinesterase, sobretudo organofosforados
Sulfato de protamina, inj.	Heparina

VO: via oral; inj.: injetável.

Observação: tabela obtida e adaptada a partir da dissertação de mestrado Disponibilidade de Antídotos para o tratamento de pacientes intoxicados nas unidades de emergência do município de Campinas-SP (2014).

REFERÊNCIAS ESPECIALIZADAS EM TOXICOLOGIA

As medidas terapêuticas para prestação de cuidados específicos ao paciente intoxicado estão constantemente sendo atualizadas por especialistas com a finalidade de diminuir os riscos e garantir os benefícios mediante uma assistência de qualidade.

As bases de dados, como TOXBASE e MICROMEDEX, são constantemente atualizadas e fornecem informações de qualidade para o tratamento do paciente intoxicado. Porém, para a discussão e notificação dos casos de intoxicação, é necessário entrar em contato com Centros de Informações Toxicológicas existentes em todo o território nacional.

REFERÊNCIAS BIBLIOGRÁFICAS

1. SINITOX. Registros de intoxicações. SINITOX – Sistema Nacional de Informações Tóxico-farmacológicas. Estatística anual de casos de intoxicação e envenenamento. Dados nacionais [Internet]. 2012 maio, 2015. Available from: http://www.fiocruz.br/sinitox/cgi/cgilua.exe/sys/start.htm?sid=411.
2. Benson BE, Hoppu K, Troutman WG, Bedry R, Erdman A, Hojer J, et al. Position paper update: gastric lavage for gastrointestinal decontamination. Clin Toxicol (Phila). 2013;51(3):140-6. Epub 2013/02/20.
3. Nelson L, Lewin N, Howland MA, Hoffman R, Goldfrank L, Flomenbaum N. Goldfrank's toxicologic emergencies. New York: McGraw-Hill Professional; 9 ed (July 16, 2010); 2011. p. 1968.
4. Caravati EM, Megarbane B. Update of position papers on gastrointestinal decontamination for acute overdose. Clin Toxicol (Phila). 2013;51(3):127. Epub 2013/02/23.
5. Chyka PA, Seger D, Krenzelok EP, Vale JA. Position paper: Single-dose activated charcoal. Clin Toxicol (Phila). 2005;43(2):61-87. Epub 2005/04/13.
6. Position paper: whole bowel irrigation. Journal of toxicology Clinical Toxicology. 2004;42(6):843-54. Epub 2004/11/10.
7. Position statement and practice guidelines on the use of multi-dose activated charcoal in the treatment of acute poisoning. American Academy of Clinical Toxicology; European Association of Poisons Centres

and Clinical Toxicologists. Journal of Toxicology Clinical Toxicology. 1999;37(6):731-51. Epub 1999/12/10.

8. Proudfoot AT, Krenzelok EP, Vale JA. Position paper on urine alkalinization. Journal of Toxicology. Clinical Toxicology. 2004;42(1):1-26. Epub 2004/04/16.
9. Laurence L, Björn CK, Bruce AC. As bases farmacológicas da terapêutica 2012. p. 2112.
10. Fernandes LCR. Disponibilidade de antídotos para tratamento de pacientes intoxicados nas unidades de emergência do município de Campinas-SP [Dissertação [Mestrado]]. Brasil: Universidade Estadual de Campinas; 2014.

capítulo 10

Luana Régia de Oliveira Calegari Mota

Hemorragia Digestiva Alta e Encefalopatia Hepática

HEMORRAGIA DIGESTIVA ALTA

Conceito

O trato gastrointestinal pode ser acometido por hemorragia em qualquer local, sendo dividido em hemorragia digestiva alta e baixa, de acordo com o órgão acometido.[1]

A hemorragia digestiva é uma condição clínica comum e grave, com elevado dispêndio de recursos e uma taxa de mortalidade de cerca de 10%; nos últimos 50 anos não houve melhora significativa na mortalidade.[2]

A Hemorragia Digestiva Alta (HDA) é definida como um sangramento do trato gastrointestinal decorrente de lesões do esôfago, estômago ou duodeno até o ângulo de Treitz. Com frequência, a HDA é evidenciada clinicamente por exteriorização de hematêmese (êmese com sangramento "vivo" ou tipo borra de café) e melena (fezes enegrecidas e fétidas). A HDA pode ser classificada como não varicosa e varicosa.[3]

Fisiopatologia

A úlcera péptica é a causa mais comum de HDA, porém estudos recentes apresentam diminuição de sua incidência devido à erradicação da bactéria *Helicobacter pylori* e ao uso de inibidor de bomba de prótons, demonstrando maior eficácia no tratamento da úlcera péptica.[4]

Há quatro fatores de risco para o desenvolvimento de HDA não varicosa, são eles: uso de Anti-inflamatórios Não Hormonais (AINH), infecção pelo *H. pylori*, acidez gástrica e estresse. O AINH é mais observado em pacientes com úlceras gástricas, e a infecção pelo *H. pylori*, nos pacientes com úlceras duodenais.[5]

A HDA por varizes esofágicas ocorre com frequência em pacientes com história de hepatopatias crônicas, uma vez que essa etiologia surge em cerca de 70% dos pacientes com hipertensão portal.[1]

A hipertensão portal é a maior consequência da cirrose hepática, sendo responsável por episódios de hemorragias, ascites, síndrome hepatorrenal e encefalopatias.[6]

A veia porta recebe o sangue do intestino, baço, pâncreas e da vesícula biliar que prossegue para o fígado por meio de pequenos vasos que permeiam o órgão. O aumento da resistência vascular a esse fluxo sanguíneo, secundário a hepatopatia, faz aumentar a pressão sanguínea na veia porta e caracteriza a síndrome da hipertensão portal. Esse gradiente de pressão portal aumentado contribui na formação de vasos colaterais, que incluem as varizes gastresofágicas.[7]

Sinais e sintomas

Os sinais e sintomas clínicos prevalentes são hematêmese, caracterizado pela êmese com sangue "vivo" com ou sem coágulos; sangue mais escurecido, chamado "borra de café"; e melena caracterizada pela presença de fezes enegrecidas e com odor fétido. A enterorragia é caracterizada pela evacuação de sangue "vermelho", fezes cor de tijolo ou associado a coágulos; comumente é um sinal de hemorragia baixa, contudo pode incidir nos casos de HDA maciça ou de trânsito gastrointestinal rápido.[6]

Alguns dados clínicos podem indicar a causa provável da hemorragia; os pacientes em uso de AINH e antiagregantes plaquetários podem estar associados ao desenvolvimento de úlceras, e os pacientes com diagnóstico prévio de cirrose ou ascite evidenciam a possibilidade de hemorragia de etiologia varicosa.[3]

Na avaliação inicial, é importante estimar a gravidade da hemorragia, a agitação, a palidez da pele, taquicardia e hipotensão podem indicar choque com necessidade de atendimento prioritário e imediato – os sinais de choque podem ser avaliados de acordo com a Tabela 10.1.

Tabela 10.1 Classificação da hemorragia no choque hipovolêmico.

	Classe I	Classe II	Classe III	Classe IV
Perda de volume em %	< 15%	15% a 30%	30% a 40%	> 40%
Perda de volume em mL	< 750	750 a 1.500	1.500 a 2.000	> 2.000
FC (/min)	< 100	> 100	> 120	> 140
PA	Normal	Normal	Hipotensão	Hipotensão
Enchimento capilar	Normal	Reduzido	Reduzido	Reduzido
FR (/min)	< 20	20 a 30	30 a 40	> 35
DU (mL/h)	> 30	20 a 30	5 a 20	Desprezível
Nível de consciência	Pouco ansioso	Ansioso	Ansioso-confuso	Confuso-letárgico
Reposição volêmica	Cristaloide	Cristaloide	Cristaloide + CH	Cristaloide + CH

C: frequência cardíaca, PA: pressão arterial, FR: frequência respiratória, DU: débito urinário, CH: concentrado de hemácias. Estimativa em paciente com cerca de 70 kg.

Exames diagnósticos

A Endoscopia Digestiva Alta (EDA) é o exame de escolha para o diagnóstico, estratificação e terapêutica de hemorragia digestiva alta. A EDA, sendo realizada nas primeiras 24 horas do sangramento, tem rápida possibilidade terapêutica e baixa morbidade.[5]

O sangramento cessa sem recorrência em 80% dos pacientes com HDA; a mortalidade concentra-se em 20% dos pacientes cujo sangramento não cessa.[3]

A EDA no paciente com hemorragia também deve ser realizada com a intenção de atuar de forma terapêutica. Há diferentes técnicas de hemostase endoscópica com o objetivo principal de cessar a hemorragia e evitar recidivas. As técnicas de hemostase podem ser divididas em três grupos: injeção (adrenalina, esclerosantes, cianoacrilato, fibrina, trombina), térmicos (sonda térmica, sonda multipolar, *laser* e árgon plasma) e mecânicos (*hemoclips*, laqueação elástica, *endoloop* e sutura).[6]

A cintilografia pode ser utilizada na investigação de HDA, porém possui um mapeamento positivo em cerca de 45% dos casos; esse exame pode ser utilizado para uma verificação antes da arteriografia, que é indicada quando não foi possível diagnóstico no exame endoscópico ou quando o sangramento ativo impossibilitou o exame.[5]

Tratamento

Pacientes que apresentam hemorragia devem ser avaliados prontamente e realizado procedimentos para estabilização da pressão sanguínea e restauração do volume intravascular. Verificar os dados da história do paciente e suspeita de hipovolemia, atentar para os sinais de ansiedade, torpor, síncope, dispneia, sensação de extremidades frias e sudorese.[5]

As principais medidas no atendimento ao paciente com HDA são:

- Verificar e avaliar a permeabilidade das vias aéreas, oxigenação e ventilação;
- Puncionar dois acessos venosos de grosso calibre;
- Realizar coleta de sangue para exames laboratoriais gerais, sobretudo hemoglobina (Hb) e hematócrito (Ht);
- Realizar coleta de sangue e encaminhar ao banco de sangue para tipagem sanguínea e prova cruzada; a transfusão sanguínea está indicada quando Ht < 25%/Hb < 8 g/dL;
- Encaminhar o pedido de reserva de concentrado de hemácias;

- Avaliar a necessidade da reposição de volemia com cristaloides para manter a pressão arterial e a diurese;

A passagem de sonda nasogástrica nos pacientes com HDA é questionável e indicada somente em casos selecionados com necessidade de lavagem gástrica, porém a lavagem nasogástrica com soro fisiológico com finalidade terapêutica não apresenta benefícios.[5]

Terapia farmacológica

Na HDA de etiologia não varicosa, o uso de medicamentos antiácidos tem a finalidade de diminuir a acidez gástrica e, consequentemente, aumentar a estabilidade do coágulo sanguíneo.[6]

- **Inibidor de Bomba de Prótons (IBP):** o medicamento mais utilizado como IBP é o omeprazol, seguido de pantoprazol, esomeprazol, lanzoprazol e rabeprazol. A terapia com IBP iniciada na chegada do paciente reduz a taxa de mortalidade por HDA. O IBP pode ser utilizado em *bolus* ou infusão prolongada por bomba de infusão. São recomendadas doses de 80 mg de omeprazol por via intravenosa e em *bolus*, seguidas de infusão de 8 mg/h por 72 horas em bomba de infusão. Após a reconstituição, a estabilidade do medicamento é de 4 horas.

Na fase agudizada do HDA de etiologia varicosa, as drogas vasoativas que reduzem a hipertensão portal são eficazes, pois ajudam no controle do sangramento e diminuem as recidivas.[1]

- **Vasopressina:** vasoconstritor da circulação esplênica, atua reduzindo o fluxo e a pressão da veia porta. Na maioria das vezes a diluição é de 20 U em 200 mL de soro fisiológico 0,9%; infundir em 20 minutos.
- **Terlipressina:** análogo sintético da vasopressina que é liberado de forma lenta e contínua, com atividade vasoativa in-

trínseca – transforma-se lentamente em vasopressina, com tempo de meia-vida de 4 horas. Reduz significativamente a pressão portal e a pressão intravaricosa. A apresentação é de 0,2 mg em frasco-ampola de pó liofilizado, e mais um diluente de 5 mL pode-se realizar uma diluição adicional de até 10 mL com soro fisiológico; administrar em *bolus* lentamente com controle de pressão arterial e frequência cardíaca.

- **Somatostatina:** inibe a liberação de hormônios vasodilatadores, causando vasoconstrição esplênica, diminuindo seu fluxo sistêmico e consequentemente a pressão portal. Possui tempo de meia-vida curto e desaparece em minutos após a infusão em *bolus*.
- **Octreotide:** é um análogo sintético da somatostatina de longa duração, com tempo de meia-vida de 113 minutos e é 45 vezes mais potente que o hormônio hipofisário. Octreotide é estável em soro fisiológico por 24 horas; é recomendável que seja por infusão contínua em bomba de infusão. Devido à interferência nos hormônios da insulina, é necessário atenção aos valores da glicose e também à frequência cardíaca.

Infecções bacterianas podem complicar o prognóstico dos pacientes com HDA de etiologia varicosa, de modo específico a Peritonite Bacteriana Espontânea (PBE). Em virtude dessa complicação com alta taxa de mortalidade, a profilaxia com antibiótico é recomendada para esses pacientes.[5]

- **Quinolonas**: os antibióticos de escolha são as quinolonas; utilizar norfloxacina 400 mg, duas vezes ao dia por sete dias, ou por via parenteral; considerar o uso de ciprofloxacina.

Terapia com balão gastroesofágico

O balão gastroesofágico, também chamado de Sonda de Sengstaken-Blakemore (SSB), é um tratamento utilizado na hemorragia digestiva alta e maciça com a finalidade de promover a hemostasia do sangramento rapidamente; utilizada por um curto período de tempo de no máximo 24 horas.[5]

Anastomose Portossistêmica Intra-hepática Transjugular (TIPS)

O TIPS é uma alternativa para tratamento do sangramento recorrente em casos de HDA de etiologia varicosa – é um método que abrange a descompressão da veia porta por meio da criação de um canal de baixa resistência entre as veias porta e hepática devido à colocação de uma prótese metálica. A principal complicação é a recorrência de encefalopatia hepática.[2-6]

Tratamento cirúrgico

O tratamento cirúrgico pode ser realizado por meio do transplante hepático que realiza a correção da hipertensão portal e da insuficiência hepática. O *shunt* de descompressão cirúrgica é eficiente na hemostase durante a hemorragia ativa, contudo não houve melhora na mortalidade em comparação com a endoscopia, houve baixa taxa de recidiva da hemorragia, porém a taxa de encefalopatia hepática foi superior.[6]

Encefalopatia hepática

Conceito

A Encefalopatia Hepática (EH) é uma complicação frequente das hepatopatias, é de ordem neuropsiquiátrica caracterizada por distúrbios de atenção, alteração do padrão do sono, alterações motoras, letargia e até mesmo coma. Por ser um transtorno metabólico, é potencialmente reversível desde que distinguida e tratada de modo precoce.[8]

Fisiopatologia[8]

A patogenia da encefalopatia hepática ainda não foi totalmente esclarecida, é provável que ela seja multifatorial e tenha fatores interdependentes. Em geral, as três teorias baseiam-se em acúmulo plasmático de neurotoxinas, efeito de falsos neurotransmissores e ação de substâncias neuroinibitórias.

A amônia é produzida no intestino, transportada até o fígado, metabolizada no ciclo da ureia e eliminada pelas fezes e urina. Na insuficiência hepática ocorre comprometimento da conversão de amônia em ureia com aumento da concentração de amônia. A amônia atravessa a barreira hematoencefálica causando vários eventos neuroquímicos anormais.

As consequências da amônia no cérebro compreendem a redução nos potenciais pós-sinápticos, aumento na captação de triptofano, redução no ATP com perda de energia e aumento da osmolaridade, que leva ao edema e à vasodilatação cerebral.

Sinais e sintomas

A EH no paciente com hepatopatia é caracterizada pelo desenvolvimento de confusão mental de início súbito, alterações musculares e respiratórias.[5]

As alterações psíquicas podem variar de leve confusão mental até coma, alteração de personalidade, alteração do padrão do sono, desorientação temporoespacial, sonolência, agitação, agressividade, euforia e comportamento inadequado. Podem ocorrer alterações neuromusculares, com tremores em extremidades denominados *flapping*, com hipertonia e hiperreflexia; e no coma, hipotonia seguida de arreflexia. O paciente pode ter hálito com odor desagradável com composto sulfurado e hiperventilação como mecanismo compensatório para reduzir o pH.[8]

Diagnóstico

O diagnóstico é realizado por meio da coleta de dados, anamnese e evolução clínica do paciente. De acordo com o *Hepatic Encephalopathy in Liver Disease: 2014 Practice Guideline*, a severidade da encefalopatia hepática é avaliada por meio dos critérios da Escala de West Haven (Tabela 10.2), contudo, devido a sua subjetividade em pacientes com encefalopatia hepática avançada, recomenda-se a associação da escala de coma de Glasgow. Devem ser solicitados exames complementares, como exames laboratoriais, gasometria, radiografia de tórax, eletrocardiograma, urina tipo 1 e urocultura, hemoculturas, endoscopia digestiva alta e paracentese diagnóstica.[9]

Tabela 10.2 Escala de West Haven.

Estágio	Alterações
0	Ausência de alterações clínicas (sem anormalidade de personalidade ou comportamento)
1	Períodos insignificantes de comprometimento da consciência. Déficits de atenção; dificuldade para somar ou subtrair; sonolência excessiva, insônia ou inversão do padrão do sono, euforia ou depressão
2	Letargia ou apatia; desorientação; comportamento inadequado; comprometimento da fala
3	Rebaixamento importante no nível de consciência, estupor
4	Coma

Tratamento[5]

A EH é um indício que a hepatopatia está avançada, e o tratamento definitivo é o transplante hepático. O manejo da EH envolve três tópicos:

- Suporte clínico
  - Realizar a estabilização do paciente priorizando a proteção das vias aéreas, oxigenação e respiração e expandir volemia;
  - Verificar os exames laboratoriais e corrigir distúrbios hidroeletrolíticos, sobretudo a hipocalemia, que aumenta a produção de amônia;

- Caso o paciente apresente agitação, utilizar o haloperidol de forma criteriosa.

Redução na produção e absorção de amônia

- **Lactulose:** atua por meio de dois mecanismos para a redução da concentração de amônia no plasma. O primeiro é pela acidificação do conteúdo intestinal, acima daquela do sangue, causando migração de amônia do sangue para o cólon. E o segundo pelo aumento na pressão osmótica causando um afluxo de líquidos para o interior do cólon, aumentando o trânsito intestinal e diminuindo a absorção da amônia;
- **Antibióticos:** para reduzir a flora intestinal. A dose de neomicina é de 1 a 1,5 g de 6/6h – o maior risco é causar nefrotoxicidade. A dose de metronidazol é de 250 a 500 mg de 8/8h – opção para pacientes com lesão renal de base; o risco é causar grave neuropatia periférica. A rifaximina é um antibiótico oral com dose de 550 mg de 12/12h, usada nos casos de encefalopatia crônica e associada à lactulose, com o objetivo de reduzir novos episódios de EH.

Correção de fatores precipitantes

- Hipovolemia associado ao uso de diuréticos, vômito, diarreia ou sangramentos;
- Constipação;
- Distúrbios hidroeletrolíticos;
- Uso de sedativos.

DIAGNÓSTICOS E INTERVENÇÕES DE ENFERMAGEM

Diagnósticos de enfermagem[10]	Cuidados de enfermagem[11]
Risco de choque	▪ Verificar e comunicar a presença de hemorragias ▪ Verificar e comunicar fraqueza, tontura, calafrios, sudorese, pele fria e úmida ▪ Verificar e comunicar taquicardia (FC > 100 bpm), taquipneia (FR > 20 ipm), saturação de oxigênio < 92%, hipotensão ou hipertensão (PAS < 90 ou > 140 – PAD < 60 ou > 100) ▪ Fazer balanço hídrico ▪ Monitorar nível de hemoglobina e hematócrito, e comunicar equipe médica se houver alterações ▪ Monitorar perfusão periférica ▪ Manter repouso absoluto no leito
Risco de constipação	▪ Observar e anotar frequência e aspecto das eliminações intestinais
Risco de aspiração	▪ Manter decúbito de 30° a 45° para prevenir aspiração
Ansiedade	▪ Usar abordagem calma e tranquilizadora ▪ Esclarecer as expectativas de acordo com o comportamento de cada paciente ▪ Explicar todos os procedimentos, inclusive sensações que o paciente possa apresentar durante os procedimentos ▪ Permanecer com o paciente para promover segurança
Confusão aguda	▪ Monitorar nível de consciência do paciente ▪ Manter grade elevada

REFERÊNCIAS BIBLIOGRÁFICAS

1. Federação Brasileira de Gastrenterologia. Projeto Diretrizes Hemorragias Digestivas. Brasil: Associação Médica Brasileira e Conselho Federal de Medicina, 2008.
2. National Institute for Health and Clinical Excellence (NICE). Acute upper gastrointestinal bleeding: management. London (UK): National Institute for Health and Clinical Excellence (NICE); 2012 Jun. 23 p. (Clinical guideline; no. 141).
3. Kim J. Management and prevention of upper GI bleeding. Gastroenterology and Nutrition.
4. Huang CS, Lichtenstein DR. Nonvariceal upper gastrointestinal bleeding. Gastroenterol Clin North Am. 2003;32:1053-78.
5. Martins HS, Neto RAB, Neto AS, Velasco IT. Emergências clínicas: abordagem prática. Manole: 2013, 8 ed.
6. Sampaio M, et al. Situações urgentes em gastroenterologia. Núcleo de gastroenterologia dos hospitais distritais, 2006.
7. Martinelli ALC. Hipertensão portal. Medicina: Ribeirão Preto; 2004; 37:253-61.
8. Martinelli ALC, Carneiro MV, Lescano MAL, Souza FF, Teixeira AC. Complicações agudas das doenças hepáticas crônicas. Medicina: Ribeirão Preto, abr./dez. 2003;36:294-306.
9. Vilstrup, et al. Hepatic encephalopathy in chronic liver disease: 2014. Practice Guideline by the American Association for the Study of Liver Diseases and the European Association for the Study of the Liver. Hepatology 2014;60(2):715-35.
10. North American Nursing Diagnosis Association (NANDA). Diagnósticos de enfermagem da NANDA: definições e classificação. Porto Alegre: Artmed; 2013.
11. McCloskey JC, Bulechek GM. Classificação das intervenções de enfermagem (NIC). Porto Alegre: Artmed; 2004.

capítulo 11

- Isabella Cristina Barduchi Ohl
- Rosali Isabel Barduchi Ohl

Distúrbios da Glicemia

CONCEITO

Os distúrbios de glicemia podem ser classificados em hiperglicêmicos e hipoglicêmicos. Os distúrbios hiperglicêmicos apresentam duas manifestações clínicas: a Cetoacidose Diabética (CAD) e o Estado Hiperglicêmico Hiperosmolar (EHH). São características da CAD: glicemia ≥ 250 mg/dL, pH arterial ≤ 7,3, bicarbonato sérico ≤ 15 mEq/L e graus variáveis de cetonemia e de EHH: glicemia > 600 mg/dL, osmolalidade sérica > 320 mOsm/kg, bicarbonato ≥ 15 mEq/L e discreta cetonemia.[1]

O EHH tem taxa de mortalidade aproximada de 15%, enquanto a CAD, de 5%.[2]

Nos pacientes com Diabetes *Mellitus* Tipo 1 (DMT1), o CAD aparece com uma frequência de 68%, enquanto nos pacientes om Diabetes Mellitus Tipo 2 (DMT2) a frequência é de 32%.[3]

O distúrbio hipoglicêmico é caracterizado por presença de glicemia menor que 60 mg/dL. É uma complicação comum em pacientes diabéticos, porém pode ser associado a outras patologias.[4]

HIPERGLICÊMICOS

Fisiopatologia

A descompensação metabólica presente na CAD é mais bem conhecida do que no EHH.[3]

O que ocorre em ambas é a redução na concentração efetiva de insulina circulante. Na CAD, essa alteração é associada à liberação excessiva de hormônios contrarreguladores (glucagon, catecolaminas, cortisol e hormônio do crescimento). No fígado, há aumento da gliconeogênese; nos tecidos periféricos sensíveis à insulina, há diminuição da captação; nos rins, a glicosúria secundária a hiperglicemia leva à diurese osmótica e consequente aumento da glicemia pela desidratação, perda de sódio, potássio, magnésio e fósforo; e no tecido adiposo, através da lipólise, há liberação excessiva de ácidos graxos que são oxidados no fígado em corpos cetônicos, levando a cetonemia e acidose metabólica.[1,3,5]

No EHH, a produção de insulina, apesar de inadequada, é suficiente para suprimir a produção de glucagon, impedindo a lipólise e consequente produção de corpos cetônicos.[3]

As infecções são as principais etiologias na CAD e EHH.[1]

SINAIS E SINTOMAS

Os pacientes com CAD têm, na maioria das vezes, faixa etária entre 20 e 29 anos e sua instalação é rápida, enquanto no EHH a faixa etária é quase sempre acima de 40 anos, e sua instalação é progressiva.[5]

Os sintomas apresentados em ambas são: poliúria, polidipsia, perda de peso, náuseas, vômitos, sonolência, torpor e, em casos de maior gravidade, o coma, sendo este mais frequente no EHH. O paciente com EHH apresenta desidratação profunda.[1,3] Na presença de acidose, pode-se observar taquipneia, respiração de Kusmaull e hálito cetônico.[5] A dor abdominal está presente em 51% dos casos e pode ser relacionada à desidratação extrema.[1]

EXAMES DIAGNÓSTICOS

Os exames necessários para o diagnóstico de CAD e EHH são:[1,5]

- Gasometria arterial
- Glicose plasmática

- Fósforo
- Eletrólitos com cálculo de ânion GAP
- Hemograma
- Ureia
- Creatinina
- Cetonúria
- Urina tipo 1
- Eletrocardiograma
- Pesquisa de fatores precipitantes (infecções, tratamento irregular, acidente vascular cerebral, ingestão excessiva de álcool, pancreatite aguda, infarto agudo do miocárdio, traumas e uso de glicocorticoides).

TRATAMENTO PRINCIPAL

O tratamento dos distúrbios hiperglicêmicos objetiva a correção da desidratação, correção dos distúrbios eletrolíticos e acidobásico, redução da hiperglicemia e da osmolalidade, identificação e tratamento do fator precipitante.[1,5,6]

Hidratação

É indicada a infusão de solução fisiológica isotônica com 15 a 20 mL/kg na primeira hora, com objetivo de realizar expansão extracelular melhorando a perfusão periférica.[1,5,6]

Reposição de potássio

O potássio deve ser mantido com a concentração sérica entre 4 e 5 mEq/L. A partir do início das terapias de tratamento da hiperglicemia, o potássio tende a apresentar uma queda, sendo necessária sua dosagem com frequência (2/2 a 4/4 horas). Sua reposição deve ser iniciada pela infusão de 20 a 30 mEq/L de Cloreto de Potássio (KCl) a 19,1% por hora, caso não haja comprometimento renal.[1,5,6]

Insulinoterapia

A administração de insulina deve ter início apenas se a concentração sérica de potássio for maior que 3,3 mEq/L. Sua dose em infusão contínua é, em média, 0,1 U/Kg/h; a solução deve ser preparada com 50 UI de insulina regular adicionados a 250 mL de solução fisiológica de cloreto de sódio (NaCl) a 0,9%.

Antes da instalação da infusão, devem ser drenados 50 mL da solução através do equipo de infusão, pois a insulina é adsorvida pelo material do equipo; desse modo, proporciona-se a sua saturação e é garantida a administração de insulina na concentração correta. A solução deve ser trocada a cada 6 horas.[1,5,6]

Bicarbonato de sódio

Embora controversa, a reposição de bicarbonato de sódio com 50 mEq/L intravenoso é indicada se o pH estiver entre 6,9 e 7,1, e a reposição de 100 mEq/L, se pH < 6,9 ou apresentar hiperpotassemia grave.[1]

HIPOGLICÊMICOS

Fisiopatologia

A hipoglicemia é causada por um desequilíbrio dos hormônios hipoglicemiantes (insulina) e dos hiperglicemiantes (glucagon, catecolaminas, GH e cortisol).

A resposta à hipoglicemia ocorre conforme os valores de glicemia. Quando a glicemia capilar encontra-se menor que 80 mg/dL, o organismo reduz a secreção de insulina; caso esteja entre 65 e 70 mg/dL, há aumento da secreção de glucagon e catecolaminas; entre 60 e 65 mg/dL, há aumento da secreção de GH; e menor que 60 mg/dL, ocorre aumento da secreção de cortisol.[4]

Embora esse distúrbio seja mais frequente em pacientes com DMT1 devido a dificuldades associadas a administração de insulina, também pode ocorrer em pacientes não diabéticos devido a doenças endócrinas, renais, hepáticas, após o uso abusivo de álcool e certos medicamentos ou ainda após cirurgia bariátrica.[7,8]

Sinais e sintomas

Os sintomas de hipoglicemia podem ser confundidos com outras comorbidades, sobretudo de origem neurológica. Desse modo, deve-se suspeitar de hipoglicemia em todo paciente com alteração neurológica.

Os principais sinais e sintomas são: cefaleia, ataxia, sonolência, tontura, confusão, irritabilidade, palpitação, taquicardia, ansiedade, tremores, sudorese, fome, parestesia, convulsão e coma.[4]

Exames diagnósticos

Os principais exames a serem solicitados em pacientes já diagnosticados com DM são:[4]

- Glicemia;
- Ureia;
- Creatinina.

Em pacientes não diabéticos, os principais exames devem ser:[4]

- TGO, TGP;
- Ureia;
- Creatinina;
- Cortisol sérico basal.

Tratamento principal

O tratamento da hipoglicemia aguda deve ser realizado com a infusão de 60 a 100 mL de glicose a 50% por via endovenosa. Em casos de dificuldade de estabelecer um acesso venoso periférico de imediato, pode ser administrado glucagon via intramuscular ou subcutânea na dosagem de 1,00 a 2,00 mg.

Deve ser administrada, juntamente da glicose, 100 mg de tiamina por via endovenosa ou intramuscular, com o objetivo de prevenir a encefalopatia de Wernicke-Korsakoff em pacientes desnutridos, hepatopatas ou etilistas.[4]

Diagnósticos de enfermagem

Afim de subsidiar a assistência de enfermagem a doentes com distúrbios da glicemia, elencamos no Quadro 11.1 os principais diagnósticos e intervenções de enfermagem relacionados com essas alterações.

Quadro 11.1 Diagnósticos de enfermagem[9] e intervenções[10] em distúrbios da glicemia.

Diagnóstico	Intervenções
Risco de glicemia instável	▪ Verificar e anotar glicemia capilar de 1/1 hora enquanto o paciente estiver em uso de bomba de infusão de insulina. ▪ Comunicar se glicemia capilar encontrar-se ≥ 180 mg/dL e ≤ 70 mg/dL. ▪ Observar e anotar aceitação alimentar e ingestão de líquidos conforme dieta prescrita. ▪ Observar, anotar e comunicar alterações no nível de consciência (agitação, sonolência e confusão). ▪ Fatores de risco: falta de adesão, conhecimento deficiente, falta de controle do diabetes, estado de saúde física e perda de peso.
Risco de desequilíbrio eletrolítico	▪ Verificar e anotar sinais vitais de 4/4h. ▪ Comunicar se temperatura ≥ 37,8 °C e ≤ 35,4 °C, pressão arterial sistólica ≥ 160 mmHg e ≤ 90 mmHg, pressão arterial diastólica ≥ 110 mmHg e ≤ 50 mmHg, frequência cardíaca ≥120 bpm e ≤ 50 bpm. ▪ Realizar controle de diurese e balanço hídrico de 6/6h. ▪ Monitorar exames laboratoriais.
Troca de gases prejudicada	▪ Verificar, anotar e comunicar alterações de frequência respiratória (≥ 21 ipm e ≤ 11 ipm) e oximetria de pulso ($SatO_2$ ≤ 90%). ▪ Observar utilização de musculatura acessória, batimento de asas do nariz, retração de fúrcula e presença de cianose. ▪ Manter cabeceira de leito elevada. ▪ Administrar oxigenoterapia conforme prescrito. ▪ Manter repouso no leito.

REFERÊNCIAS BIBLIOGRÁFICAS

1. Sociedade Brasileira de Diabetes. Diretrizes SBD 2013-2014/Sociedade Brasileira de Diabetes. São Paulo: AC Farmacêutica, 2014. (Acesso em 13 mai 2015). Disponível em: http://www.nutritotal.com.br/diretrizes/files/342--diretrizessbd.pdf
2. Klafke A, Duncan BB, Rosa RS, Moura L, Malta DC, Schmidt MI. Mortalidade por complicações agudas do diabetes melito no Brasil, 2006-2010. Epidemiol Serv Saúde. jul-set 2014; 23(3):455-62.
3. Sociedade Brasileira de Endocrinologia e Metabologia. Crises hiperglicêmicas agudas: diagnóstico e tratamento. Projeto Diretrizes. Brasil. 2012. (Acesso em 13 mai 2015) Disponível em: http://www.projetodiretrizes.org.br/diretrizes10/crises_hiperglicemicas_agudas_diagnostico_e_tratamento.pdf
4. Martins HS, Vidinha MMS, Neto RAB. Hipoglicemias. In: Martins HS, et al. Emergências clínicas: abordagem prática. 9 ed. Barueri (SP): Manole, 2014. p. 1156-64.
5. Martins HS, Admoni AN, Neto RAB. Hiperglicemias. In: Martins HS, et al. Emergências clínicas: abordagem prática. 9 ed. Barueri (SP): Manole, 2014. p. 1165-75.
6. Grossi SAA. O manejo da cetoacidose em pacientes com Diabetes Mellitus: subsídios à prática clínica de enfermagem. Rev Esc Enferm USP. 2006; 40(4):582-6.
7. Parsaik AK, et al. Population-Based Study of Severe Hypoglycemia Requiring Emergency Medical Service Assistance Reveals Unique Findings. J Diabetes Sci Technol. Jan 2012;6(1):65-73.
8. Geller AI, et al. National Estimates of Insulin-Related Hypoglycemia and Errors Leading to Emergency Department Visits and Hospitalizations. JAMA Intern Med. 2014;174(5):678-86.
9. Diagnóstico de enfermagem da NANDA: definições e classificações 2012-2014. Porto Alegre: Artmed, 2013.
10. McCloskey JC, Bulechek GM. Classificação das intervenções de enfermagem (NIC). Porto Alegre: Artmed; 2004.

capítulo 12

Natália dos Santos Santana

Emergência Hipertensiva

CONCEITO

A Hipertensão Arterial Sistêmica (HAS) é uma condição clínica multifatorial com alta prevalência e baixas taxas de controle, considerada um fator de risco modificável diretamente relacionado ao aumento da mortalidade por doenças cardiovasculares.[1]

A prevalência da HAS no Brasil é estimada em torno de 24,4%, e, desses, cerca de 44,5% não aderem ao tratamento preconizado. Estima-se também que 1% a 2% dos hipertensos previamente diagnosticados possam evoluir com quadro de Crise Hipertensiva (CH).[2]

Denomina-se crise hipertensiva a elevação aguda, intensa e sintomática da Pressão Arterial (PA), apresentando-se a Pressão Arterial Diastólica (PAD) ≥ 120 mmHg como uma situação crítica que requer avaliação clínica apropriada e intervenção imediata a fim de reduzir morbidade e mortalidade, pois pode cursar com lesão rápida de órgãos-alvo.[1,2]

Importante: Pacientes com hipertensão crônica suportam níveis de PA mais elevados, muitas vezes sem manifestação clínica. Para eles, o nível de PAD crítico pode ser maior. Já para crianças, gestantes e pacientes previamente normotensos, esse valor pode ser menor. Logo, os níveis pressóricos absolutos não devem ser analisados isoladamente.[3]

O Quadro 12.1 caracteriza os tipos de CH e o tratamento.[1,2,4]

Quadro 12.1 Caracterização dos tipos de CH e tratamento.

Tipos de CH	Características	Tratamento
Pseudocrise Hipertensiva (PCH)	▪ Elevação da PA secundária ao aumento do estímulo simpático (dor, hipóxia, hipoglicemia, hipercapnia, ansiedade, estado pós-ictal) ou abandono do tratamento da HAS ▪ Sem risco de lesão de órgãos-alvo	▪ Tratamento focado nas causas subjacentes (analgésicos, benzodiazepínicos e antivertiginosos) e anti-hipertensivos por via oral (VO) de uso crônico
Urgência Hipertensiva (UH)	▪ Sem risco de lesão de órgãos-alvo ▪ Quadro clínico estável	▪ Anti-hipertensivos VO buscando-se redução da PA em até 24h
Emergência Hipertensiva (EH)	▪ Com risco de lesão de órgãos-alvo (cérebro, coração e rins são os mais acometidos) ▪ Quadro clínico grave ▪ Risco iminente de morte	▪ Redução imediata da pressão arterial por via parenteral ▪ Em seguida, iniciar anti-hipertensivos VO de manutenção ▪ Tratamento preferencialmente em unidades de terapia intensiva

De acordo com o órgão-alvo comprometido, as apresentações mais frequentes na EH estão descritas no Quadro 12.2.[4,5,6,7]

Quadro 12.2 Apresentações das EH.

Emergência hipertensiva	
Neurológica	▪ Encefalopatia hipertensiva ▪ Hemorragia intraparenquimatosa ▪ Hemorragia subaracnóidea ▪ Acidente Vascular Cerebral isquêmico (AVCi)
Cardiovascular	▪ Dissecção aguda de aorta ▪ Edema agudo de pulmão ▪ Síndromes coronarianas agudas – Infarto Agudo do Miocárdio (IAM) e angina *pectoris* instável
Renal	▪ Insuficiência renal de rápida progressão
Sistêmica	▪ Hipertensão arterial maligna complicada
Circulação excessiva de catecolaminas	▪ Uso de cocaína e catecolaminérgicos ▪ Crise de feocromocitoma
Associada à gestação	▪ Eclâmpsia (com ou sem síndrome HELLP)

Encefalopatia hipertensiva

Quadro de edema cerebral difuso ocasionado pela elevação aguda da PA, causando cefaleia, náuseas/vômitos, déficits neurológicos e até convulsão e morte. A diminuição da PA leva à rápida melhora.[5,6,7]

Dissecção aguda de aorta

Na presença de processo degenerativo da camada íntima da artéria, a elevação aguda da PA pode causar fissura e formar um falso lúmen, com extravasamento de sangue para a camada intramural. No trajeto da dissecção, pode haver compressão da saída de vasos sanguíneos e, portanto, isquemia nos tecidos correspondentes.

Sinais e sintomas sugestivos

Dor torácica intensa de início súbito (podendo irradiar para dorso), agitação, pulsos assimétricos, pulso paradoxal, abafamento de bulhas cardíacas, sopros cardíacos, massa abdominal pulsátil, diferença de PA acima de 20 mmHg entre os dois braços.

- Tipo A: dissecção envolvendo a aorta ascendente; tipo B: dissecção envolvendo a aorta descendente;.
- Tratamento clínico com analgesia, betabloqueador e nitroprussiato de sódio a fim de manter FC em torno de 60 bpm e PAS entre 100 e 110 mmHg. O tratamento cirúrgico de urgência deve ser realizado para todas as dissecções do tipo A; já para o tipo B, deve-se pesar risco-benefício entre cirurgia e conduta conservadora.[5,8]

Hipertensão arterial maligna complicada

Pacientes com hipertensão arterial grave associada à papiledema ou hemorragias, podendo haver encefalopatia hipertensiva, anemia, microangiopatia e sinais de insuficiência ventricular esquerda.[5,6,7]

FISIOPATOLOGIA

A fisiopatologia não é totalmente conhecida. Provavelmente, a elevação da resistência vascular é mantida por vasoconstritores periféricos, como norepinefrina e angiotensina II, ocasionando lesão endotelial e necrose fibrinoide arteriolar. Tais mecanismos em conjunto podem levar à hipoperfusão e isquemia de vários órgãos.[5,6,7]

SINAIS E SINTOMAS

Os sinais e sintomas variam entre as pessoas e em relação ao órgão-alvo acometido. Os mais comuns são: cefaleia, dor torácica, náuseas e vômitos, dispneia, agitação psicomotora e déficits neurológicos.[5,6,7]

EXAMES DIAGNÓSTICOS

Na avaliação inicial, a história e o exame físico devem ser realizados de forma sucinta. Deve-se investigar a duração e a gravidade da hipertensão, medicações em uso, uso de drogas, aderência ao tratamento, presença prévia de lesão de órgãos-alvo – Insuficiência Cardíaca (IC), doença coronariana, doença renal etc – e presença de lesão aguda de órgãos-alvo (dor torácica, dorsalgia, lombalgia, dispneia, convulsões, alteração do nível de consciência etc.).

Ao exame físico, aferir PA nos dois membros (com o paciente em ortostase e decúbito), verificar pulsos em MMSS e MMII, procurar sinais e sintomas de IC e dissecção de aorta, realizar exame neurológico com destaque para o nível de consciência, orientação, sinais de irritação meníngea, déficits focais, campo visual e fundoscopia.

Os exames complementares devem incluir: hemograma, eletrólitos, função renal, urina I, perfil lipídico, glicemia, ECG, radiografia de tórax. De acordo com a apresentação clínica, alguns exames específicos devem ser realizados: marcadores de necrose (troponinas e CKMB), marcadores de hemólise (suspeita de hipertensão acelerada maligna), gasometria arterial, tomografia de crânio, punção de liquor, ecocardiografia transtorácica/transesofágica, angiorressonância ou arteriografia, tomografia helicoidal, entre outros exames voltados à investigação de doenças associadas.[4,6,7]

TRATAMENTO PRINCIPAL

Deve-se reduzir os níveis pressóricos, não necessariamente para os valores considerados normais, evitando-se queda excessiva e/ou abrupta da PA, já que a mesma pode comprometer a perfusão dos tecidos. Recomenda-se que a redução não deva ultrapassar 20% a 25% dos níveis da Pressão Arterial Média (PAM) inicial na primeira hora.

PAM = [(2PAD + PAS)]/3

Controle pressórico nas urgências hipertensivas

A UH deve ser diagnosticada e tratada corretamente, pois caso contrário pode evoluir para EH.[5]

Os medicamentos mais usados para controle da PA nos casos da UH são o captopril e a clonidina porque diminuem menos acentuadamente os níveis pressóricos (ver Quadro 12.3).[3]

Na alta hospitalar, recomenda-se adequar a dose de anti-hipertensivos da qual o paciente já fazia uso e somente associar outros medicamentos, caso a monoterapia não seja suficiente para o controle da pressão.[5]

Quadro 12.3 Medicações de uso oral indicadas nas UH.

Medicamentos	Dose	Início de ação	Duração da ação	Efeitos adversos e precauções
Captopril	6,25 a 25 mg VO ou sublingual (SL) – repetir após 1 h se necessário	15 a 30 min	6 a 8h VO 2 a 6h SL	Hipotensão, hipercalemia, insuficiência renal
Clonidina	0,1 a 0,2 mg VO, 1/1h, até 0,6 mg	30 a 60 min	6 a 8h	Hipotensão postural, sonolência, boca seca

*Apesar de sua rápida ação, a administração sublingual de nifedipino não é recomendada, pois a impossibilidade de controle do ritmo e o grau da redução da PA pode causar acidentes vasculares como AVC e IAM devido ao hipofluxo sanguíneo.[1,3]

Controle pressórico nas emergências hipertensivas

Deve ser realizado com medicação parenteral, de ação rápida, previsível, titulável e de imediata reversão, se necessário, sendo a principal droga de escolha o nitroprussiato de sódio.[3]

Após a redução da PA e estabilização do quadro clínico na primeira hora, devem-se diminuir as doses da medicação parenteral e introduzir anti-hipertensivos VO, aumentando-se a dose gradativamente, se necessário, para obtenção dos valores de PA desejados. A associação de outros anti-hipertensivos orais não deve ser feita antes que se atinja a dose máxima da medicação inicial.[5] O Quadro 12.4, extraído da VI Diretrizes Brasileiras de Hipertensão[1] mostra as medicações parenterais mais utilizadas no tratamento das EH (dose, ação, duração, efeitos adversos e indicações).

Quadro 12.4 Medicações utilizadas no tratamento da EH.

Medicamentos	Dose	Início/ duração	Efeitos adversos e precauções	Indicações
Nitroprussiato de sódio (vasodilatador arterial e venoso)	0,25 a 10 mg/kg/min EV	Imediato/ 1 a 2 min	Náuseas, vômitos, Intoxicação por cianeto Cuidado na insuficiência renal e hepática e na HIC alta Hipotensão grave	Maioria das EH
Nitroglicerina (vasodilatador arterial e venoso)	5 a 100 mg/ min EV	2 a 5 min/ 3 a 5 min	Cefaleia, taquicardia reflexa	Insuficiência coronariana e VE

(continua)

Quadro 12.4 Medicações utilizadas no tratamento da EH. *(continuação)*

Medicamentos	Dose	Início/ duração	Efeitos adversos e precauções	Indicações
Hidralazina (vasodilatador de ação direta)	10 a 20 mg EV 10 a 40 mg IM 6/6h	10 a 30 min/3 a 12h	Taquicardia, cefaleia, vômitos, piora da angina e do infarto Cuidado com HIC elevada	Eclâmpsia
Metoprolol (bloqueador β-adrenérgico seletivo)	5 mg EV (repetir de 10/10 min s/n até 20 mg	5 a 10 min/ 3 a 4 h	Bradicardia, BAV avançado, IC, broncoespasmo	Insuficiência coronariana, dissecção aguda de aorta (em associação com NPS)
Esmolol (bloqueador β-adrenérgico seletivo de ação ultrarrápida)	Ataque de 500 µg/kg Infusão intermitente: 25 a 50 µg/ kg/min 25 µg/kg/ min a cada 10 a 20 min Máximo de 300 µg/kg/ min	1 a 2 min/ 1 a 20 min	Náusea, vômito, BAV 1º grau, broncoespasmo, hipotensão	Dissecção aguda de aorta (em associação com NPS) Hipertensão pós-operatória grave
Furosemida (diurético)	20 a 60 mg Repetir após 30 min	2 a 5 min/30 a 60 min	Hipopotassemia	Insuficiência VE Situação de hipervolemia

(continua)

Quadro 12.4 Medicações utilizadas no tratamento da EH. (*continuação*)

Medicamentos	Dose	Início/duração	Efeitos adversos e precauções	Indicações
Fentolamina (bloqueador α-adrenérgico)	Infusão contínua de 1 a 5 mg Máximo: 15 mg	1 a 2 min/ 3 a 5 min	Taquicardia reflexa, *flushing*, tontura, naúseas, vômitos	Excesso de catecolaminas

NPS: Nitroprussiato de Sódio. Na EH associada ao uso de cocaína, indica-se verapamil ou diltiazen.[5]

DIAGNÓSTICOS E CUIDADOS DE ENFERMAGEM

Os principais Diagnósticos e Cuidados de Enfermagem indicados para os pacientes em EH estão listados no Quadro 12.5.

Quadro 12.5 Principais diagnósticos e cuidados de enfermagem na EH.

Principais diagnósticos de enfermagem[9]	Cuidados de enfermagem[3,5,10]
Risco de choque	▪ Monitorar frequentemente a frequência cardíaca e a pressão arterial. ▪ Avaliar o nível de consciência. ▪ Avaliar perfusão periférica ▪ Realizar balanço hídrico. ▪ Manter repouso absoluto.
Ansiedade	▪ Conversar com o paciente e explicar os procedimentos. ▪ Oferecer informações reais sobre o diagnóstico, tratamento e prognóstico. ▪ Permitir, sempre se possível, que a família permaneça com o paciente. ▪ Escutar o paciente com atenção. ▪ Usar abordagem calma e tranquilizadora.

(*continua*)

Quadro 12.5 Principais diagnósticos e cuidados de enfermagem na EH. *(continuação)*

Principais diagnósticos de enfermagem[9]	Cuidados de enfermagem[3,5,10]
Volume de líquidos excessivos	▪ Pesar o paciente. ▪ Avaliar presença de edema. ▪ Verificar sinais vitais: pressão arterial, frequência cardíaca, frequência respiratória. ▪ Realizar ausculta pulmonar para identificar presença de estertores. ▪ Verificar ocorrência de dispneia/desconforto respiratório. ▪ Realizar balanço hídrico.
Débito cardíaco diminuído	▪ Monitorar a frequência cardíaca e a pressão arterial frequentemente. ▪ Avaliar o nível de consciência. ▪ Avaliar perfusão periférica ▪ Auxiliar nas atividades de autocuidado. ▪ Indicar e estimular o repouso apropriado.
Padrão respiratório ineficaz	▪ Monitorar repetidas vezes a frequência respiratória e a saturação de oxigênio. ▪ Realizar ausculta pulmonar para identificar a presença de ruídos adventícios. ▪ Manter decúbito elevado, se possível manter paciente sentado. ▪ Instituir e manter vias aéreas pérvias. ▪ Avaliar o padrão respiratório (frequência, ritmo, profundidade e esforço). ▪ Avaliar necessidade de oxigenoterapia e sua eficácia. ▪ Avaliar presença de cianose, sudorese, pele fria, perfusão periférica. ▪ Manter repouso absoluto. ▪ Monitorar os valores dos exames laboratoriais adequados, inclusive gasometria.
Intolerância à atividade	▪ Identificar as limitações do paciente. ▪ Auxiliar nas atividades de autocuidado. ▪ Indicar o tipo de repouso do paciente. ▪ Promover ambiente seguro, a fim de evitar quedas e lesões.

Alguns cuidados na aferição da PA devem ser tomados para evitar alterações nos valores, conforme o Quadro 12.6.[1,3]

Quadro 12.6 Cuidados e preparo do paciente na aferição da PA.

▪ Repouso de pelo menos 5 min em ambiente calmo ▪ Evitar bexiga cheia ▪ Não permitir uso de cigarro/café por pelo menos 30 min antes da aferição da PA ▪ Manter pernas descruzadas, pés no solo, dorso recostado e relaxado ▪ Colocar o manguito em braço desnudo ▪ Selecionar o manguito do tamanho adequado ao braço	▪ Colocar o manguito sem deixar folgas, cerca de 2 a 3 cm acima da fossa cubital ▪ Posicionar o braço na altura do coração, apoiado, com a palma da mão voltada para cima ▪ Solicitar que não fale durante a aferição ▪ Esperar de 1 a 2 minutos antes de novas medidas

Com o paciente já estabilizado, o enfermeiro tem papel essencial na promoção do conhecimento e autocuidado dele, devendo realizar intervenções a fim de proporcionar adesão ao tratamento e orientações de alta.[5]

REFERÊNCIAS BIBLIOGRÁFICAS

1. Tavares A, et al. VI Diretrizes Brasileiras de Hipertensão. Arq Bras Cardiol. 2010.
2. Silva MAM, Rivera IR, Santos ACS, Barbosa CF, Filho CASO. Crise hipertensiva, pseudocrise hipertensiva e elevação sintomática da pressão arterial. Rev Bras Cardiol. 2013;26(5):329-36.
3. Sallum AMC, Paranhos WE. O enfermeiro e as situações de emergência. 2 ed. Atheneu, 2010.
4. Martins HS, Neto RAB, Neto AS, Velasco IT. Emergências clínicas: abordagem prática, 8 ed. Editora Manole, 2013.
5. Golin V, Sprovieri SRS. Condutas em urgências e emergências para o clínico. 2 ed. Editora Atheneu, 2012.

6. Feitosa FGS, Lopes RD, Poppi NT, Guimarães HP. Emergências hipertensivas. Rev. Bras. Ter. Intensiva 2008; 20(3).
7. Marik PE, Varon Jl. Hypertensive crisis: challenges and management. Chest. 2007.
8. Braverman AC. Acute aortic dissection: clinician update. Circulation 2010.
9. Diagnósticos de Enfermagem da NANDA: definições e classificação 2012-2014/[NANDA International]; tradução Alba Lucia Leite Barros et al. Porto Alegre: Artmed, 2013.
10. Bulechek G, Butcher HK, Dochterman JM. Classificação das intervenções de enfermagem, 5 ed. Elsevier, 2010.

capítulo 13

- Julio Cesar de Oliveira Mattos
- Maria Cristina Mazzaia

Paciente Psiquiátrico

INTRODUÇÃO

Na prática diária profissional nos serviços de pronto atendimento e emergência dos hospitais gerais, depara-se com um número cada vez maior de usuários portadores de alterações do comportamento e sofrimento psíquico. As situações de estresse em nosso cotidiano e qualquer evento estressor podem desencadear uma crise, o que leva a situações de agitação e agressividade. O aumento do nível de ansiedade pode ser tal que funções como atenção, orientação ou mesmo a percepção sofrem alterações importantes, ocasionando angústia ou mesmo ruptura de contato com a realidade.[1] O sofrimento psíquico é uma preocupação da Organização Mundial da Saúde (OMS) por apresentar largo espectro de condições, como depressão, e ansiedade – estas muitas vezes decorrentes do abuso de álcool e outras substâncias – e também distúrbios, como esquizofrenia e transtorno afetivo bipolar, que podem desabilitar os indivíduos para inúmeras atividades.[2]

CONCEITOS

Emergência psiquiátrica é definida como qualquer situação na qual exista risco significativo e iminente de morte ou de lesão grave provocado por sentimentos, pensamentos ou ações que coloquem em risco a integridade da própria pessoa e das pessoas à sua volta.[1]

Psicose, ou um transtorno psicótico refere-se a qualquer estado mental que altera o pensamento, percepção e julgamento do indivíduo. A pessoa em um surto psicótico pode apresentar diversos sintomas, como alucinações, delírios, e até experimentar uma mudança na personalidade, em que há perda do contato com a realidade.[3]

Distúrbio neurótico está associado ao aumento nos níveis de ansiedade que causam ou resultam em angústia. As condições neuróticas podem não prejudicar ou interferir na funcionalidade do indivíduo, mas podem favorecer o desenvolvimento e a manifestação de sintomas depressivos, de ansiedade ou estresse.[3]

ETIOLOGIA E EPIDEMIOLOGIA

Os transtornos psiquiátricos podem ser considerados multifatoriais, e podem estar associados a uma ou mais alterações nos mecanismos biológicos, psicológicos, sociais e culturais. Alterações bioquímicas e genéticas, por exemplo, podem determinar alterações no Sistema Nervoso Central (SNC) e causar alterações no desenvolvimento cerebral. Um estudo epidemiológico na região metropolitana de São Paulo identificou 19,9% dos entrevistados com transtorno de ansiedade, 11% com transtorno de comportamento, 4,3% com transtorno de controle do impulso e 3,6% com abuso de substâncias.[4]

Conhecer os aspectos mais incidentes do sofrimento psíquico e seu adequado manejo torna-se ferramenta fundamental à promoção da saúde e prevenção de complicações, tanto para a população quanto para a equipe de profissionais de um serviço de emergência. Portanto, este capítulo apresentará distúrbios e assistência para alterações em saúde mental relacionadas à ansiedade, dependência química do álcool, comportamento suicida e comportamento agressivo.

ASPECTOS DO RELACIONAMENTO INTERPESSOAL E O USO DA COMUNICAÇÃO VERBAL E NÃO VERBAL

Aquilo que os profissionais de saúde entendem por problemas de saúde mental e o modo como percebem os indivíduos acometidos por esses problemas determina a forma como vão avaliar e atuar nessas situações. Portanto, é importante lembrar que o comportamento das pessoas portadoras de sofrimento psíquico é o modo de mostrar aos outros que sofrem, e portanto não devem sofrer julgamentos de valor e sim necessitam de acurada avaliação para que se encontre a melhor maneira de relacionamento com elas.[5]

Para que as orientações sejam compreendidas e os tratamentos tenham seus efeitos esperados é primordial que o profissional de saúde, que recebe o usuário em uma unidade de urgência e emergência, saiba identificar os quadros de aumento da ansiedade e também manejar a situação, com objetivo de reduzir o estado de tensão. Quanto maior o nível de ansiedade, menor o campo perceptivo, a capacidade de lidar com a tensão, a capacidade de focalização e de aprendizado, já que há alterações das funções de atenção, memória e orientação.[5]

A melhor forma de reduzir o nível de ansiedade é a aproximação do profissional com intenção de acolhimento do usuário que se traduz em realmente acreditar que o contato a ser estabelecido é benéfico e que, por meio dele, toda proposta terapêutica pode ser facilitada. Essa postura possibilitará o desenvolvimento de um sentimento de confiança por parte do cliente que, por sentir-se mais seguro, terá seu estado tensional reduzido e, mesmo distante do profissional, irá considerar que pode contar com ele, pois entende que, embora o profissional permaneça envolvido com outros usuários e cuidados, está ciente de sua situação. Olhar perplexo, esfregar de mãos, atenção dispersa para tudo o que ocorre ao redor, assustar-se com facilidade, choro acompanhando o movimento do setor, desvio de olhar escondendo-se de contato sugerem comportamento ansioso, assim como os quadros de maior expansão de movimentos e expressão verbal.[6]

PSICOPATOLOGIA

Transtornos ansiosos

A ansiedade é um estado emocional com componentes psicológicos e fisiológicos que faz parte das experiências humanas necessária à nossa preservação, no entanto, quando tem seus níveis aumentados, pode tornar-se fator de sofrimento e proporcionar comprometimento funcional.[6]

Os transtornos ansiosos são os de Pânico (TP), Fóbicos, Obsessivo-Compulsivo (TOC), de Estresse Pós-Traumático (TEPT) e de Ansiedade Generalizada (TAG). Os ataques de pânico chegam aos serviços de emergência muitas vezes como queixas cardíacas, com sensação de morte. Sinais físicos, como taquicardia, tremores, náuseas, sudorese, parestesias, calafrios, perda de consciência com desmaios, são observados nos ataques de pânico, bem como sensação de asfixia, de falta de ar, desconforto torácico, abdominal, medo de perder o controle ou enlouquecer, sensação de morte eminente, medo de morrer e irritabilidade. Todos decorrentes do alto nível de ansiedade.[6]

O transtorno de pânico é diagnosticado (Quadro 13.1) quando o indivíduo apresenta ocorrências espontâneas de momentos de medo intenso e que podem variar de vários ataques por dia ou até poucos por ano. Pode ocorrer conjuntamente o medo intenso de permanecer em locais públicos (agorafobia), o que traz prejuízos à rotina social, levando o indivíduo ao isolamento. No pronto-socorro, é possível observar alterações das funções psíquicas da atenção, com baixa concentração e memória. Os ataques duram em média de 10 a 20 minutos, atingindo mais mulheres, e na maioria das vezes desaparecem de modo gradual.[6]

Tratamento

Orientação sobre o quadro e encaminhamento para terapia psicológica. Drogas que reduzam ou bloqueiam o nível de noradrenalina ou normalizam os níveis de serotonina são mais prescritas para os transtornos de ansiedade. São elas: benzodiazepínicos (diazepam e lorazepam), betabloqueadores adrenérgicos (propranolol) e antidepressivos (paroxetina, fluoxetina, imipramina e clomipramina); os benzodiazepínicos apresentam ação mais rápida em relação aos antidepressivos por via oral.[7]

Quadro 13.1 Possíveis diagnósticos para pacientes com transtornos ansiosos.

Diagnósticos de enfermagem[9]	Cuidados de enfermagem[8]
Ansiedade	Proporcionar apoio e proteção ao paciente. Identificar e reconhecer a dor referida, muitas vezes semelhante à angina por redução da luz dos vasos em casos agudos de ansiedade. Somente após exames clínicos que descartem o comprometimento cardíaco, deve-se iniciar a orientação dos efeitos dos altos níveis de ansiedade como justificativa para as queixas do paciente.
Enfrentamento ineficaz	As ações do enfermeiro devem ajudar os pacientes a conhecer os mecanismos e enfrentar os sintomas dos ataques de pânico.
Medo	Restabelecer a confiança e garantir a segurança por meio de relação interpessoal baseada em escuta qualificada

Síndrome de Abstinência Alcoólica (SAA)

O álcool é classificado como uma droga depressora do Sistema Nervoso Central (SNC), e com a interrupção de seu uso contínuo entre 24 e 36 horas pode ocorrer um quadro patológico (Quadro 13.2) que tem como sinais e sintomas tremores de

Quadro 13.2 Possíveis diagnósticos para pacientes com síndrome de abstinência alcoólica.

Diagnóstico de enfermagem	Cuidados de enfermagem
Risco para déficit de volume de líquidos relacionados com vômito e diarreia	▪ Monitorar sinais vitais ▪ Fazer balanço hídrico ▪ Identificar e registrar presença de sudorese e vômitos ▪ Providenciar dois acessos venosos periféricos quando em presença de convulsões e estado de desidratação[11]
Risco de queda relacionado com ataxia e alucinações	▪ Manter grades elevadas ▪ Identificar e registrar a presença de alucinações ▪ Identificar e registrar a presença de convulsões
Risco de violência relacionado com estado confusional, delírio e alucinação	▪ Realizar contenção mecânica no leito, quando necessário. Realizar avaliação da contenção a cada 30 minutos com registro de dados ▪ Buscar tornar o ambiente mais tranquilo e mais seguro a partir de contatos constantes com o usuário ▪ Buscar local onde tenha redução da movimentação ▪ Sempre reportar-se ao cliente pelo nome, consolidando o vínculo para a diminuição dos estímulos ▪ Explicar os procedimentos terapêuticos, e principalmente a contenção física se for a medida indicada ▪ Fornecer dados da realidade e procurar tranquilizá-lo verbalmente

extremidades, aumento da ansiedade, irritabilidade, sudorese, aumento da pressão arterial, taquicardia, cefaleia, náuseas, vômitos, insônia, alucinações ou ilusões transitórias e convulsões. Um estado confusional pode surgir em três dias após a interrupção ou redução do uso. No início da ingesta, o álcool causa uma sensação de euforia por liberação de opioides endógenos, o que reforça a continuidade do uso, porém, com essa continuidade, ocorre ativação dos receptores inibitórios GABA tipo A, causando efeitos sedativos, aumento da ansiedade e descoordenação motora, bem como inibição dos receptores excitatórios de Glutamato tipo NMDA (N-Metil-D-Aspartato), o que provoca aumento da sedação, intoxicação e distúrbios cognitivos. Com o uso crônico do álcool, ocorrem alterações no número e na função dos receptores, diminuição nos receptores GABA tipo A e aumento nos receptores de glutamato tipo NMDA, que pode levar a um estado de excitabilidade com a suspensão da ingestão contínua de álcool.[10]

- ***Delirium tremens:*** ocorre com redução ou descontinuidade do uso de álcool; é um estado confusional breve, porém pode evoluir para risco de morte. Os sintomas incluem: obnubilação, confusão mental, alucinações (percepção de situações não existentes) e ilusões (percepção distorcida dos aspectos da realidade), além de tremores marcantes não só de extremidades, delírios (crença em desacordo com a realidade e capacidade do indivíduo), hiperatividade, insônia ou inversão do ciclo do sono.[6]
- **Alucinose alcoólica:** caracterizada por alucinações vívidas, porém com clareza de consciência (muitas vezes o usuário questiona a veracidade do que refere perceber); geralmente acompanhada de ansiedade, medo e agitação.[6]

  A **Síndrome de Wernicke** é um processo agudo decorrente da falta de tiamina (vitamina B1) no indivíduo alcoolista e geralmente desnutrido; o usuário apresenta confusão mental, ataxia (alterações motoras), distúrbios oculares (nistagmo horizontal, paralisia ocular, reação mais lenta à luz e anisocoria). Quando não tratado rapidamente com tiamina, o paciente pode evoluir para quadro crônico denominado **Síndrome de Korsakoff**, caracterizado pela incapacidade de reter informações, déficit de memória e aprendizado. A administração de glicose antes da tiamina pode precipitar ou piorar a Síndrome de Wernicke.[6]

Observa-se a possibilidade de complicações clínicas, e, portanto, investigações de função hepática (TGO, TGP, GGT, bilirrubina), pâncreas (glicemia), condições de células sanguíneas e anemias (Volume Corpuscular Médio (VCM), hematócrito), eletrólitos (Mg, Na e K), condições pulmonares e cardíacas (ultrassonografia ou radiografia de tórax), condições de órgãos peritoneais (ultrassonografia de abdome) e condições de encéfalo (tomografia e radiografia de crânio) podem ser necessárias a depender da avaliação clínica.[10]

Tratamento

O tratamento visa a redução de sintomas e prevenção de agravamento do quadro com convulsão e delírios. Em relação à terapia farmacológica, os benzodiazepínicos têm sido a droga de primeira escolha, pois se mostram seguros em uso parenteral ou oral, têm ação anticonvulsivante, promovem profilaxia eficaz do *delirium tremens* e apresentam meia-vida longa (24 a 36 horas). O uso do fenobarbital no tratamento de possíveis convulsões pode causar depressão respiratória. Se o usuário apresentar alterações significativas da função hepática, o lorazepam deve ser a droga de escolha. Reposição hídrica e eletrolítica são utilizadas com critério, com monitoramento dos níveis de sódio, potássio e magnésio. Reposição vitamínica da tiamina ocorre via parenteral nos primeiros dias e depois passa a ser oral. O que não se deve fazer: uso indiscriminado de glicose – que só pode ser administrada por via parenteral após a administração de tiamina sob o risco de induzir Síndrome de Wernicke; uso de fenitoína parenteral para controle de crises convulsivas no caso da SAA; uso de clorpromazina e outros neurolépticos sedativos de baixa potência para controlar agitação, pois podem induzir convulsões.[9]

Agitação psicomotora

É uma emergência psiquiátrica, cuja intervenção terapêutica deve ser imediata. O usuário apresenta inquietação, aumento da excitabilidade, resposta aumentada aos estímulos ambientais, humor irritado, verbalização aumentada e agressiva, podendo ser inadequada e de modo repetitivo (Quadro 13.3). Pacientes agitados e/ou agressivos costumam apresentar baixa capacidade de compreensão em relação à sua morbidade, e juízo crítico da realidade prejudicado, com dificuldade em saber que estão doentes e, consequentemente, não reconhecem a necessidade de ajuda externa.[1]

Os estados de agitação podem ser previstos, pois, em geral, os indivíduos tornam-se em um primeiro momento inquietos, andam em círculos, sem conseguir ficar sentados ou deitados; com frequência golpeiam o ar, cerram a mandíbula, além de contrair músculos faciais. O tom de voz ameaçador ou o aumento do volume da fala também são sinais de inquietação e dificuldade de conter-se, assim como euforia inapropriada, irritabilidade e instabilidade afetiva. A raiva é precursora de comportamentos violentos. As alterações do nível de consciência também podem levar a um comportamento agressivo.[7]

As condutas para tentar proteger o indivíduo e as outras pessoas devem ser imediatas, iniciando-se pela abordagem verbal sobre a percepção do profissional e sua preocupação com ele.

- **Verbal:** utilização de manobras de comunicação terapêutica para estabelecimento de vínculo com o indivíduo. É necessário mostrar-se disponível ao solicitar informações e demonstrar interesse em compreender o que o aflige. Evitar confrontos ou críticas, agir com respeito utilizando um tom de voz firme para que ele tenha percepção de segurança no contato. Não elevar o tom de voz, solicitar sempre sua colaboração e referir o quanto sua ajuda é importante. Deve-se perguntar ao paciente sobre a possibilidade de acalmar-se, sobre a aceitação de medicamentos e, se não houver sucesso e os riscos persistirem, buscar então outro tipo de contenção. A contenção verbal deve preceder todos os outros tipos de contenção.[8]

- **De espaço:** manter o usuário em espaço onde não seja possível grandes movimentações e tomar cuidado quanto a uma possível agressão. Ele deve ser mantido próximo a cantos e parede, tendo o profissional à sua frente com liberdade de movimentação em corredores ou salas. O contato verbal deve ser constante com o intuito de manter a atenção do usuário e na expectativa de reduzir o estado de ansiedade.[8]
- **Química:** uso de medicação para controle do comportamento. Utilizam-se medicamentos classificados como depressores do SNC, como os antipsicóticos típicos (haloperidol), antipsicóticos atípicos (olanzapina, risperidona, ziprazidona), benzodiazepínicos (diazepam, clonazepam, midazolam) e também a prometazina para redução de efeitos extrapiramidais. Os medicamentos auxiliam na redução de sintomas agressivos tanto na sua intensidade quanto na frequência, e contribuem para que o usuário torne-se mais permeável à abordagem dos profissionais. Deve-se considerar o tempo necessário para a ação dos medicamentos e os riscos aos quais estão expostos usuários e profissionais.[8,12]
- **Mecânica:** é a privação da liberdade de ação e movimento e deve ser restrita aos quadros psicopatológicos que coloquem em risco a vida do paciente, exclusivamente para garantir sua segurança e dos profissionais. É utilizada como último recurso, caso a contenção verbal seja ineficaz e não ocorra a aceitação da contenção química, ou mesmo que esta última não tenha o efeito esperado. São utilizadas faixas de contenção adequadas ao procedimento e seguras quanto à manutenção da perfusão dos usuários. O profissional que conseguiu estabelecer um vínculo com o usuário deve realizar a orientação da necessidade do procedimento para a sua segurança e permanecer diante do usuário para que

possa ser visto. Ideal a participação de cinco profissionais (um para cada membro e um para cabeça e tórax). Sempre após a contenção mecânica deve-se proceder à contenção química, caso não tenha sido utilizada anteriormente.[6]

- **Não administrar os seguintes medicamentos em caso de necessidade de tranquilização rápida:** clorpromazina VO ou IM – favorece risco de arritmias cardíacas, aumenta o limiar convulsivo, a formulação EV tem volume excessivo e pode acarretar em necrose; diazepam IM – apresenta absorção imprevisível, se a absorção for lenta, o efeito sedativo não ocorre de imediato; antipsicóticos de depósito – têm efeito lento e prolongado, e como há o risco de causarem sintomas extrapiramidais ou síndrome neuroléptica maligna, aumentam o tempo de exposição do usuário ao medicamento e, portanto, o risco.[8,12]

Quadro 13.3 Possíveis diagnósticos para pacientes com agitação psicomotora.

Diagnósticos de enfermagem[9]	Cuidados de enfermagem[6,12]
Confusão aguda	▪ Em caso do uso de contenção mecânica e/ou química: orientar o indivíduo sobre a contenção ▪ Avaliar a perfusão periférica e as condições da contenção a cada 30 minutos para prevenção de garroteamento e dificuldade de expansibilidade torácica, com registro em prontuário do observado ▪ Avaliar sinais vitais a cada hora devido aos efeitos depressores do SNC pelos medicamentos utilizados ▪ Preferir espaços reservados e tranquilos, porém de fácil e rápida observação pela enfermagem
Risco de violência relacionado com desequilíbrio mental, labilidade de humor e afeto	▪ Estabelecer uma aliança terapêutica, por meio do vínculo de confiança com o cliente, avaliando o seu estado mental e seu potencial para agressividade ▪ Tentar tranquilizar verbalmente o paciente ▪ Solicitar segurança local, se necessário ▪ Avaliar o ambiente e providenciar mudanças, se necessário

Suicídio

O suicídio deriva da palavra latina "autoassassino". Se bem-sucedido, é um ato fatal que representa o desejo de morrer. Há uma variação entre pensar no suicídio e executar a ação. Algumas pessoas têm ideias que nunca levarão adiante, já outras chegam a planejar a ação durante horas, dias ou meses, outras tiram a própria vida em um único impulso sem premeditação; assim, ideia, plano ou tentativa de suicídio devem ser considerados igualmente como risco. O suicídio está associado às necessidades frustradas ou insatisfeitas, sentimentos de desesperança e desamparo, conflitos ambivalentes entre viver e a situação intolerável, uma necessidade de fugir. A grande maioria dos pacientes que tentam suicídio apresentam alguma comorbidade psiquiátrica, sendo as mais prevalentes depressão, esquizofrenia, alcoolismo e outras dependências e transtornos de personalidade (Quadro 13.4). A etiologia do suicídio é uma complexa relação de fatores biológicos, genéticos, ambientais, sociais e culturais.[10]

Quadro 13.4 Possíveis diagnósticos para pacientes que tentaram suicídio.

Diagnóstico de enfermagem[9]	Cuidados de enfermagem[7,10]
Enfrentamento ineficaz	É necessário tratar o ato suicida com devida seriedade, resgatar o indivíduo de uma situação que motivou estresse, conscientizando os familiares da necessidade de proteção ao paciente; reavaliação do tratamento psiquiátrico que vinha sendo utilizado.
Desesperança	Estimular a expressão de pensamentos e sentimentos para reduzir confusão de emoções; reforçar todos os aspectos positivos relativos ao paciente no momento. Focalize situação atual do paciente e valorize a busca e/ou manutenção de tratamento especializado. Evitar julgamentos de valor.

(continua)

Quadro 13.4 Possíveis diagnósticos para pacientes que tentaram suicídio. *(continuação)*

Diagnóstico de enfermagem[9]	Cuidados de enfermagem[7,10]
Risco para automutilação	Remoção de objetos que coloquem em risco o paciente (medicamentos, materiais perfurocortantes, equipos, cordões de vestes e de *hamper*, leito em local de fácil visualização pela equipe de enfermagem, janelas com proteção e grades; enfatizar o risco de suicídio no prontuário e anotações de enfermagem; monitoramento constante, com avaliação do estado físico e mental.
Risco de suicídio	Deve-se obter uma anamnese detalhada, determinando o risco de suicídio num período mais longo de observação e auxiliar o paciente para que ele restabeleça confiança em suas relações interpessoais. Deve-se dobrar a atenção nos períodos de refeições, trocas de turno, e aumentar a frequência de rondas durante o período noturno, pois é o mais utilizado para novas tentativas de suicídio – os usuários se aproveitam do envolvimento dos profissionais em outras atividades que acarretam redução da vigilância.

Abordagem inicial

Avaliar se há necessidade de cuidados clínicos que devem ser prestados de imediato para manutenção da vida; observar o método utilizado na tentativa de suicídio; considerar as possibilidades de novas tentativas e os recursos locais, como facilidades de acesso a medicamentos (verificar pertences para busca de medicamentos pessoais), o serviço onde será alocado (evitar locais altos sem grades de proteção ou facilidade de acesso às vias de tráfego pesado); investigar ideação suicida e se há planos para o suicídio com a realização de questões como: você acha que não vale a pena viver? queria dormir e não acordar mais? encontra-se sem esperança? – o profissional não deve se intimidar ao realizar o questionamento, pois o risco deve ser mensurado; os pacientes devem ser levados a sério, e não vistos como querendo chamar a atenção por um ato ou gesto desesperado diante de um problema; lembrar-se que o comportamento apresentado é o modo de o indivíduo demonstrar seu sofrimento.[7]

Tratamento

O suicídio é classificado como uma violência e esses eventos são passíveis de notificação compulsória de acordo com o Sistema de Vigilância de Violência e Acidentes (VIVA) do Ministério da Saúde, sendo que qualquer profissional pode e deve preencher a ficha de notificação, pois, a subnotificação interfere sobremaneira nas pesquisas e investimentos para o atendimento desta necessidade de saúde da população.[13]

A internação psiquiátrica por até 72 horas no serviço de emergência pode ser considerada em diversas situações. Nos casos de risco iminente de suicídio, opta-se pela internação, mesmo que involuntária. Nesse caso os responsáveis ou familiares devem ser devidamente comunicados.

REFERÊNCIAS BIBLIOGRÁFICAS

1. Stefanelli MC, Fukuda MK, Arantes EC. Enfermagem psiquiátrica em suas dimensões assistenciais. Barueri, SP: Manole, 2008.
2. World Health Organization. Global burden of mental disorders and the need for a comprehensive, coordinated response from health and social sectors at the country level. Geneva: World Health Organization; 2012.
3. Dalgalarrondo P. Psicopatologia e semiologia dos transtornos mentais. 2ª. ed. Porto Alegre: Artmed, 2008.
4. Andrade LH, Wang Y-P, Andreoni S, Silveira CM, Alexandrino-Silva C, et al. (2012) Mental Disorders in Megacities: Findings from the São Paulo Megacity Mental Health Survey, Brazil. PLoS ONE 7(2): e31879. doi:10.1371/journal.pone.0031879
5. Townsend MC. Enfermagem psiquiátrica: conceitos e cuidados. 3ª ed. Rio de Janeiro: Guanabara Koogan, 2011.

6. Marcolan JF, Castro RCBR. Enfermagem em saúde mental e psiquiátrica: desafios e possibilidades do novo contexto do cuidar. Rio de Janeiro: Elsevier, 2013.
7. Mari JJ, et al.(orgs.) Guia de psiquiatria. Barueri, SP: Manole, 2002. (Série guias de medicina ambulatorial e hospitalar/editor da série Nestor Schor).
8. Santos FQ, Sawicki WC. Paciente ambulatorial psiquiátrico. In: Barbosa DA, Vianna LAC. Enfermagem ambulatorial e hospitalar. Barueri, SP: Manole, 2010; p. 7-18.
9. NANDA Internacional. Diagnósticos de Enfermagem da NANDA: definições e classificação 2012-2014. Porto Alegre: Artmed; 2013.
10. Sadock BJ, Sadock VA. Compêndio de psiquiatria. 9ª ed. Porto Alegre: Artmed; 2007.
11. Timby BK, Smith NE. Enfermagem Médico-Cirurgica. 8ª ed. Barueri, SP: Manole, 2005.
12. Montovani C, Migon MN, Alheira FV, Del-Bem CM. Manejo de paciente agitado ou agressivo. Rev Bras Psiquiatria. São Paulo; 2010;32(2):96-103.
13. Brasil. Ministério da Saúde. Secretaria de Vigilância em Saúde. Departamento de Vigilância de Doenças e Agravos não Transmissíveis e Promoção da Saúde. Sistema de Vigilância de Violências e Acidentes (Viva): 2009, 2010 e 2011. Brasília: Ministério da Saúde, 2013.

capítulo 14

Renata Maria de Oliveira Botelho

Parada Cardiorrespiratória

CONCEITO

A Parada Cardiorrespiratória (PCR) é definida como ausência de atividade mecânica do coração evidenciada por ausência de pulso central, arresponsividade e ausência de respiração ou respiração agônica.[1]

Nos EUA, estima-se que ocorram 360 mil casos de PCR, com uma taxa de sobrevida de 10,6%. No Brasil, são relatados 200 mil casos de PCR por ano, com dados escassos em relação a sobrevida dos pacientes.[1,2]

A equipe de enfermagem tem papel importante nesse cenário, pois permanece próxima ao paciente, devendo estar apta a identificar os sinais que antecedem uma PCR, prevenindo ou realizando o primeiro atendimento imediato, aumentando as taxas de sobrevida em bom estado neurológico.

FISIOPATOLOGIA

Quando um paciente apresenta PCR, a interrupção da atividade mecânica cardíaca cessa o bombeamento de sangue para os órgãos e tecidos. Em poucos minutos o fluxo sanguíneo é interrompido levando a anóxia e necrose tecidual.[2,3]

A lesão cerebral, uma das principais causas de morte e incapacidade após PCR, é decorrente da inibição da produção de Adenosina Trifosfato (ATP), com ativação do metabolismo anaeróbico, depleção de glicose, produção de lactato e glutamato, o que leva a acidose, danificando diretamente o tecido neural. Além disso, a depleção do ATP altera o funcionamento dos canais iônicos, levando ao efluxo de glutamato, o que contribui para o aumento do edema cerebral, aumentando a taxa de mortalidade e a ocorrência de sequelas nesses indivíduos.[2,3]

A PCR apresenta três fases, de acordo com a evolução temporal:[3]

- **Fase elétrica:** ocorre até o quinto minuto após o evento. Nessa fase, o ritmo mais comum é a fibrilação ventricular, e a desfibrilação precoce é o tratamento mais efetivo, já que o músculo cardíaco ainda apresenta atividade mecânica, mesmo que seja desorganizada e incapaz de manter a fração de ejeção.
- **Fase hemodinâmica:** engloba o período de cinco a 15 minutos após o evento. Nessa fase, as reservas energéticas do organismo e do miocárdio já estão se esgotando e inicia-se um quadro de acidose, sendo primordial a realização de compressões torácicas externas eficazes, na tentativa de manter a circulação para os órgãos vitais.
- **Fase metabólica:** ocorre a partir de 15 minutos, e as chances de sobrevivência caem drasticamente. O organismo já tem altas taxas de citocinas inflamatórias e radicais livres, o que leva à lesão celular, com grandes chances de sequelas e morte.

Os ritmos cardíacos associados a PCR são: Fibrilação Ventricular (FV), Taquicardia Ventricular (TV) sem pulso, Atividade Elétrica Sem Pulso (AESP) e assistolia.[4]

- **Fibrilação ventricular:** caracteriza-se pela ausência de atividade elétrica organizada e despolarização desorganizada de diversos focos originários nos ventrículos. A contração descoordenada do miocárdio é insuficiente para manter uma fração de ejeção adequada, levando à ausência de pulso central. Ao Eletrocardiograma (ECG), observa-se ritmo rápido e caótico, com ondas de amplitude e duração variáveis (Figura 14.1).

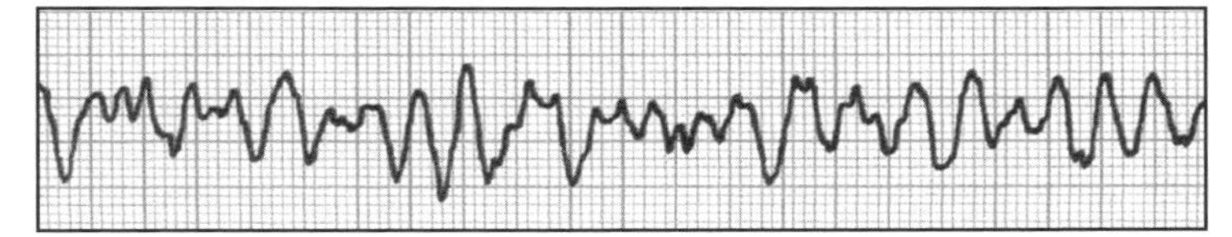

Figura 14.1 Fibrilação ventricular.

- **Taquicardia ventricular:** caracteriza-se por batimentos ectópicos originários nos ventrículos, produzindo frequência cardíaca acima de 100 batimentos por minuto. Nesse caso, a contração rápida também é insuficiente para produzir débito cardíaco e pulso. Ao ECG, observa-se ritmo regular com complexos QRS alargados e não precedidos de onda P (Figura 14.2).

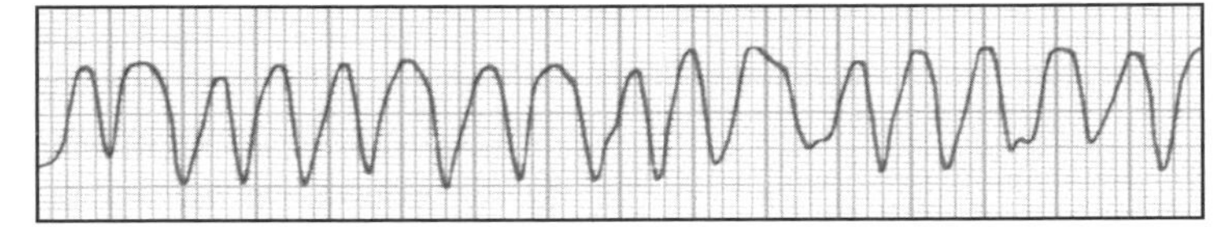

Figura 14.2 Taquicardia ventricular.

- **Atividade elétrica sem pulso:** nesse caso, o coração apresenta atividade elétrica, mas não mecânica, sendo incapaz de produzir pulso. Ao ECG, evidencia-se ritmo organizado, porém ausência de pulso.

- **Assistolia:** caracteriza-se pela ausência de atividade elétrica e mecânica nos ventrículos. Ao ECG, evidencia-se uma linha reta, ou seja, ausência de ondas (Figura 14.3).

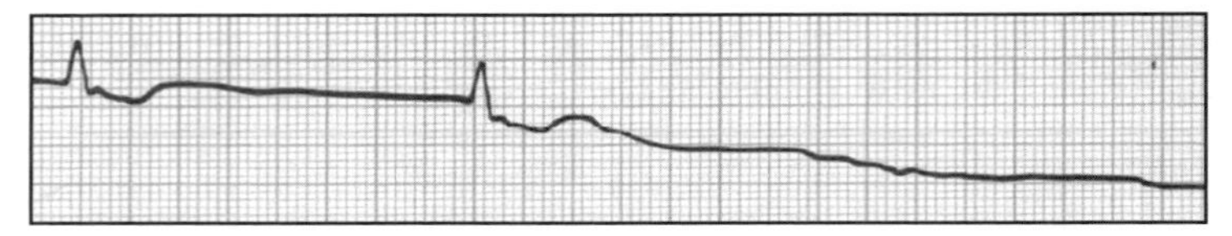

Figura 14.3 Assistolia.

SINAIS E SINTOMAS

O diagnóstico de PCR é confirmado por inconsciência, ausência de respiração ou respiração agônica e ausência de pulso central.[4]

TRATAMENTO PRINCIPAL

O tratamento da PCR no ambiente intra-hospitalar baseia-se na cadeia de sobrevivência, definida como uma sequência de ações que devem ser seguidas para indivíduos em PCR, para que a sobrevida em bom estado neurológico ocorra.[4]

A cadeia de sobrevivência do ambienta intra-hospitalar é composta pelos cinco elos:

1. Vigilância e prevenção a uma PCR
2. Reconhecimento e acionamento do serviço médico de emergência
3. RCP imediata e de alta qualidade
4. Rápida desfibrilação
5. Suporte avançado de vida e cuidados pós-PCR

Os três primeiros elos compõem o suporte básico de vida (SBV) e os dois últimos o suporte avançado de vida (SAV)[3,4] (Figura 14.4).

Figura 14.4 Cadeia da sobrevivência da *American Heart Association.*

SUPORTE BÁSICO DE VIDA

Reconhecimento da PCR e acionamento do serviço médico de emergência

O reconhecimento de uma vítima em PCR é fundamental para o sucesso do atendimento, visto que a perda da função neurológica se agrava a cada minuto sem RCP,[3] e obedece às seguintes etapas (Figura 14.5):

- Checar a consciência da vítima perguntando se ela esta bem e tocando em seus ombros. Juntamente com a avaliação da consciência, observa-se a presença de respiração efetiva por, no máximo, 10 segundos.
- Após a identificação da inconsciência e da ausência de respiração, aciona-se o serviço médico de urgência, podendo ser feito através do celular sem sair do lado da vítima, para solicitar ajuda e um desfibrilador. No Brasil, nos casos de PCR extra-hospitalar, o serviço médico de urgência pode ser acionado por meio de ligação telefônica para o número 192.

- Verificar a presença de pulso central por, no máximo, 10 segundos e, se ausente, iniciar a RCP.

Realização de RCP imediata

A RCP deve ser iniciada pelas Compressões Torácicas Externas (CTE), alternando ciclos de 30 CTE para duas ventilações.

Para a realização das CTE, o paciente deve estar em decúbito dorsal e sobre uma superfície plana e rígida. As CTE devem ser realizadas no centro do tórax da vítima, apoiando-se a região hipotenar da mão dominante e a outra por cima. A pessoa que comprime deve posicionar-se formando um ângulo de 90° com o tórax da vítima, mantendo os cotovelos estendidos e utilizando a força do tronco. As CTE devem ser realizadas a uma frequência de 100 a 120 por minuto, com profundidade mínima de 5 cm (2 polegadas), porém não ultrapassando o limite de 6 cm (2,4 polegadas). Deve-se permitir o retorno do tórax da vítima posição original a cada CTE, evitando apoiar-se sobre o tórax a cada compressão, para que o coração se encha a cada CTE. Interrupções nas CTE devem ser evitadas, não ultrapassando os 10 segundos quando ocorrerem.[1,2,3]

Para a realização de ventilações, deve-se proceder à abertura das vias aéreas mediante a manobra de inclinação da cabeça com elevação do queixo. Se houver suspeita de trauma e o profissional for treinado, deve ser realizada a manobra de anteriorização da mandíbula (*Jaw Thrust*). As ventilações podem ser realizadas por meio do dispositivo bolsa-válvula-máscara ou de máscara facial com válvula unidirecional, e são efetivas quando há elevação torácica visível.[1,2,3]

Desfibrilação rápida

A RCP deve ser realizada de modo ininterrupto até a chegada do Desfibrilador Externo Automático (DEA).

O desfibrilador é um aparelho capaz de disparar uma energia que irá despolarizar o coração, nos casos de FV e TV sem pulso, fazendo com que este retorne ao ritmo sinusal. Nesses casos, recomenda-se que a desfibrilação seja realizada o mais precocemente possível.[4]

Os DEAs são aparelhos capazes de identificar ritmos chocáveis, dar orientações visuais e sonoras de atendimento e aplicar o choque, podendo ser manipulados por quaisquer pessoas com o mínimo de treinamento e em ambiente extra-hospitalar.[3]

Após a chegada do desfibrilador, as pás adesivas para monitorização devem ser posicionadas abaixo da clavícula direita e na região do ápice do coração. Durante a análise do ritmo e aplicação do choque, todos devem se afastar da vítima, para que não haja interferência e risco de disparo do choque nos profissionais em atendimento.[3] Após a aplicação do choque, a RCP deve ser reiniciada imediatamente pelas CTE.

SUPORTE AVANÇADO DE VIDA

O sucesso da RCP depende de um SBV bem executado e de medidas de SAV eficazes (Figura 14.6). Além da continuidade das medidas de SBV, o SAV compreende ações como a obtenção de uma via aérea invasiva, o uso de medicações, a aplicação do desfibrilador manual e a identificação e tratamento das causas reversíveis que levaram à PCR.[4]

Após a obtenção de uma via aérea avançada, as CTE devem ser realizadas de modo ininterrupto, em um intervalo de 100 a 120 por/minuto, e as ventilações em uma frequência de 1 ventilação a cada 6 segundos (10 ventilações por minuto).[4]

A administração de medicamentos durante a PCR pode ser realizada por via endovenosa, seguida de um *flush* de 20 mL de solução fisiológica e elevação do membro, via intraóssea e traqueal; nesse caso a dose da medicação deve ser dobrada. As medicações que podem ser administradas por via traqueal são: epinefrina, lidocaína, atropina e naloxone.[4]

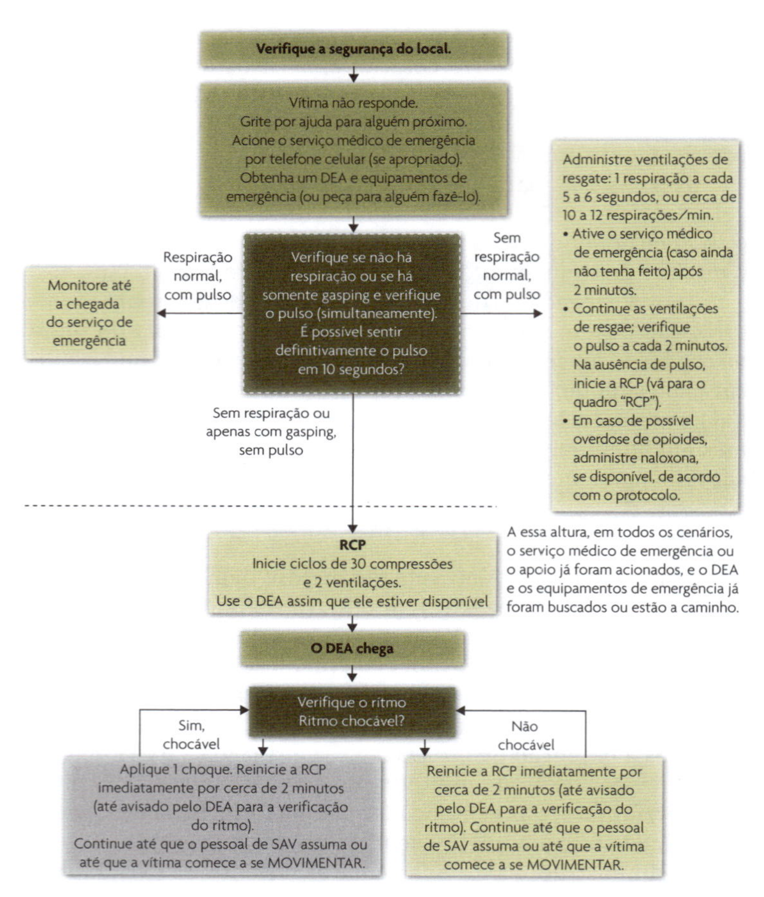

Figura 14.5 Algoritmo de suporte básico de vida da *American Heart Association*.

Nos casos de FV e TV sem pulso, a prioridade é a desfibrilação precoce, com energia de 120 a 200 joules quando se utiliza um desfibrilador bifásico, e 360 joules quando este é monofásico.

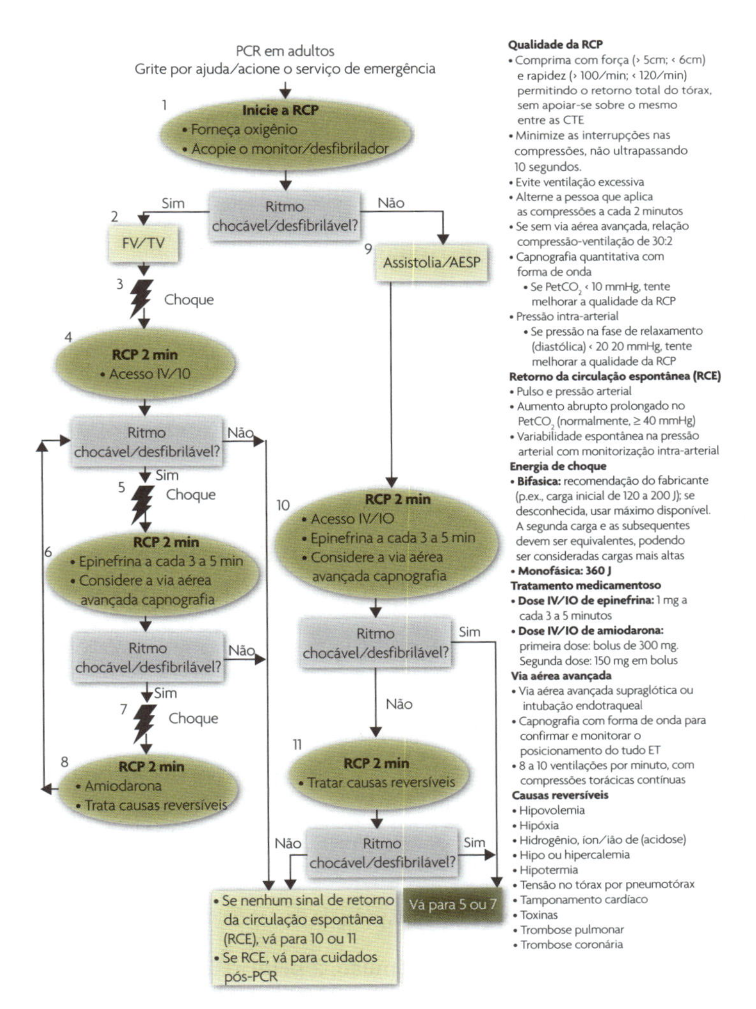

Figura 14.6 Algoritmo de suporte avançado de vida da *American Heart Association*.

Para que o choque seja efetivo, deve ser aplicado gel condutor nas pás e uma pressão de cerca de 13 kg no tórax do paciente. Durante a análise do ritmo e administração do choque, todos devem se afastar do paciente, e dispositivos com oxigênio devem ser desligados pelo risco de faíscas e explosões. Após a desfibrilação, a RCP deve ser reiniciada imediatamente pelas CTE.[4]

Além da desfibrilação, para o tratamento da FV e TV sem pulso, devem ser administradas 1 mg de epinefrina, a cada 3 a 5 min, intercalada com 300 mg, seguida de 150 mg de amiodarona após 3 a 5 min.[4]

Nos casos de AESP e assistolia, a desfibrilação está contraindicada e o tratamento baseia-se na administração de RCP, 1 mg de epinefrina a cada 3 a 5 min, e no tratamento das causas reversíveis da PCR, conhecidas por 5 Hs e 5 Ts (Quadro 14.1).[4]

Quadro 14.1 Causas reversíveis de AESP e assistolia e principais tratamentos.[4]

Hipóxia	Oxigênio a 100%
Hipovolemia	Volume
Hiper/hipocalemia	Gluconato de cálcio/potássio
Hipotermia	Aquecimento
Acidose	Bicarbonato de sódio
Tamponamento cardíaco	Pericardiocentese
Tensão no tórax	Descompressão brusca
Trombose pulmonar	Trombolíticos
Trombose coronariana	Trombolíticos/angioplastia coronariana
Intoxicação	Antídotos

CUIDADOS IMEDIATOS PÓS-PCR

Os cuidados integrados imediatos pós-PCR do paciente. inicia-se o quinto elo da cadeia de sobrevivência que têm como objetivo reverter ou minimizar a instabilidade pulmonar, hemodinâmica e neurológica, melhorando a taxa de sobrevida e qualidade de vida desses pacientes.[5]

Após o retorno da circulação espontânea devemos otimizar a ventilação e oxigenação do paciente, mantendo saturação de oxigênio > 94%, considerar uma via aérea avançada e o uso da capnografia em forma de onda. Se o paciente apresentar instabilidade hemodinâmica com quadro de hipotensão (PAS < 90 mmHg ou PAM < 65 mmHg), a mesma deve ter tratada o mais precocemente possível, avaliando a indicação do uso de vasopressor.

CONTROLE DIRECIONADO DA TEMPERATURA

Em pacientes comatosos, sem resposta a comandos verbais, é indicado realizar controle da temperatura, buscando nas 24 horas após RCE uma temperatura alvo entre 32 °C a 36 °C, com o objetivo de melhor o desfecho do quadro neurológico desses pacientes.

ANGIOGRAFIA CORONÁRIA

O procedimento de angiografia coronária é indicada em caráter emergêncial para todos os pacientes que apresentaram PCR de etiologia cardíaca e que apresentem IAM com supradesnivelamento do seguimento ST em ECG, visando um melhor desfecho desses pacientes.

REFERÊNCIAS BIBLIOGRÁFICAS

1. Neumar RW, Shuster M, Callaway CW, et al. Part 1: Executive Summary: 2015 American Heart Association Guidelines Update for Cardiopulmonary Resuscitation and Emergency Cardiovascular Care. Circulation. 2015;132:S315-S367
2. American Heart Association. Destaques das Diretrizes da American Heart Association 2015 para RCP e ACE. Currents in Emergency Cardiovascular Care. Oct 2015. Disponível em: http://static.heart.org/eccguidelines/guidelines-highlights.html.

3. Kleinman ME,Brennan EE, Goldberger ZD et al. Part 5: Adult Basic Life Support and Cardiopulmonary Resuscitation Quality: 2015 American Heart Association Guidelines Update for Cardiopulmonary Resuscitation and Emergency Cardiovascular Care. Circulation. 2015;132: S414-S435
4. Mark LS,Lauren BC,Kudenchuk PJ, et al. Part 7: Adult advanced cardiovascular life support: 2015 American Heart Association Guidelines Update for Cardiopulmonary Resuscitation and Emergency Cardiovascular Care. Circulation. 2015;132:S444-S464
5. Callaway CW,Donnino MW, Fink EL, et al. Part 8: Post–Cardiac Arrest Care: 2015 American Heart Association Guidelines Update for Cardiopulmonary Resuscitation and Emergency Cardiovascular Care. Circulation. 2015;132:S465-S482

capítulo 15

Guilherme dos Santos Zimmermann
Iveth Yamaguchi Whitaker

Estados de Choque

INTRODUÇÃO

Choque é uma resposta sistêmica cuja manifestação final é a insuficiência circulatória grave. O reconhecimento dos sinais de choque é fundamental, pois se trata de situação com risco potencial para rápido agravamento das condições clínicas, resultando em disfunção de órgãos que pode culminar em óbito. Na fase inicial, geralmente, os efeitos do choque são reversíveis, por isso ressalta-se a importância da identificação precoce dos sinais indicativos de choque na avaliação do paciente.[1,2] Apesar dos avanços no diagnóstico e tratamento do choque, as taxas de morbidade e mortalidade são elevadas mundialmente. Independente da causa, a mortalidade decorrente do choque em geral varia de 40% a 60%.[2] Nos EUA, o choque é a décima causa de morte com custo aproximado de 16,7 bilhões de dólares por ano. Dados do *Latin American Sepse Institute*, de 2005 a 2014, indicam que no Brasil a mortalidade por choque séptico foi de 64,1%.[3,4]

Em serviços de emergência, a presença de pacientes em estado de choque é frequente. A rapidez e a precisão na avaliação do paciente são fundamentais para instituir a terapêutica e evitar a progressão do choque para uma condição de irreversibilidade, contribuindo assim para a redução da morbidade e mortalidade decorrente desse agravo.[2]

DEFINIÇÃO

Choque é o estado de hipóxia celular e tecidual resultante do desequilíbrio entre a oferta e a demanda de oxigênio relacionada à má perfusão tecidual ou a sua utilização inadequada.[5]

No complexo sistema circulatório, destacam-se três componentes fundamentais: o coração, a volemia e o tônus vascular. Na ausência de comprometimento de um ou mais componentes, o volume intravascular é adequado para manter a pré-carga, que ao ser bombeado pelo coração numa frequência cardíaca normal produz volumes sistólicos adequados para manter o débito cardíaco, e a resistência vascular sistêmica é preservada mantendo-se a perfusão tissular. Caso ocorra comprometimento do coração, da volemia e do tônus vascular isoladamente ou em conjunto, o choque pode advir, ou seja, ocorrerá prejuízo da perfusão e oxigenação tissular.[3,5]

ETIOLOGIA E TIPOS DE CHOQUE

Os tipos de choque são definidos de acordo com a etiologia e são denominados hipovolêmico, cardiogênico, obstrutivo e distributivo. Ressalta-se que a alteração na perfusão tecidual pode ser decorrente da combinação de mais de um tipo de choque.[5] As várias causas nos diferentes tipo de choque podem ser vistas no Quadro 15.1.

FISIOPATOLOGIA

A hipóxia celular resultante da perfusão tecidual inadequada, do desequilíbrio entre a oferta e demanda de oxigênio ou da utilização inadequada do oxigênio é a consequência grave do choque. As alterações celulares, como disfunção da bomba de íons na membrana celular, edema intracelular, perda de conteúdo intracelular para o interstício e regulação inadequada do pH celular resultam em acúmulo de lactato e liberação de mediadores, com consequente lesão tecidual, processo infla-

Quadro 15.1 Tipos de choque, definição e causas.

Tipo	Definição	Causas
Hipovolêmico	Perda de sangue, líquidos ou fluidos resultando em volume intravascular inadequado para manter a perfusão tecidual	▪ **Hemorrágicas:** trauma, hemorragia gastrointestinal, hemorragia pós-parto, hemorragia uterina ou vaginal, ruptura de aneurisma aórtico ou ventricular, diátese hemorrágica. ▪ **Não hemorrágicas:** perdas gastrointestinais (vômitos, diarreia), queimaduras, diurese osmótica, perdas do terceiro espaço para o espaço vascular ou cavidades corporais (obstrução intestinal, pancreatite, cirrose).
Cardiogênico	Disfunção no bombeamento do coração (inotropismo), relacionado às causas intracardíacas, que resultam em débito cardíaco diminuído, prejudicando a perfusão tecidual	▪ **Miopáticas:** infarto agudo do miocárdio (> 40% do ventrículo esquerdo ou isquemia), infarto extenso do ventrículo direito, agudização da insuficiência cardíaca grave devido a miocardiopatia dilatada, *Stunned myocardium* (miocárdio atordoado) devido a isquemia prolongada (parada cardiorrespiratória, hipotensão, circulação extracorpórea), choque séptico avançado, miocardite. ▪ **Arritmogênicas:** taquiarritmias (fibrilação atrial, *flutter* atrial, taquicardia de reentrada, taquicardia ventricular e fibrilação ventricular) e bradiarritmias (bloqueio atrioventricular total, bloqueio atrioventricular II grau tipo Mobitz II. ▪ **Mecânicas:** insuficiência valvar mitral ou aórtica grave, ruptura valvar aguda, estenose aórtica crítica, comunicação interventricular grave ou aguda, ruptura de aneurisma ventricular, mixoma atrial.

(continua)

Quadro 15.1 Tipos de choque, definição e causas. *(continuação)*

Tipo	Definição	Causas
Obstrutivo	Redução do débito cardíaco e/ou retorno venoso por obstrução mecânica de causa extracardíaca que resulta em diminuição da perfusão tecidual	▪ **Vasos pulmonares:** tromboembolismo pulmonar maciço, hipertensão pulmonar grave. ▪ **Mecânicas:** pneumotórax hipertensivo, tamponamento cardíaco, pericardite constritiva, miocardiopatia restritiva.
Distributivo	Alteração do tônus vascular, caracterizada pela vasodilatação sistêmica grave, resultando em perfusão tecidual inadequada	▪ **Séptico:** Gram-positivo (*Pneumococcus, Staphylococcus, Streptococcus, Haemophilus, Enterococcus, Legionella, Listeria*), Gram-negativo (*Klebsiella, Pseudomonas, Escherichia, Neisseria, Moraxella, Rickettsia, Francisella [tularemia]*), fungos (*Candida, Aspergillus*), vírus (influenza, cytomegalovirus, Ebola, varicella), parasita (*Plasmodium, Ascaris, Babesia*), Micobactéria (*Mycobacterium tuberculosis, Mycobacterium abscessus*). ▪ **Não séptico:** síndrome da resposta inflamatória sistêmica (p. ex., queimadura, trauma, pancreatite, perfuração intestinal), choque neurogênico (trauma raquimedular), choque anafilático (alergia a insetos, alimentos, fármacos, látex).

matório e morte celular. No decorrer do processo fisiopatológico, com o progressivo dano celular, há liberação dos fatores de coagulação, com formação de trombos na microcirculação, prejudicando ainda mais a perfusão, agravando a isquemia com consequente falência de múltiplos órgãos.[3,5]

SINAIS E SINTOMAS

No estado de choque, os sinais e sintomas relacionam-se à perfusão e oxigenação insuficientes aos tecidos.

A identificação precoce do estado de choque é fundamental, considerando que há maior possibilidade de reverter as alterações em comparação com a fase avançada que pode resultar em disfunção irreversível de órgãos e morte.

A fase inicial do choque é caracterizada pelo mecanismo compensatório à hipoperfusão, assim a inexistência de hipotensão não deve ser avaliada como ausência de choque, pois a perfusão inadequada pode estar presente apesar da pequena alteração da pressão sanguínea.[5] Considera-se hipotensão quando a pressão arterial sistólica é < 90 mmHg ou a pressão arterial média é < 65 mmHg.

Os principais determinantes fisiológicos da Pressão Arterial (PA) são Débito Cardíaco (DC) e Resistência Vascular Sistêmica (RVS). O DC é produto da Frequência Cardíaca (FC) e do Volume Sistólico (VS).

PA = DC × RVS	DC = FC × VS

Assim, diante da redução da PA, seja por perda de volume, seja por disfunção do coração como bomba, ocorrerá ativação do sistema nervoso simpático que, ao liberar catecolaminas, produzirá o mecanismo compensatório para elevar o DC (aumentará a FC e a força de contração) e aumentar a RVS a fim de manter a PA.[6] Nessa fase, a taquicardia e as extremidades frias são os sinais precoces de choque. O Quadro 15.2 mostra a evolução dos sinais diante da perda sanguínea.

Quadro 15.2 Sinais clínicos segundo a classificação da perda sanguínea.

		Classificação			
	Perda mL (%)	I até 750 (15%)	II 750 a 1.500 (15% a 30%)	III 1.500 a 2.000 (30% a 40%)	IV > 2.000 (> 40%)
Sinais	Pulso	< 100	> 100	> 120	> 140
	PA	nl	nl	hipotensão	hipotensão
	Pressão de pulso	nl ou aumentada	diminuída	diminuída	diminuída
	Enchimento capilar	nl	nl	lento	lento
	Frequência respiratória	até 20	20 a 30	30 a 40	> 40
	Diurese (mL/h)	> 30	20 a 30	5 a 15	ausente
	Estado mental	leve/ansioso	ansioso	ansioso/confuso	confuso/letárgico

nl: normal.

Com a evolução do choque, o mecanismo compensatório torna-se insuficiente, observando-se hipotensão, taquicardia, pulso fino, taquipneia, sudorese, agitação, acidose metabólica, oligúria e pele fria e pegajosa.[5] Ressalte-se que no choque distributivo diferentes tipo de choque evidenciam sinais clínicos específicos, sobretudo na fase inicial. O Quadro 15.3 apresenta os sinais clínicos conforme o tipo de choque.

Quadro 15.3 Sinais clínicos de acordo com o tipo de choque.

	Parâmetros						
Tipos de choque	**FC**	**PA**	**FR**	**Pele**	**PP[1]**	**Diurese**	**NC[2]**
hipovolêmico	↑	↓	↑	pálida/ fria/úmida	↓	↓	rebaixamento
cardiogênico	↑	↓	↑	cianótica/ fria/úmida	↓	↓	rebaixamento
neurogênico	↓	↓	↓	rósea/ quente	nl/↓	nl	nl/rebaixamento
séptico (fase inicial)	↑	↓	↑	rósea/ quente	↓	nl/↓	nl/rebaixamento

1: perfusão periférica; 2: nível de consciência; nl: normal.

Na impossibilidade de controlar o choque, a progressão pode ser observada pela disfunção gradativa de múltiplos órgãos que pode culminar em óbito. Nessa fase, observa-se anúria, hipoxemia grave, acidemia, redução do DC, hipotensão refratária à terapêutica e coma.

ATENDIMENTO INICIAL NA SALA DE EMERGÊNCIA

A anamnese acurada acompanhada do exame clínico e de exames complementares é de grande importância para maior efetividade no manejo terapêutico.

Na abordagem inicial, quando o choque ainda é indiferenciado, a monitorização do paciente, a oxigenação e a obtenção de acesso venoso periférico calibroso são cuidados essenciais de enfermagem (Figura 15.1) para identificação da condição clínica e manutenção do paciente.[2]

Figura 15.1 Intervenções de enfermagem na abordagem inicial do paciente na sala de emergência.

No atendimento inicial, quando há instabilidade hemodinâmica, medidas de ressuscitação deverão ser instituídas. As prioridades são manutenção da via aérea e oxigenação, se necessário por meio de ventilação pulmonar mecânica e infusão intravenosa de volume e/ou vasopressores.

O diagnóstico de choque é eminentemente clínico, baseado na anamnese e nos sinais e sintomas do paciente, porém achados laboratoriais e de imagem podem auxiliar a equipe médica na identificação precoce da causa e da condição clínica, e a equipe de enfermagem, nos cuidados imediatos ao doente com choque.

Os exames complementares frequentemente realizados no atendimento ao paciente em estado de choque são descritos a seguir:[1,4,5]

- **Lactato:** o aumento progressivo do lactato está relacionado ao metabolismo anaeróbico da célula na vigência de hipóxia tecidual, indicando de modo indireto a hipoperfusão. O nível sérico de lactato deve ser monitorizado e mantido em valores < 4 mmol/L.

- **Gasometria arterial:** a gasometria arterial pode evidenciar acidose metabólica, característica do estado de hiperlactatemia.
- **Outros exames laboratoriais:** glicemia, dosagens de enzimas hepáticas, hemograma completo, enzimas cardíacas, eletrólitos, troponina, CK, CK-MB e coagulograma podem indicar possíveis disfunções orgânicas relacionadas ao choque.
- **Eletrocardiograma:** a análise das 12 derivações pode mostrar alterações eletrocardiográficas relacionadas ao choque cardiogênico, como a presença de isquemia miocárdica, infarto agudo do miocárdio, arritmias cardíacas, pericardite.
- **Raios X de tórax:** alterações radiográficas em estruturas torácicas podem estar relacionadas a algum tipo de choque, como congestão pulmonar de origem cardiogênica, diâmetro da aorta e alterações no mediastino.

Paciente em estado de choque ou com suspeita deve manter monitoração rigorosa dos sinais vitais (pressão arterial, frequência cardíaca, saturação de O_2, frequência respiratória, temperatura e dor). A monitorização invasiva é um recurso destinado aos pacientes graves que, após terem sido atendidos na sala de emergência, devem manter observação rigorosa da condição clínica e das respostas às terapêuticas em unidades de cuidados intensivos.

A Pressão Arterial Invasiva (PAI) é a cateterização da artéria, tendo como primeira escolha a artéria radial, para monitorização mais precisa da Pressão Arterial Média (PAM) nos casos de instabilidade hemodinâmica e uso de drogas vasoativas.

A Pressão Venosa Central (PVC) representa o retorno venoso; além disso, é chamada de pressão de átrio direito e é monitorada por cateter venoso central. Analisada em conjunto com o exame clínico, a PVC pode refletir a volemia do paciente e auxiliar na condução da expansão volêmica. Lembrando que uma PVC baixa não necessariamente significa que o paciente é responsivo a volume.

TRATAMENTO

O tratamento efetivo do choque depende da rápida identificação dos sinais, da ressuscitação precoce, da precisão do diagnóstico e da imediata intervenção na causa. Em que pese a especificidade do tratamento das inúmeras causas de choque, a manutenção do volume, da força de contração do coração e do tônus vascular são as principais metas para a perfusão tecidual. Além disso, as medidas para manutenção da oxigenação devem ser proporcionadas associadas à manutenção da perfusão.

A reposição volêmica deve ser realizada de modo rápido (5 a 10 min) por meio de infusão intravenosa periférica com cateter de grosso calibre. Após cada infusão, deve ser avaliada a resposta, assim como sinais de sobrecarga cardíaca. A expansão pode ser feita com soluções cristaloides (soro fisiológico, Ringer Simples, Ringer Lactato), soluções coloides (albumina, amido) e hemocomponentes (concentrado de glóbulos vermelhos e plasma).[7]

Quando houver suspeita de choque hipovolêmico hemorrágico, deve-se realizar o controle do sangramento e monitorização do Hb/Ht.

Os vasopressores e os inotrópicos atuam direta ou indiretamente em funções cardiovasculares e otimizam a resistência vascular sistêmica e a contratilidade cardíaca.[4,8] Entre os vasopressores, destacam-se noradrenalina, adrenalina, dopamina e vasopressina, descritas a seguir.

- Noradrenalina é uma catecolamina precursora natural da adrenalina e agonista de receptores alfa-1 e alfa-2 adrenérgicos, causando vasoconstrição periférica e consequente aumento da pressão arterial. O extravasamento de noradrenalina durante a infusão intravenosa periférica pode causar necrose tecidual. Outros efeitos adversos são bradicardia reflexa, cefaleia, tremor e angina. A dose terapêutica varia de 0,01 a 0,5 mcg/kg/min.

- Adrenalina consiste em catecolamina natural do organismo, trata-se de agonista de receptor beta-1, beta-2 e alfa, dependendo da dose. Em doses mais baixas, age em receptor beta, causando vasodilatação, e em doses mais elevadas atuam sobretudo em receptores alfa resultando em vasoconstrição. Os efeitos adversos incluem: tremor, cefaleia, agitação, arritmias, hiperglicemia e taquicardia. A dose terapêutica varia de 0,01 a 0,75 mcg/kg/min.
- Dopamina também é uma catecolamina precursora da noradrenalina e um importante neurotransmissor no sistema nervoso central. Trata-se de fármaco dose-dependente, com ação em receptores dopaminérgicos, beta-adrenérgicos e alfa-adrenérgico. As taquiarritmias são relatadas como efeito adverso. A dose terapêutica varia de 0,5 a 25 mcg/kg/min.
- Vasopressina é conhecida como hormônio antidiurético, armazenado na glândula pituitária posterior e liberado pela hipófise. Desempenha um papel na eliminação de água e na regulação cardiovascular. Em concentrações mais elevadas, atua nos receptores alfa-1 na musculatura lisa vascular, causando vasoconstrição. Seus efeitos adversos são constrição vascular intestinal, espasmo coronário, náuseas, vômitos e dor abdominal. A dose terapêutica varia de 0,03 a 0,04 UI/h.

Os inotrópicos mais utilizados são dobutamina e milrinone.[8,9]

- Dobutamina é um fármaco que promove o aumento da contração cardíaca (efeito inotrópico) por ser agonista beta-adrenérgico. No paciente hipotenso por disfunção no miocárdio, melhora a pressão arterial com o aumento da contratilidade e melhora do débito cardíaco. A dobutamina é altamente arritmogênica. A dose terapêutica varia de 2,5 a 20 mcg/kg/min.

- Milrinone melhora a contração por sua ação no aumento do cálcio intracelular. Deve ser utilizado com cautela em pacientes hipotensos por sua ação vasodilatadora. A dose terapêutica varia de 0,25 a 0,75 mcg/kg/min.

DIAGNÓSTICOS DE ENFERMAGEM E INTERVENÇÕES

(Quadro 15.4).[10]

Quadro 15.4

Diagnósticos de enfermagem	Intervenções
▪ Débito cardíaco diminuído (00029) ▪ **Definição:** quantidade insuficiente de sangue bombeado pelo coração para atender às demandas metabólicas corporais	▪ Monitorizar parâmetros: pressão arterial, frequência cardíaca, saturação de O_2, frequência respiratória, temperatura, dor, volume urinário de 1 em 1 hora ▪ Puncionar acesso venoso periférico calibroso ▪ Realizar ausculta pulmonar e atentar a estertores ▪ Ofertar oxigênio conforme demanda ▪ Realizar sondagem vesical para avaliação da função renal e anotar débito urinário; atentar a volume urinário menor que 30 mL/h ▪ Realizar balanço hídrico rigoroso ▪ Avaliar a pele, observando a cor, temperatura, umidade, textura e turgor ▪ Controlar a infusão de vasopressores e ou inotrópicos quanto a velocidade em bomba de infusão contínua, via exclusiva e ocorrência de efeitos adversos
▪ Risco de perfusão tissular cardíaca diminuída (00200) ▪ **Definição:** risco de redução na circulação cardíaca (coronária) que pode comprometer a saúde	
▪ Risco de perfusão tissular cerebral ineficaz (00201) ▪ **Definição:** risco de redução na circulação do tecido cerebral que pode comprometer a saúde	
▪ Risco de perfusão renal ineficaz (00203) ▪ **Definição:** risco de redução na circulação sanguínea para os rins, que pode comprometer a saúde	

(*continua*)

Quadro 15.4 *(continuação)*

Diagnósticos de enfermagem	Intervenções
▪ Risco de perfusão gastrointestinal ineficaz (00202) ▪ **Definição:** risco de redução na circulação gastrointestinal que pode comprometer a saúde	▪ Controlar a infusão de vasopressores e ou inotrópicos quanto a velocidade em bomba de infusão contínua, via exclusiva e ocorrência de efeitos adversos ▪ Avaliar o nível de consciência a cada duas horas ▪ Verificar resultados de exames laboratoriais, como Hb/Ht, gasometria, coagulograma, lactato e SvO_2 ▪ Avaliar sinais de estase gástrica, aumento do volume residual gástrico, náusea e vômitos ▪ Realizar controle glicêmico ▪ Observar sinais de sangramento (melena, enterorragia, hematêmese)
▪ Perfusão tissular periférica ineficaz (00204) ▪ **Definição:** redução na circulação sanguínea para a periferia, capaz de comprometer a saúde	
▪ Troca de gases prejudicada (00030) ▪ **Definição:** excesso ou *déficit* na oxigenação e/ou na eliminação de dióxido de carbono na membrana alveolocapilar	
▪ Volume de líquidos deficiente (00027) ▪ **Definição:** diminuição do líquido intravascular, intersticial e/ou intracelular, Refere-se à desidratação, perda apenas de água, sem mudança de sódio	
▪ Risco de desequilíbrio do volume de líquidos (00025) ▪ **Definição:** risco de diminuição, aumento ou rápida mudança de uma localização para outra de líquido intravascular, intersticial e/ou intracelular. Refere-se à perda, ao ganho, ou a ambos, dos líquidos corporais	

CONSIDERAÇÕES FINAIS

O reconhecimento precoce dos sinais clínicos do choque pode ser um fator decisivo para iniciar o tratamento e contribuir para redução da morbidade e mortalidade resultante desse agravo.

A atuação em conjunto e sincronizada da equipe multiprofissional em estrutura adequada para o atendimento de emergências favorecerá a otimização dos recursos e do tempo para garantir um atendimento seguro do paciente em estado de choque.

REFERÊNCIAS BIBLIOGRÁFICAS

1. Gaieski DF, Mikkelsen ME. Evaluation of and initial approach to the adult patient with undifferentiated hypotension and shock. [acesso: 03 set 2016]. Disponível em: Dishttps://www.uptodate.com/contents/evaluation-of-and-initial-approach-to-the-adult-patient-with-undifferentiated-hypotension-and-shock
2. Wacker DA, Winters ME. Shock. Emerg Med Clin N Am. 2014;32:747-58.
3. Wilmot LA. Shock: early recognition and management. J Emerg Nurs. 2009;36(2):134-39.
4. Rodrigues BN, Ramos FJS. Suporte hemodinâmico no choque e uso de drogas vasoativas. In: Azevedo, LCP. Medicina Intensiva: abordagem prática. Barueri, SP: Manole, 2013; p. 126-53.
5. Gaieski DF, Mikkelsen ME. Definition, classification, etiology, and pathophysiology of shock in adults. [acesso: 03 se. 2016]. Disponível em: https://www.uptodate.com/contents/definition-classification-etiology-and-pathophysiology-of-shock-in-adults6
6. Moore K. The physiological response to hemorrhagic shock. J Emerg Nurs. 2014;40(6):629-31.
7. Taniguchi LU. Choque hipovolêmico e reposição volêmica. In: Azevedo, LCP. Medicina Intensiva: abordagem prática. Barueri, SP: Manole, 2013; p. 164-73.
8. Kanter J, DeBlieux P. Pressors and inotropes. Emerg Med Clin N Am. 2014;32:823-34.
9. Nunes RFB, Issa VS. Choque cardiogênico. In: Azevedo LCP. Medicina intensiva: abordagem prática. Barueri, SP: Manole, 2013; p.154-63.
10. Diagnóstico de Enfermagem da NANDA: definições e classificação 2015-2017, NANDA Internacional. Porto Alegre: Artmed, 2015.

capítulo 16

Wesley Cajaíba Santos

Sepse

CONCEITOS E DEFINIÇÕES

Não obstante os avanços significativos no manejo da sepse, a incidência da síndrome (Quadro 16.1) é cada vez maior, estando relacionada a altos índices de internações e mortalidade. Nos EUA, o número de casos de sepse ultrapassa 750.000 casos por ano, o que corresponde a três casos a cada 1.000 habitantes. Além disso, corresponde a 2% das internações hospitalares e 10% das internações em UTI, com mortalidade estimada de 20%.[1,2]

Os gastos com a sepse também são preocupantes. O tratamento do paciente séptico custa seis vezes mais quando comparado aos pacientes não sépticos. A mortalidade é de cerca de 40% nos casos de choque séptico, segundo o DataSUS.[1,2]

A pneumonia é a infecção de maior prevalência, seguida pela infecção do trato urinário e infecções abdominais, com maior mortalidade nos pacientes com mais de 65 anos.[3]

FISIOPATOLOGIA

O choque é uma síndrome que se caracteriza pela incapacidade do sistema circulatório em fornecer oxigênio de modo adequado aos tecidos, podendo levar à disfunção sistêmica e morte. O diagnóstico do choque é baseado em três variáveis: hipotensão e taquicardia, hipoperfusão periférica (cianose, extremidades frias, oligúria, diurese < 0,5 mL/kg/hora, sinais de baixo débito no SNC, sonolência, confusão e desorientação) e hiperlactatemia, o que indica metabolismo celular de oxigênio alterado.[5,6]

Quadro 16.1 Definições de síndrome da resposta inflamatória sistêmica, sepse, sepse grave e choque séptico.[3,4]

Doença	Definição
Síndrome da Resposta Inflamatória Sistêmica (SIRS)	É a resposta inflamatória generalizada do organismo, sendo necessários dois ou mais dos seguintes critérios para seu diagnóstico: ▪ Temperatura > 38 °C ou < 36 °C. ▪ Frequência cardíaca acima de 90 bpm. ▪ Frequência respiratória > 20 ipm, ou $PaCO_2$ < 32 mmHg, ou a presença de ventilação mecânica por processo agudo. ▪ Leucócitos > 12.000/mm³ ou < 4.000/mm³ ou presença de mais de 10% de bastonetes.
Sepse	Síndrome da resposta inflamatória sistêmica (SIRS) decorrente de uma infecção, presumida ou comprovada.
Sepse grave	Presença de hipoperfusão tecidual, hipotensão ou disfunção orgânica (neurológica, cardiovascular, respiratória, hepática, renal, hematológica, metabólica).
Choque séptico	Definido como hipotensão arterial sistêmica que persiste após adequada reposição volêmica e necessita de agentes vasopressores.

A fisiopatologia da sepse é complexa dependendo de diversos fatores. O aspecto comum é a exposição do organismo a um patógeno ou a sua toxina, desencadeando uma resposta imunológica e inflamatória[5,6]

A ativação de uma extensa rede de mediadores inflamatórios pelo sistema imune têm papel fundamental no progresso do choque; a ativação de monócitos, macrófagos e neutrófilos desencadeia a transcrição de citocinas, como o TNF-α e a interleucina 6 (IL-6). Concomitantemente, há a estimulação dos fatores de pró-coagulação e redução da fibrinólise (redução de anticoagulantes naturais, do inibidor do fator tecidual, trombomodulina, aumento do inibidor do ativador do plasminogênio tipo 1, deposição de fibrina na microcirculação). A ativação da cascata de coagulação leva à trombose da microcirculação, determinando hipóxia tecidual e sustentação do processo inflamatório.[5,6]

A microcirculação, por sua vez, sofre significativo desequilíbrio no seu fluxo sanguíneo. O óxido nítrico, fator ativador de plaquetas, prostaciclina, bradicinina e mediadores produzidos localmente levam a uma vasodilatação, contrastando com áreas de vasoconstrição, o que determina uma distribuição desigual do volume sanguíneo. Como consequência, há a piora da hipóxia tecidual e início do metabolismo anaeróbio com aumento da produção de lactato.[5,6]

Tais atividades levam a uma lesão endotelial, que terá como resposta, principalmente a expressão da óxido nítrico sintetase, o que leva a um aumento do óxido nítrico e de seus efeitos, como relaxamento da musculatura lisa, depressão miocárdica, inibe a agregação plaquetária, formação de peroxinitrito, entre outros. Essa resposta na fase inicial é benéfica, uma vez que atrairá mais células para o local da infecção, entretanto tronam-se deletérias, pois promoverão trombose microvascular, coagulação intravascular disseminada, aumento da permeabilidade capilar e hipotensão.[5,6]

Por fim, o choque séptico se apresentará como uma forma de choque distributivo, no qual o débito cardíaco e a pressão de pulso estarão aumentados, resistência vascular sistêmica baixa e hipovolemia.[5,6]

Algumas vias do choque séptico amplificam-se umas às outras, iniciando um ciclo vicioso. Por isso o tratamento precoce determinará melhores resultados.

SINAIS E SINTOMAS

Os sinais e sintomas na sepse são variáveis, dependendo do sítio inicial da infecção, das características do paciente, idade e condição prévia de saúde, como também do agente causador da sepse. Os achados da sepse são descritos no Quadro 16.2.

Desse modo, o exame físico minucioso e a história do paciente serão de fundamental importância para o diagnóstico da etiologia da sepse ou sugerir investigação complementar.

Quadro 16.2 Possíveis achados da sepse em paciente com infecção documentada ou presumida.*

Variáveis	Sinais e sintomas
Gerais	▪ Febre (> 38 °C) ▪ Hipotermia (< 36 °C) ▪ Frequência cardíaca > 90 bpm ▪ Taquipneia (frequência respiratória > 20 ipm) ▪ Alteração do estado mental ▪ Edema significativo ou balanço hídrico positivo (20 mL/kg em 24h) ▪ Hiperglicemia (glicose no plasma > 140 mg/dL) na ausência de diabetes
Inflamatórias	▪ Leucocitose (> 12.000/mm³) ▪ Leucopenia (< 4.000/mm³) ▪ Contagem normal de leucócitos com mais de 10% de formas imaturas ▪ Proteína C-reativa no plasma aumentado duas vezes do normal ▪ Procalcitonina no plasma aumentado duas vezes do normal
Hemodinâmicas	▪ Hipotensão arterial (PAS < 90 mmHg, PAM < 70 mmHg ou decréscimo na pressão arterial sistêmica > 40 mmHg em adultos) Saturação venosa mista de oxigênio > 70%

(*continua*)

Quadro 16.2 Possíveis achados da sepse em paciente com infecção documentada ou presumida.* *(continuação)*

Variáveis	Sinais e sintomas
Disfunção orgânica	▪ Hipoxemia arterial ($PaO_2/FiO_2 < 300$) ▪ Oligúria aguda (débito urinário < 0,5 mL/kg/h, por pelo menos 2h, apesar de adequada reposição volêmica) ▪ Aumento de creatinina > 0,5 mg/dL ▪ Íleo (ausência de ruídos hidroaéreos) ▪ Trombocitopenia (plaquetas < 100.000/mm^3) ▪ Hiperbilirrubinemia (bilirrubina total > 4 mg/dL)
Perfusão tecidual	▪ Hiperlactatemia (> 9 mg/dL ou > 1 mmol/L) ▪ Aumento do tempo de enchimento capilar

*Adaptado da campanha de sobrevivência à sepse.

Alguns outros sinais e sintomas podem auxiliar no diagnóstico da etiologia da sepse, como diarreia, convulsão, irritação meníngea, dispneia, tosse, crepitações, presença de dispositivos intravasculares, sondas, lesões de pele, entre outros.

EXAMES DIAGNÓSTICOS

Para o diagnóstico da sepse não há um exame laboratorial específico, assim o importante é suspeitar de sepse no paciente com infecção presumida ou confirmada que apresente as manifestações da infecção. Assim sendo, alguns exames que auxiliarão no diagnóstico da sepse são:[5,6]

- **Exames gerais**: hemograma, eletrólitos, glicemia e urina tipo 1.[6]
- **Diagnóstico microbiológico**: hemocultura pareada (na presença de qualquer acesso central por mais 48h, um par deve ser coletado desse acesso), urocultura, culturas de secreções traqueais e cultura de todo sítio suspeito (pele, abcessos, liquor, pleural etc.).[6]

- **Avaliação fisiológica, marcadores de inflamação e lesão orgânica**: ureia e creatinina, TP, TTPA, fribrinogênio e D-dímeros, AST, ALT, bilirrubina, proteína C reativa, procalcitonina, lactato e gasometria arterial.[6]
- **Exames de imagens e eletrocardiograma**: devem ser feitos em todos os pacientes. Exames de imagens são úteis para a identificação do sítio infeccioso (coleções abdominais, colecistite, colangite etc.).[6]

O lactato arterial ou venoso central é um confiável indicador de gravidade e mortalidade (> 9 mg/dL). A sua diminuição indica um melhor prognóstico. A gasometria arterial pode apresentar alcalose respiratória devido a taquipneia, evoluindo para acidose metabólica à medida que há piora na microcirculação. Na presença de cateter central, é possível avaliar saturação venosa central de oxigênio ($SvcO_2$), sendo de grande importância a correção de valores abaixo de 70%.[5,6]

TRATAMENTO

O tratamento do paciente séptico deve ser iniciado o mais precocemente possível, dessa forma o reconhecimento da sepse em suas fases iniciais e medidas adequadas levarão a um melhor prognóstico.

Para o manejo da sepse foram criados os chamados "pacotes de sobrevivência a sepse", destacando as principais medidas terapêuticas nas primeiras seis horas de tratamento do paciente séptico. Por isso, o paciente com sepse grave ou choque séptico deve ser levado imediatamente à sala de emergência para início do tratamento.

Essas primeiras seis horas de tratamento são fundamentais para um melhor prognóstico e associam-se a redução da morbimortalidade. As primeiras metas são descritas no Quadro 16.3.[5]

Quadro 16.3 Pacotes de sobrevivência à sepse.

Tempo	Medidas
Concluído em até 3h	▪ Medir nível de lactato ▪ Coleta de hemoculturas antes do início de antibioticoterapia ▪ Administrar antibióticos de amplo espectro. Administrar 30 mL/kg de cristaloide para hipotensão ou lactato > 9 mg/dL
Concluído em até 6h	▪ Início de vasopressores (quando hipotensão refratária à ressuscitação adequada com fluidos), manter uma PAM ≥ 65 mmHg ▪ Em caso de hipotensão persistente, iniciar medida de pressão venosa central (PVC ≥ a 8 mmHg) e saturação de oxigênio venoso central ($SvcO_2$ ≥ 70%) ▪ Nova medida de lactato. Almejando sua normalização

ANTIMICROBIANOS

Como os pacientes sépticos têm pequenas margens para erro no tratamento, os antibióticos utilizados devem cobrir todos os possíveis patógenos. O início do antibiótico na primeira hora após o reconhecimento da sepse está associado a um melhor prognóstico. Para cada hora de atraso, há um aumento de 4% na mortalidade.[5,6]

A escolha do antibiótico deve ser guiada pelo provável sítio de infecção, escolhendo-se antibióticos que penetrem em concentrações adequadas, o local onde o indivíduo adquiriu a infecção e a resistência local.[5,6]

Após tornar-se conhecido o patógeno causador da infecção, recomenda-se que o espectro do agente antimicrobiano seja estreitado, selecionando aquele que cubra de modo eficaz e seguro o patógeno. Recomenda-se ainda uma reavaliação diária dos antibióticos, a fim de reduzir as probabilidades de resistência e toxicidades.[5,6]

RESSUSCITAÇÃO VOLÊMICA

Uma das etapas de maior importância durante o manuseio do paciente séptico; quando adequada, bloqueia o ciclo vicioso do choque, diminui a necessidade de drogas vasopressoras e auxilia na normalização do lactato. [5,6,7]

É indicado o uso de soluções cristaloides com ≥ 30 mL/kg, se hipovolemia ou hipoperfusão. É indicado também o uso de albumina intravenosa, contudo devido a seu alto custo, a albumina não é a primeira opção para a ressuscitação volêmica.[5,6,7]

A correta avaliação da ressuscitação volêmica, bem como a necessidade de volumes adicionais, depende da melhora dos parâmetros clínicos (melhora da pressão arterial, diminuição da taquicardia, débito urinário ≥ 0,5 mL/kg/h etc.), aumento da PVC e da $SvcO_2$ e normalização do lactato sérico.[5,6,7]

VASOPRESSORES

O uso de vasopressores (Quadro 16.4) é recomendado para manter a PAM ≥ 65 mmHg, sustentando assim a vida e manten-

Quadro 16.4 Drogas vasoativas recomendadas para uso na sepse.[5,6,8]

Medicamento	Ação
Noradrenalina	A primeira droga de escolha. Dose 1 a 20 a 50 µg/min.
Epinefrina e vasopressina	Vasopressores úteis no tratamento do choque refratário, adicionadas à noradrenalina. Dose de epinefrina: 1 a 30 µg/min; e dose de vasopressina: 0,01 a 0,03 U/min. Quando associadas ao tratamento, pode-se tentar reduzir a dose de noradrenalina.
Inotróprico	A dobutamina é a droga de escolha para associar ao tratamento do paciente séptico na presença de disfunção miocárdica (baixo débito cardíaco) e hipoperfusão persistente mesmo após correção da PAM ≥ 65 mmHg e adequada reposição volêmica. Dose 2,5 µg/kg/min, chegando a uma dose máxima de 20 µg/kg/min.

do uma perfusão diante da hipotensão, mesmo quando a hipovolemia ainda não tenha sido corrigida.[5,6,8]

TRATAMENTO DE SUPORTE NA SEPSE

- **Ventilação mecânica e SDRA**: o paciente séptico pode evoluir com a síndrome do desconforto respiratório agudo. A intubação orotraqueal com ventilação mecânica pode ser necessária para manter uma oferta adequada de oxigênio e auxilia na diminuição do consumo de O_2 decorrente da insuficiência respiratória. Recomenda-se:
  1. Volume corrente de 6 mL/kg de peso;
  2. Pressão de platô ≤ 30 cmH_2O;
  3. PEEP – deve-se evitar o colabamento alveolar ao fim da expiração. Assim, maiores valores de PEEP são recomendados em pacientes com SDRA moderado e grave ($FiO_2/PaO_2 < 200$ e $FiO_2/PaO_2 < 100$);
  4. Posição prona é indicada em pacientes com SDRA grave ($FiO_2/PaO_2 < 100$), quando o serviço tenha experiência; e
  5. Manter a cabeceira da cama elevada, reduzindo aspiração e chances de pneumonia associada a ventilação.[5]
- **Controle glicêmico**: deve ser iniciado quando duas glicemias são > 180 mg/dL. A meta é manter uma glicemia ≤ 180 mg/dL. Quando iniciado insulina IV, lembrar-se do controle rigorosos da glicemia capilar de 1-2 horas, evitando hipoglicemias e grandes variações glicêmicas.[5]
- **Corticosteroides**: indicados somente em pacientes que necessitam de doses crescentes de vasopressores, a fim de conseguir estabilidade hemodinâmica, ou forte suspeita de insuficiência adrenal aguda. Hidrocortisona 200 mg/dia em bomba de infusão contínua é a estratégia mais recomendada.[5]
- **Hemocomponentes**: transfusão de hemácias quando hemoglobina < 7 g/dL com uma meta de mantê-la entre 7 e

9 g/dL. Plaquetas profiláticas podem ser administradas quando < 10.000/mm³. Quando há o risco de significativo de sangramento, a transfusão é indicada quando plaquetas < 20.000/mm³. Na presença de sangramento ativo, necessidade de procedimento invasivo ou cirúrgico, recomenda-se manter a contagem de plaquetas > 50.000/mm³.[5]

- **Nutrição**: recomenda-se administração de alimentação oral ou enteral (se necessário) em vez de jejum completo ou fornecimento exclusivo de glicose IV dentro das primeiras 48 horas. Nenhum estudo indica efeito consistente sobre a mortalidade, entretanto, houve evidência benéfica nos resultados secundários, como redução da incidência de complicações infecciosas, redução do tempo de ventilação mecânica, do tempo na UTI e internações hospitalares.[5]

DIAGNÓSTICOS E INTERVENÇÕES DE ENFERMAGEM[9]

O paciente séptico apresenta uma série de problemas que nos levará a pensar em Diagnósticos de Enfermagem (DE); entretanto, devido à dinâmica de trabalho do enfermeiro na sala de emergência e ao estado crítico dos pacientes, devemos pensar em DE prioritário, elencando diagnósticos que nos guiarão para promover a estabilização do quadro agudo apresentado pelo paciente.

Desse modo será descrito o risco de choque que é um diagnóstico prioritário ao atendimento inicial do paciente séptico na sala de emergência (Quadro 16.5).

Quadro 16.5 Diagnósticos e intervenções de enfermagem em risco de choque.

Diagnósticos de enfermagem[9]	Intervenções de enfermagem[10]
Risco de choque	▪ Mensurar a pressão arterial, frequência cardíaca e ritmo ▪ Avaliar coloração e temperatura da pele ▪ Avaliar a presença e qualidade dos pulsos periféricos. ▪ Avaliar enchimento capilar ▪ Avaliar o nível de consciência ▪ Avaliar a frequência respiratória e a presença de palidez e cianose ▪ Regular o uso de energia para tratar ou prevenir a fadiga e otimizar funções ▪ Manter repouso absoluto ▪ Quando presente, observar e interpretar parâmetros invasivos – PVC, PAI/PAM, $SvcO_2$ ▪ Monitorar e interpretar exames laboratoriais (ficar atento à gasometria arterial, devido às chances de evolução para acidose metabólica, e sobretudo ao lactato sérico, que indicará melhora ou não do quadro do paciente)

REFERÊNCIAS BIBLIOGRÁFICAS

1. Yealy MD, Kellum JA, Huang DT, Barnato AE, Weissfeld LA, Pike F, et al. A randomized trial of protocol-based care for early septic shock. N Engl J Med. 2014;370(18):1683-93.
2. Silva E, Pedro MA, Sogayar ACB, Mohovic T, Silva CLD, Joniszewki M, et al. Brazilian sepsis epidemiological study (Bases Study). Crit Car. 2004; 8(4):R251-60.
3. Studnek JR, Artho MR, Garner CL, Jones AE. The impact of emergency medical services on the emergency departament care of severes sepsis. Am J Emer Med. 2012;30(1):51-6.
4. Seymour CW, Rea TD, Kahn JM, Walkey AJ, Yealy DM, Angus DC. Severe sepsis in pre-hospital emergency care: analysis of incidence, care, and outcome. Am J Respir Crit Care Med. 2012;186(12):1264-71.

5. Dellinger RP, Levy MM, Rhodes A, Annane D, Gerlach H, Opal SM, et al. Surviving sepsis campaign: international guidelines for management of severe sepsis and septic shock: 2012. Critical Care Medicine. 2013; 41(2):580-637.
6. Martins HS, Neto RAB, Neto AS, Velasco IT. Emergências clínicas: abordagem prática. Editora Manole, 9 ed, 2014.
7. Haren FMPV, Sleigh J, Boerma EC, Pine ML, Barh M, Pickkers P, et al. Hypertonic fluid administration in patients with septic shock: a prospective randomized controlled pilot study. Shock. 2012;37(3):268-75.
8. Patel GP, Grahe JS, Sperry M, Singla S, Elpern E, Lateef O, et al. Efficacy and safety of dopamine versus norepinephrine in the management of septic shock. Shock. 2010;33(7):375-80.
9. Diagnóstico de Enfermagem da NANDA: definições e classificação 2015-2017, NANDA Internacional. Porto Alegre: Artmed, 2015.
10. McCloskey JC, Bulechek GM. Classificação das intervenções de enfermagem (NIC). Porto Alegre: Artmed; 2004.

capítulo 17

Flavia Westphal
Patrícia de Souza Melo

Emergências Obstétricas

INTRODUÇÃO

Este capítulo abordará as síndromes hipertensivas gestacionais uma vez que, no Brasil, a hipertensão arterial na gravidez é a primeira causa de morte materna e as síndromes hemorrágicas que representam risco de repercussão no estado hemodinâmico materno pela possibilidade de ocorrência de grandes hemorragias.

SÍNDROMES HIPERTENSIVAS DA GRAVIDEZ

Conceito

As síndromes hipertensivas na gestação podem ser classificadas em: hipertensão crônica, hipertensão gestacional, pré-eclâmpsia, eclâmpsia, síndrome HELLP e pré-eclâmpsia sobreposta à hipertensão crônica.[1]

- **Pré-eclâmpsia:** é a hipertensão que ocorre após 20 semanas de gestação (ou antes, nos casos de doença trofoblástica gestacional ou hidropsia fetal) acompanhada de proteinúria, com desaparecimento até 12 semanas após o parto.[1-3]

Para alguns casos, o aparecimento da proteinúria pode ser tardio e outros sintomas podem ser observados previamente. A suspeita de pré-eclâmpsia se fortalece quando o aumento da pressão acontece acompanhado por cefaleia, distúrbios visuais, dor abdominal, plaquetopenia e aumento das enzimas hepáticas. Dependendo da gravidade da doença, que é determinada por alguns indicadores, ela pode ser classificada como leve e grave.

- **Eclâmpsia:** é o quadro determinado pela ocorrência de convulsões tônico-clônicas generalizadas ou coma em mulheres com pré-eclâmpsia na ausência de doenças neurológicas ou convulsivas. Pode ocorrer durante a gestação, na evolução do trabalho de parto e no puerpério imediato.[1-3]
- **Síndrome HELLP:** é o quadro clínico caracterizado por hemólise (H = "*hemolysis*"), elevação das enzimas hepáticas (EL = "*elevated liver functions tests*") e plaquetopenia (LP = "*low platelets count*"). É considerado o agravamento do quadro de pré-eclâmpsia.[1]

Fisiopatologia

A causa da pré-eclâmpsia ainda é desconhecida e existem diversas teorias que explicariam o desenvolvimento da doença. Acredita-se que diversas alterações fisiopatológicas se desenvolvam ocultamente durante a gestação e resultem no envolvimento de múltiplos órgãos com repercussões em diferentes graus. De modo geral, é provável que os efeitos deletérios provocados em diversos sistemas sejam causados por vasoespasmo, disfunção endotelial e isquemia.[3]

A causa exata das convulsões relacionadas à eclâmpsia é desconhecida. Entre as teorias propostas, estão vasoespasmo cerebral com isquemia local, encefalopatia hipertensiva com hiperperfusão, edema vasogênico e lesão endotelial.[4]

A fisiopatologia da Síndrome Hellp ainda não está bem definida, com diversas teorias para explicá-la.[5] É atribuída à deformidade e destruição das hemácias na microcirculação, secundárias ao dano endotelial, com subsequente vasoespasmo e deposição de fibrina nas paredes vasculares, que também conduzem à ativação, agregação e maior consumo periférico das plaquetas (plaquetopenia). A lesão hepática é representada pela necrose parenquimatosa focal ou periportal, com depósitos de material hialino nos sinusoides hepáticos.[6]

Sinais e sintomas

Considera-se pré-eclâmpsia grave a presença de um ou mais dos seguintes critérios[2]: pressão arterial diastólica ≥ 110 mmHg, proteinúria ≥ 2 g/ 24 horas ou 2+ em fita urinária, creatinina sérica > 1,2 mg/dL, oligúria < 500 mL/24 horas ou 25 mL/hora, plaquetopenia < 100.000/mm, elevação das enzimas hepáticas (TGO, TGP, DHL) e de bilirrubinas, dor epigástrica ou no hipocôndrio direito, sinais de encefalopatia hipertensiva (cefaleia e distúrbios visuais), evidência clínica e/ou laboratorial de coagulopatia.

Outros sinais que podem sugerir o diagnóstico são: acidente vascular cerebral, sinais de insuficiência cardíaca ou cianose, presença de restrição do crescimento fetal e/ou oligoâmnio.

A eclâmpsia é comumente precedida pelos sinais e sintomas de eclâmpsia iminente, ou seja, distúrbios do sistema nervoso central (cefaleia frontal/occipital, torpor, obnubilação e alterações do comportamento), visuais (escotomas, fosfenas, visão embaçada e até amaurose) e gástricos (náuseas, vômitos e dor no hipocôndrio direito ou no epigástrio).[1]

As manifestações clínicas da síndrome HELLP podem ser imprecisas, sendo a presença de náuseas, vômitos e/ou dor epigástrica um fator de risco significativo de morbidade materna grave.[1]

Exames diagnósticos

Durante o exame clínico, alguns sinais e sintomas sugestivos de doença hipertensiva, como ganho excessivo de peso e edema facial, devem ser observados e, quando presentes, exigem um controle mais rigoroso da pressão arterial. Além disso, alguns exames laboratoriais podem ser solicitados para o diagnóstico (Quadro 17.1).[1]

Quadro 17.1 Exames laboratoriais para o diagnóstico de síndromes hipertensivas da gravidez.

▪ Hb/Ht: a hemoconcentração apoia o diagnóstico de pré-eclâmpsia e é um indicador de gravidade. Entretanto, os valores podem estar diminuídos se a doença vir acompanhada de hemólise.	▪ Contagem de plaquetas: a presença de trombocitopenia é sugestiva de pré-eclâmpsia.
▪ Proteinúria: é definida como a excreção de 0,3 g de proteínas ou mais em urina de 24h.	▪ Dosagem do nível sérico de creatinina: a elevação dos níveis de creatinina sugerem pré-eclâmpsia grave, especialmente se acompanhadas de oligúria.
▪ Dosagem do nível sérico de ácido úrico: a elevação dos níveis de ácido úrico sugerem o diagnóstico de pré-eclâmpsia e correlacionam-se com restrição de crescimento fetal.	▪ Dosagem dos níveis séricos de transaminases: a elevação dos níveis de transaminases sugerem pré-eclâmpsia grave com envolvimento hepático.
▪ Dosagem do nível sérico de albumina, desidrogenase lática e coagulograma: estes exames indicam extensão da lesão endotelial (hipoalbuminemia), presença de hemólise e possível coagulopatia, como trombocitopenia em gestantes com doença grave.	

Para gestantes com suspeita de síndrome HELLP, a triagem laboratorial básica deve conter: hemograma completo com contagem de plaquetas, urinálise, creatinina sérica, DHL, ácido úrico, bilirrubinas e transaminases. A avaliação serial deve ser feita a cada 12 a 24 horas ou com menor intervalo, se necessário.

Tratamento principal

Para a instituição de tratamento adequado deverá ser determinada a gravidade da doença, a idade gestacional e a presença de pré-eclâmpsia.[1]

Pré-eclâmpsia grave

A conduta obstétrica a ser adotada dependerá da idade gestacional, sendo a antecipação do parto indicada quando esta for igual ou superior a 34 semanas de gestação. Para gestantes com idade gestacional entre 24 e 33 semanas e seis dias, a conduta conservadora pode ser adotada por meio de monitoração materno-fetal rigorosa durante as primeiras 24 horas com o emprego de sulfato de magnésio, agentes anti-hipertensivos de ação rápida como hidralazina ou nifedipina, corticóide (betametasona) para auxiliar a maturação pulmonar fetal e controle periódico de exames laboratoriais.[1,2]

Eclâmpsia

O manejo da crise de eclâmpsia visa o tratamento das convulsões, distúrbios metabólicos e estabilização do quadro materno para a interrupção da gestação.

A terapia anticonvulsivante na gestação tem como droga de escolha o sulfato de magnésio e necessita de cuidados específicos durante a sua administração.[1]

Síndrome HELLP

Deve ser confirmada a idade gestacional e o estado fetal por meio da cardiotocografia basal e/ou perfil biofísico. Se a idade gestacional for maior que 34 semanas, é indicada a resolução imediata da gestação. Para as gestações entre 24 e 34 semanas, deve ser indicado o uso de corticoide. A via de parto preferencial é a via abdominal, sendo a opção pela via vaginal também factível, dependendo das condições maternas e do amadurecimento cervical.[1,5]

A transfusão de plaquetas deve ser realizada para uma contagem de plaquetas de 50.000/µL ou menos em caso de parto por via abdominal. Seis unidades de plaquetas devem ser administradas imediatamente antes da incisão.[1]

Todas as gestantes com síndrome *HELLP* devem ser tratadas em uma unidade de cuidados intensivos ou intermediários até que seja observada uma tendência à elevação na contagem de plaquetas e de diminuição do DHL; diurese de > 100 mL/hora por duas horas consecutivas sem infusão adicional rápida de fluidos ou sem diuréticos; a hipertensão esteja bem controlada, com a pressão sistólica próxima a 150 mmHg, a diastólica < 100 mmHg e a melhora clínica seja óbvia sem complicações significativas.[1]

A contagem de plaquetas e a dosagem de DHL deverão ser realizadas de 12/12 horas até a transferência da gestante para a enfermaria. O uso de dexametasona deverá ser continuado no pós-parto até que a gestante esteja clinicamente estável.[1]

As complicações que podem surgir quando ocorre piora dos parâmetros da síndrome *HELLP* são: rotura de hematoma hepático, insuficiência renal aguda, lesão pulmonar aguda e síndrome de angústia respiratória. A intubação e ventilação assistidas podem ser necessárias em algumas gestantes.[1]

Diagnósticos e cuidados de enfermagem

Os principais diagnósticos e cuidados de enfermagem indicados para as pacientes que apresentam síndromes hipertensivas da gravidez são listados no Quadro 17.2.

Cuidados na administração do sulfato de magnésio

Avaliar a frequência respiratória, que deverá ser maior que 16 incursões por minuto; certificar-se da presença de reflexos patelares; controlar o volume de diurese e atentar-se para volume inferior a 25 mL/hora; ter disponível para uso imediato uma ampola de gluconato de cálcio que atua como antídoto do sulfato de magnésio no caso de eventual parada respiratória; atentar para sinais e sintomas de eminência de eclâmpsia.

Quadro 17.2 Principais diagnósticos e cuidados de enfermagem nas síndromes hipertensivas da gravidez.

Principais diagnósticos de enfermagem[6]	Cuidados de enfermagem[7]
Risco de perfusão renal ineficaz	Verificar o padrão miccional: ▪ Frequência ▪ Volume urinário ▪ Características da urina Realizar balanço hídrico. Avaliar o nível de consciência. Aferir a pressão arterial. Avaliar presença de edema. Acompanhar os resultados dos exames laboratoriais.
Risco para baixa autoestima situacional	Encorajar a paciente a aceitar novas condições. Estimular a identificação de valores de vida específicos. Auxiliar a paciente a identificar estratégias positivas para lidar com as limitações. Auxiliar a paciente a esclarecer ideias errôneas.
Volume de líquidos excessivos	Pesar o paciente. Avaliar presença de edema. Verificar sinais vitais: pressão arterial, frequência cardíaca, frequência respiratória. Realizar ausculta pulmonar para identificar presença de estertores. Verificar a ocorrência de dispneia/ desconforto respiratório. Realizar balanço hídrico.
Risco de perfusão tissular cardíaca diminuída	Monitorar frequentemente a frequência cardíaca e a pressão arterial. Avaliar o nível de consciência. Auxiliar nas atividades de autocuidado. Indicar e estimular o repouso apropriado.

(continua)

Quadro 17.2 Principais diagnósticos e cuidados de enfermagem nas síndromes hipertensivas da gravidez. *(continuação)*

Principais diagnósticos de enfermagem[6]	Cuidados de enfermagem[7]
Risco de perfusão tissular cerebral diminuída	Atentar para valores da pressão arterial, pressão intracraniana e alteração pupilar. Realizar escala de Glasgow de 2 e 2h.
Risco de perfusão tissular periférica ineficaz	Atentar para perfusão de extremidades, coloração, temperatura, edema de periferia. Verificação de sinais vitais de 2 em 2h.
Conforto prejudicado	Usar abordagem calma e tranquilizadora, escutando a paciente com atenção. Criar ambiente calmo e sem interrupções, com iluminação difusa e temperatura confortável, sempre que possível.
Privação de sono	Auxiliar nas situações estressantes antes do horário de dormir. Auxiliar o paciente no controle do sono diurno. Discutir com o paciente/família as medidas de conforto, técnicas de monitoramento do sono e as mudanças no estilo de vida. Ensinar ao paciente técnica de relaxamento.
Ansiedade	Conversar com o paciente e explicar os procedimentos. Oferecer informações reais sobre o diagnóstico, tratamento e prognóstico. Permitir, sempre que possível, que a família permaneça com o paciente. Escutar o paciente com atenção. Usar abordagem calma e tranquilizadora.

SÍNDROMES HEMORRÁGICAS

Abortamento

Conceito

O abortamento é definido como a interrupção da gestação antes da viabilidade do produto conceptual. A OMS o define como a expulsão ou a extração fetal antes da 22ª semana de gestação, ou com o feto de peso inferior a 500 g.[1]

Classificação

O Ministério da Saúde classifica o abortamento em: ameaça de abortamento, abortamento espontâneo, completo, incompleto, inevitável, retido, habitual e infectado.[1]

Os quadros que necessitam de maior atenção são aqueles que envolvem risco de repercussão hemodinâmica para a gestante, seja de origem infecciosa, seja de hemorrágica.

Fisiopatologia

Na maioria dos casos, a fisiopatologia do abortamento permanece desconhecida. Dentre as causas maternas, podem ser citadas: malformações uterinas, miomatose, sinéquias, tumores, fibromas; incompetência istmo-cervical; extremos de vida reprodutiva; endocrinopatias; trombofilias hereditárias; infecções maternas e traumatismos. Em relação às causas fetais, ocorrem, dentre outras, alterações cromossômicas e na fertilização.[1,3]

Sinais e sintomas

O quadro clínico caracteriza-se pelo sangramento vaginal e/ou dor abdominal.[1]

Exames diagnósticos

O diagnóstico deve ser baseado na história clínica, nos exames laboratoriais e complementares, se necessário. Na ocorrência de sangramento vaginal no primeiro trimestre, a gestante deve ser submetida a exame especular e toque. A ultrassonografia está indicada quando houver dúvida no diagnóstico ou se o colo estiver impérvio.[1]

Tratamento principal

Consiste na indução e no esvaziamento uterino, com técnica mecânica ou aspirativa, de acordo com a idade gestacional. No abortamento infectado, deve ser iniciada, ainda, a antibioticoterapia de largo espectro.[1,3]

Gestação ectópica

Conceito

É definida como a implantação do ovo fora da cavidade uterina. Em 95% dos casos, ocorre na tuba uterina, entretanto, pode ocorrer também na cérvice, nos ovários ou na cavidade abdominal.[1]

Fisiopatologia

Acredita-se que a gestação ectópica possa ter origem ovular ou tubária. Na teoria ovular, em decorrência de atividade trofoblástica acentuada, ocorre o amadurecimento precoce do ovo, o que levaria à sua implantação imediata, enquanto na tubária, a presença de alterações morfológicas da tuba dificultaria a passagem do embrião.[3]

Sinais e sintomas

Os sinais e sintomas clássicos são atraso menstrual (75% a 95% dos casos), dor abdominal (quase todos os casos, normalmente unilateral) e sangramento vaginal (60% a 90% dos casos).[1,3,8]

Devido ao risco potencial de ruptura tubária, impõe diagnóstico rápido e assistência de urgência. Nos casos em que ocorre a ruptura tubária, é comum encontrar sinais de choque hipovolêmico, com exacerbação da dor, do tipo lancinante e dor escapular, além de alterações gastrointestinais, consequentes à irritação peritonial.[1,8]

Exames diagnósticos

A análise conjunta dos dados da anamnese, do exame físico, da dosagem sérica de gonadotrofina coriônica humana e ultrassonografia transvaginal tornam possível o diagnóstico da gestação ectópica.[1]

Tratamento principal

O tratamento da gestação ectópica pode ser clínico ou cirúrgico, devendo ser individualizado, considerando o estado hemodinâmico da mulher, paridade e desejo de gestação futura.[1,3]

O tratamento clínico pode ser expectante, nos casos em que há indícios de regressão espontânea, sendo necessário controle ultrassonográfico e de dosagem de HCG sanguínea periódicos. Em certas condições clínicas, pode ser adotado tratamento clínico medicamentoso, com o uso do quimioterápico metotrexato, que tem a ação de destruir o tecido trofoblástico e induzir a absorção da gravidez ectópica por processo cicatricial.[1,3]

O uso do metrotexato tem sido uma ótima opção na redução de riscos cirúrgicos e anestésicos e no tempo de hospitalização, com menor custo ao sistema de saúde.

Já o tratamento cirúrgico pode ser conservador ou radical. Para mulheres com desejo reprodutivo futuro é indicado o tratamento cirúrgico conservador mediante salpingostomia ou salpingotomia.[3]

Nos casos de ruptura tubária, peritonite, abdome agudo hemorrágico, choque hemorrágico ou em que haja qualquer repercussão sobre o estado hemodinâmico materno, deve ser empregado o tratamento cirúrgico radical, que consiste na salpingectomia por via laparotômica ou laparoscópica.[1,8]

Descolamento Prematuro da Placenta (DPP)

Conceito

O descolamento prematuro da placenta é definido como a separação total ou parcial da placenta da parede uterina antes da expulsão fetal, após a 20ª semana de gestação.[8]

Fisiopatologia

É iniciada pela hemorragia na decídua basal, que desprende-se, deixando uma fina camada aderida ao endométrio, desenvolvendo, assim, um hematoma que resulta na compressão e separação da placenta adjacente. Em alguns casos, a artéria espiralada da decídua se rompe formando um hematoma retroplacentário que, à medida que se expande, pode romper outros vasos, até provocar o descolamento de uma área maior ou total da placenta.[3]

Sinais e sintomas

O quadro clínico característico do DPP é a dor abdominal, de início súbito e intensidade variável, acompanhada ou não de sangramento vaginal.[1]

O descolamento placentário provoca o aumento do tônus uterino, dificultando a oxigenação adequada do feto; desse modo, os batimentos cardíacos apresentam-se de difícil ausculta, irregulares ou ausentes.[1,3,8]

O sangramento pode se manifestar por hemorragia exteriorizada, hemoâmnio e sangramento retroplacentário. Em 80% dos casos, o sangramento genital é identificado, sendo frequentemente observado sinais de hipovolemia. A quantidade do sangramento exteriorizado pode não refletir a exata perda sanguínea, pois em até 20% dos casos o sangramento é oculto, com formação de coágulo retroplacentário que não se exterioriza.[1,8]

Exames diagnósticos

Devido à gravidade desse evento, seu diagnóstico deve ser essencialmente clínico e fundamenta-se na presença de sangramento vaginal, dor abdominal ou ambos, história de trauma ou trabalho de parto pré-termo inexplicado.[1,9]

Pode ainda ser diagnosticado por exame ultrassonográfico, pela visualização da área descolada e coágulo retroplacentário quando presente; porém, na suspeita de DPP, o tratamento não deve ser postergado para a espera de resultados de exames complementares.[1,8]

Tratamento principal

Representa grave emergência obstétrica e exige terapêutica imediata. O tratamento dependerá do grau de descolamento que se reflete no estado hemodinâmico materno e na vitalidade fetal e idade gestacional.[1,3,7,8,9]

Nas gestações a termo, em que a condição materna é estável e o estado do feto é tranquilizador, ou em caso de morte fetal, indica-se o parto vaginal. Havendo falha na progressão, instabilidade materna ou fetal, opta-se pelo parto cesáreo. Já nas gestações pré-termo, opta-se pela resolução do parto em todas as situações em que a condição materna ou fetal for instável. Estando a mãe estável e o estado fetal tranquilizador, o manejo pode ser conservador, prescrevendo-se esteroides e monitorizando atentamente a mãe e o feto.[8,9,12]

Rotura uterina

Conceito

A rotura uterina é considerada grave intercorrência obstetrícia, pois pode levar à rápida descompensação do estado hemodinâmico materno. É caracterizada pela rotura de um útero íntegro. Pode ser classificada em:[1]

- **Completa:** ocorre o rompimento de todas as camadas da parede uterina, resultando em comunicação direta entre as cavidades uterina e peritoneal. É uma urgência obstétrica, levando a risco de vida tanto da mãe quanto do feto.
- **Incompleta:** há separação da musculatura uterina, porém o peritônio parietal permanece intacto. Geralmente não é complicada, podendo permanecer assintomática após parto vaginal.
- **Espontânea:** ocorre geralmente em gestantes com história pregressa de cirurgia uterina e raramente naquelas com útero sem cicatrizes.
- **Traumática:** decorre de trauma obstétrico (versão podálica interna, pressão exercida no fundo uterino durante o parto) ou não obstétrico (violência, acidentes automobilísticos).

Fisiopatologia

O maior fator de risco para rotura é a presença de cicatriz uterina, sobretudo por cesariana prévia. Outras causas possíveis são antecedentes de curetagem uterina com perfuração, miomectomia, acretismo placentário, trauma abdominal, anomalias uterinas, hiperdistensão uterina, uso inapropriado de ocitocina, grande paridade, desproporção cefalopélvica, fórceps difícil, entre outras.[10]

Vale ressaltar que o uso de ocitocina para condução do trabalho de parto não aumenta o risco de rotura quando comparado ao trabalho de parto espontâneo. Porém, o uso deve ser criterioso e monitorado como em todo trabalho de parto conduzido com ocitócicos. Já o uso de prostaglandinas para amadurecimento cervical não é recomendado em presença de cesárea anterior, devido ao aumento do risco de rotura uterina.[1]

Sinais e sintomas

A rotura uterina pode ocorrer no pré-parto, intraparto e pós-parto, sendo mais frequente no intraparto quando o principal achado é a perda súbita dos batimentos cardíacos fetais. A gestante pode ou não apresentar sangramento vaginal, sinais e sintomas de choque hipovolêmico, com taquicardia importante, hipotensão e parada das contrações após intensa dor. Na palpação abdominal, as partes fetais são facilmente palpadas no abdome materno e, ao toque vaginal, há a subida da apresentação.[1,10]

No pós-parto, apresenta-se frequentemente com dor e flacidez abdominais, e/ou hemorragia.[10] Antes que ocorra um colapso circulatório pela hemorragia, é comum a ocorrência de dor torácica devido ao hemoperitônio e consequente irritação do diafragma, levando muitas vezes a um diagnóstico incorreto de embolia pulmonar.[3]

Exames diagnósticos

O quadro clínico pode sugerir outras hipóteses diagnósticas, como embolia pulmonar ou DPP.[3] O sinal mais comum é a deterioração do padrão dos batimentos cardíacos fetais; podendo estar associado à queixa de dor aguda de forte intensidade, sangramento vaginal, parada das contrações, subida da apresentação ao toque vaginal, partes fetais palpáveis facilmente no abdome materno, taquicardia materna importante e hipotensão grave.[3,10,11]

Tratamento principal

A assistência à ruptura uterina deve ser imediata, com pronta abordagem cirúrgica, sendo normalmente indicada a laparotomia, que confirma o diagnóstico, possibilita a avaliação da extensão e da localização da ruptura.[10,11]

Deve-se objetivar a estabilidade hemodinâmica da gestante, assegurando a ventilação adequada e promovendo a reposição volêmica. As prioridades no tratamento são a retirada do feto, que pode estar total ou parcialmente localizado no abdome materno, juntamente com a placenta e a correção da hemorragia no pós-parto. A presença do feto na cavidade abdominal materna agrava o prognóstico fetal, sendo causa importante de óbito perinatal. Na maioria das vezes, é necessário realizar histerectomia para tratar a rotura uterina, pois ocorrem lesões vasculares, com dificuldade de conservação do útero.[1]

Os principais diagnósticos e cuidados de enfermagem indicados para as gestantes que apresentam síndromes hemorrágicas são listados no Quadro 17.3.

Quadro 17.3 Principais diagnósticos e cuidados de enfermagem nas síndromes hemorrágicas.

Principais diagnósticos de enfermagem[6]	Cuidados de enfermagem[7]
Risco de choque	▪ Monitorar a frequência cardíaca e a pressão arterial frequentemente. ▪ Avaliar o nível de consciência. ▪ Realizar balanço hídrico.
Dor aguda	▪ Realizar um levantamento abrangente da dor, de modo a incluir o local, as características, o início/duração, a frequência, a qualidade, a intensidade ou a gravidade da dor e os fatores precipitantes. ▪ Observar indicadores não verbais de desconforto, sobretudo em pacientes incapazes de se comunicar com eficiência. ▪ Assegurar a gestante cuidados precisos de analgesia. ▪ Avaliar com o paciente e a equipe de cuidados de saúde a eficácia de medidas de controle da dor que tenham sido utilizadas.

(*continua*)

Quadro 17.3 Principais diagnósticos e cuidados de enfermagem nas síndromes hemorrágicas. *(continuação)*

Principais diagnósticos de enfermagem[6]	Cuidados de enfermagem[7]
Risco de sentimento de impotência	▪ Encorajar o paciente a reconhecer e discutir seus pensamentos e sentimentos. ▪ Despertar o paciente para identificar os valores que contribuem para o autoconceito. ▪ Auxiliar o paciente a identificar situações usuais sobre si mesmo. ▪ Auxiliar o paciente a identificar atributos positivos de si mesmo.
Risco de baixa autoestima situacional	▪ Encorajar o paciente a aceitar novas condições. ▪ Estimular a identificação de valores de vida específicos. ▪ Auxiliar o paciente a identificar estratégias positivas para lidar com as limitações. ▪ Auxiliar a paciente a esclarecer ideias errôneas.
Risco de binômio mãe-feto perturbado	▪ Monitorar os batimentos cardíacos fetais e monitorar a movimentação fetal.
Medo	▪ Falar calma e lentamente. ▪ Investigar o nível de ansiedade do paciente. ▪ Proporcionar tranquilidade e conforto. ▪ Proporcionar informações corretas, usando termos simples. ▪ Encorajar o paciente a verbalizar qualquer medo e preocupação relativa à doença.

REFERÊNCIAS BIBLIOGRÁFICAS

1. Brasil. Ministério da Saúde. Secretaria de Atenção à Saúde. Departamento de Ações Programáticas Estratégicas. Gestação de alto risco: manual técnico. 5ª ed. Brasília, DF: Ministério da Saúde, 2012.
2. Sociedade Brasileira de Cardiologia - SBC; Sociedade Brasileira de Hipertensão - SBH e Sociedade Brasileira de Nefrologia - SBN. VI Diretrizes Brasileiras de Hipertensão. Arq Bras Cardiol. 2010;95(1supl.1):1-51.

3. Cunningham FG, Leveno KJ, Bloom SL, Spong CY, Dashe JS, Hoffman BL, et al. Manual de Obstetrícia de Williams. Tradução: Fonseca AV. 24ª ed. Porto Alegre: AMGH, 2016.
4. Morriss MC, Twickler DM, Hatab MR, Clarke GD, Peshock RM, Cunningham FG. Cerebral blood flow and cranial magnetic resonance imaging in eclampsia and severe preeclampsia. Obstet Gynecol. 1997;89(4):561-8.
5. Perdomo EER, Ciódaro CM. Síndrome de Hellp: Revisión. Salud Uninorte. Barranquilla (Col.). 2011;27(2):259-74.
6. North American Nursing Diagnosis Association. Diagnósticos de enfermagem da NANDA: definições e classificação 2015-2017. Porto Alegre: Artmed; 2015.
7. Doenges ME, Moorhouse MF, Murr AC. Diagnósticos de Enfermagem – Intervenções, Prioridades, Fundamentos. 10ª ed. Rio de Janeiro: Guanabara Koogan; 2009.
8. Anselem O, Girard G, Stepanian A, Azria E, Mandelbrot L. Influence of ethnicity on the clinical and biologic expression of pre-eclampsia in the ECLAXIR study. Int J Gynaecol Obstet. 2011;115(2):153-6.
9. Montenegro CAB, Rezende Filho J. Obstetrícia fundamental. 12ª ed. Rio de Janeiro: Guanabara Koogan, 2011.
10. Oyelese Y, Ananth CV. Descolamento prematuro de placenta. In: Queenan JT. Gestação de Alto Risco. Porto Alegre: Artmed; 2010.
11. Goebel MA, Souza NA, Santos PS, Nunes RA, Assis RCL, Mota RK, et al. Ruptura Uterina. In: Atualização em urgências clínicas, cirúrgicas, pediátricas e gineco-obstétricas. Pedroso ERP (editor) Revista Médica de Minas Gerais. 2010;20(2 supl 1):64-7.

capítulo 18

Bianca Campos Teixeira Moniz Frango

Queimaduras

CONCEITO

Os pacientes que sofrem queimaduras representam uma parcela importante dos atendimentos dos serviços de urgência e emergência, e, no Brasil, são cerca de 1.000.000 de casos por ano, sendo que 100.000 necessitam de atendimento hospitalar e 2.500 vão a óbito.[1]

A Associação Norte-americana de Queimaduras (*American Burn Association*) publicou em 2015 dados que mostram cerca de 486 mil pessoas atendidas em serviços de emergência para tratamento de queimaduras. Esse número provavelmente subestima a real quantidade de pacientes, já que os que foram atendidos em outros serviços não foram incluídos.[2,3]

O maior órgão do corpo humano, a pele, tem a importante função de manter a temperatura corpórea e, por meio dos estímulos térmicos, mecânicos e dolorosos, afastar o indivíduo do perigo através das terminações nervosas. Além disso, protege contra a invasão de microrganismos e funciona como revestimento natural, mantendo o líquido do corpo isolado do mundo exterior.[4]

As queimaduras são definidas como lesões ou injúrias causadas por trauma de origem térmica resultante do contato com chamas, líquidos ou superfícies quentes ou frias, substâncias químicas, radiação, fricção ou atrito, danificando os tecidos corporais e levando à morte celular.[5]

FISIOPATOLOGIA

As injúrias causadas ao organismo por queimaduras lesam o tecido de revestimento, podendo atingir parcial ou totalmente a pele, que é constituída por três camadas: epiderme, derme, hipoderme e seus anexos, podendo chegar a camadas mais profundas, como tecidos subcutâneos, músculos, tendões e ossos. Portanto, quanto maior a profundidade e comprometimento dos órgãos, mais grave será o estado do paciente.[6]

Imediatamente no período pós-queimadura, a velocidade metabólica cai drasticamente. Ocorre diminuição do débito cardíaco, entre 50% e 60% dos valores basais, independente da reposição volêmica oferecida. Os fatores humorais circulantes reduzem a contratilidade cardíaca, com menor resposta às catecolaminas endógenas e fluxo coronariano diminuído. Nos idosos tal resposta é ainda mais exacerbada.[6]

Após uma eficiente reanimação cardiocirculatória com fluidos, a taxa metabólica volta a subir, chegando a uma velocidade máxima entre o 7º e o 12º dia após a queimadura.[7]

No organismo do paciente passa a ocorrer uma resposta hipermetabólica, caracterizada por aumento da temperatura corporal, aumento do consumo de oxigênio e glicose, e, consequentemente, da formação de CO_2, glicogenólise, lipólise e proteólise. O acelerado catabolismo proteico e a diminuição da imunidade levam ao retardo na cicatrização da ferida, demandando suplementação extra de oxigênio para que ocorra cicatrização adequada.[7,8]

A taxa metabólica do grande queimado tem aumento em até 200%, comparado ao aumento da taxa de pacientes com peritonites, 5% a 25%, e pacientes vítimas de trauma severo, 30% a 70%.[8]

O estado de hipermetabolismo faz com que os terminais nervosos e a medula adrenal liberem catecolaminas, atingindo, na área queimada, 2 a 10 vezes mais os níveis normais de noradrenalina, influenciando, assim, a falência múltipla dos órgãos e a mortalidade.[9]

CLASSIFICAÇÃO DAS QUEIMADURAS

As queimaduras podem ser classificadas de acordo com a extensão da área corpórea atingida e de acordo com sua profundidade.[10]

Quanto à profundidade, podem ser classificadas em primeiro, segundo, terceiro ou quarto grau.[10]

As queimaduras de 1º grau, geralmente queimaduras solares, duram entre 48 e 72 horas. São dolorosas e não causam repercussão hemodinâmica, não resultando, portanto, em internação do paciente.[10]

As queimaduras de 2º grau podem ser tanto superficiais quanto profundas, conforme acometam a epiderme ou o terço superior da derme. Quando chegam à derme mais profundamente, produzem um processo de reepitelização mais prolongado, acometendo a recuperação estética, apesar dos folículos pilosos e das glândulas sudoríparas serem preservados.[10]

Na maioria das vezes, há destruição da pele (epiderme e derme) nas queimaduras de 3º grau (Figura 18.1). O acometimento profundo leva a alterações hemodinâmicas dependendo da área total de superfície corporal queimada. O paciente necessita de intervenção cirúrgica a fim de aproximar as bordas das feridas ou enxerto cutâneo.[10]

Nos casos de maior gravidade as queimaduras atingem não somente derme e epiderme, mas também fáscia, músculos, tendões, articulações, ossos e cavidades, e são denominadas queimaduras de 4º grau.[10-12]

Para calcular a área total de superfície corporal queimada no paciente adulto há várias classificações, mas a Regra dos Nove de Wallace é a mais empregada (Figura 18.2). O cálculo é feito

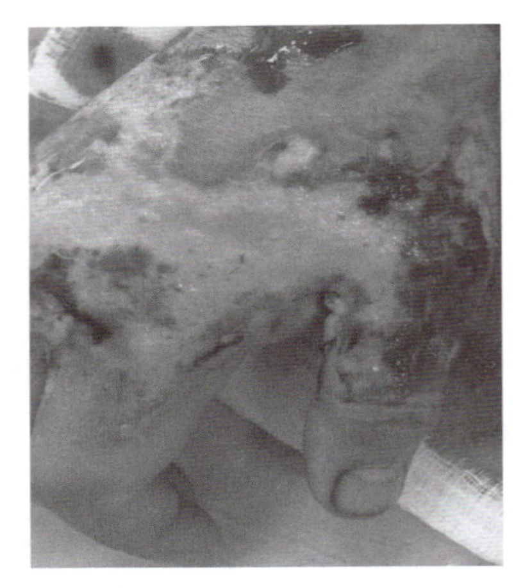

Figura 18.1 Queimadura de 3º grau em mão.

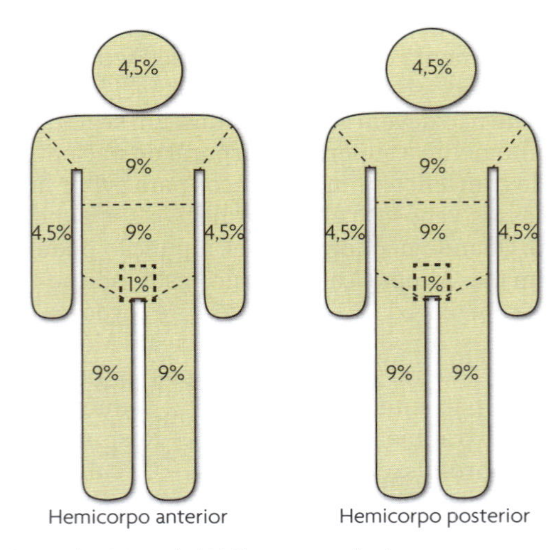

Figura 18.2 Regra dos Nove de Wallace para calcular a porcentagem de superfície corporal queimada.

com a soma aritmética de cada região corporal atingida, sendo 9% cabeça e pescoço, 9% cada extremidade superior, 18% região anterior do tronco, 18% região posterior do tronco, 18% cada extremidade inferior, e 1% o períneo.[7]

TRATAMENTO

O atendimento inicial do paciente queimado no serviço de emergência é semelhante ao atendimento do paciente politraumatizado, seguindo sempre os princípios de abordagem inicial do trauma. As medidas de reanimação realizadas no tempo apropriado reduzem a morbimortalidade dessa população.[11]

As medidas imediatas devem analisar sinais de exposição ao calor excessivo e de queimadura inalatória, como história de confinamento no local do incêndio, confusão mental, queimadura de cabeça e tronco, presença de rouquidão, chamuscamento dos cílios e das vibrissas nasais, presença de carbono e alterações inflamatórias agudas na orofaringe e expectoração carbonácea.[11]

Toda a vestimenta do paciente deve ser retirada para que se interrompa o processo da queimadura. Os tecidos que estiverem aderidos à pele não devem ser removidos. Em seguida, deve-se lavar abundantemente a superfície corporal do paciente e, logo depois, cobri-lo com lençóis limpos e secos para evitar hipotermia.[11]

Dois acessos venosos calibrosos devem ser puncionados em pele íntegra. Quando não for possível, a punção pode ser feita na região queimada. A reposição volêmica está indicada para todos os pacientes com mais de 20% de superfície corpórea queimada.[12]

Conforme as diretrizes da Associação Médica Brasileira e do Conselho Federal de Medicina, após as medidas iniciais, a avaliação do paciente deve obedecer à sequência ABCDE de atendimento ao trauma: A – Via aérea, B – Respiração (atenção à inalação e compromisso da via aérea), C – Circulação (reposição de volume), D – Disfunção do sistema nervoso central (síndrome compartimental), E – Exposição (porcentagem da superfície corpórea queimada).[13]

VIAS AÉREAS E RESPIRAÇÃO

A avaliação da via aérea deve ser realizada imediatamente, a fim de manter sua permeabilidade. As alterações clínicas causadas pela lesão inalatória podem ser sutis e só repercutirem 24 horas após a queimadura. Diante disso, a obtenção cirúrgica de via aérea deve ser considerada, caso a intubação não seja possível pelo edema.[11]

As principais causas que podem comprometer a ventilação são edema, obstrução ou intoxicação, devido à inalação de monóxido de carbono, produtos de combustão ou fumaça tóxica.[11]

Os pacientes devem receber oxigênio por meio de máscara unidirecional em alto fluxo, sem recirculação, devido a maior afinidade do CO_2 com a hemoglobina, em detrimento da ligação com o oxigênio. A gasometria arterial é parâmetro fundamental para avaliação da função pulmonar, além das medidas dos valores da carboxi-hemoglobina.[11,13]

CIRCULAÇÃO

O choque no paciente queimado é hipovolêmico e distributivo, já que há alteração nos componentes de controle de fluidos e perda de proteínas para o espaço extravascular. A passagem de proteínas para o extravascular altera a pressão oncótica e hidrostática, com movimento de líquidos para o interstício. Tais alterações causam perda do volume plasmático circulante e hemoconcentração.[13,14]

A reanimação volêmica do paciente queimado não pode ser retardada, pois pode aumentar a incidência de lesão renal e mortalidade. Entretanto, deve seguir o protocolo ou prescrição médica. A infusão de volume de fluidos maior do que o recomendado pode causar edema pulmonar e/ou miocárdico, conversão de queimadura superficial em profunda, e até mesmo a necessidade de fasciotomia em membros não acometidos.[13,14]

O cálculo de volume a ser infundido pode ser feito de várias formas, mas a fórmula mais comumente utilizada é a de Parkland:[14]

2 a 4 mL × %SCQ × peso (kg)

Nas primeiras 8 horas, deve ser infundido 50% do volume total calculado, e o restante em 16 horas. Em idosos com insuficiência cardíaca ou renal, o cálculo deve ser feito considerando 2 mL, e em crianças e adultos jovens, 4 mL. Deve-se monitorar o débito urinário, considerando os parâmetros de 0,5 a 1 mL/kg/hora.[10,13,14]

QUEIMADURA INALATÓRIA

A via aérea deve ser avaliada o mais precocemente possível, a fim de manter sua permeabilidade. Uma breve exposição da epiglote e/ou laringe ao ar seco a 300 °C ou vapor a 100 °C pode causar, nas primeiras 4 a 48 horas pós-queimadura, edema progressivo e rápida obstrução das vias aéreas. O tratamento da hipovolemia também pode exacerbar a formação do edema.[15]

Imediatamente ocorre asfixia pela inalação de monóxido de carbono e cianeto, diminuição da troca gasosa pelo edema progressivo, diminuição da complacência pulmonar e torácica e aumento da resistência vascular pulmonar. A inalação de fumaça superaquecida desencadeia um processo inflamatório, aumentando o líquido extravascular pulmonar, que ocorre pela hipoproteinemia e diminuição da pressão oncótica do plasma.[15]

Além disso, o trato respiratório inferior é atingido por produtos químicos da combustão de amônia, dióxido de nitrogênio e dióxido de enxofre com água, que produzem ácidos e bases fortes, que induzem edema, broncoespasmo, ulceração da membrana mucosa e lesão alveolar.[16]

Em pacientes que sofrem queimaduras em ambientes fechados é importante considerar a intoxicação por monóxido de carbono, que se combina de forma duzentas vezes mais estável com a hemoglobina (carboxi-hemoglobina) do que o oxigênio, diminuindo sua oferta para os tecidos. A gasometria arterial não reflete a intoxicação por CO_2, portanto deve-se medir os valores da carboxi-hemoglobina.[17-20]

A máscara laríngea e o Combitube têm indicação restrita pela presença do edema de vias aéreas. A intubação com o paciente acordado é a técnica de maior segurança.[20]

DIAGNÓSTICOS E CUIDADOS DE ENFERMAGEM

Os principais diagnósticos e cuidados de enfermagem indicados para os pacientes com queimaduras estão listados no Quadro 18.1.

Quadro 18.1 Principais diagnósticos e cuidados de enfermagem para os pacientes com queimaduras.

Principais diagnósticos de enfermagem[21]	Cuidados de enfermagem[22]
Desobstrução ineficaz de vias aéreas	Observar sinais de obstrução da via aérea, como rouquidão, presença de queimaduras faciais ou cervicais, presença de chamuscamento dos cílios e vibrissas nasais, presença de expectoração carbonácea e sinais de confusão mental. A inalação de fumaça causa edema de vias aéreas, e a hipoxemia pode acarretar em confusão mental.
Hipotermia	Remover toda a vestimenta do paciente e lavar superfície corpórea com água corrente abundante. Em seguida, cobrir com lençóis limpos e secos e manter o paciente aquecido. É importante a manutenção da temperatura corporal, pois a hipotermia pode levar a alterações no processo de coagulação.

(continua)

Quadro 18.1 Principais diagnósticos e cuidados de enfermagem para os pacientes com queimaduras. *(continuação)*

Principais diagnósticos de enfermagem[21]	Cuidados de enfermagem[22]
Padrão respiratório ineficaz	Observar o padrão respiratório e a presença de queimaduras circulares no tórax, que podem restringir a expansibilidade torácica. Monitorar a saturação de oxigênio, pois os oxímetros convencionais não diferenciam a ligação do monóxido de carbono ou do oxigênio à hemoglobina, podendo levar a uma falsa leitura. O padrão-ouro é a gasometria arterial. Avaliar a presença de possíveis fraturas dos arcos costais nos casos de queda, fuga ou explosão.
Risco de choque	Mensurar pressão arterial, monitorar o traçado eletrocardiográfico, realizar balanço hídrico (atentar para débito urinário inferior a 0,5 mL/Kg peso/hora) e puncionar dois acessos venosos calibrosos corforme prescrição médica ou de acordo com protocolo, preferencialmente em regiões não queimadas. Pacientes queimados geralmente têm o choque hipovolêmico associado ao choque distributivo.
Dor aguda	Administrar medicações conforme prescrição médica e monitorar a dor, fornecer tranquilidade e apoio emocional, usar a abordagem multidisciplinar para promover a mobilidade e a independência, posicionar o paciente cuidadosamente, a fim de evitar posições flexionadas na áreas queimadas, implementar exercícios de amplitude de movimentos várias vezes ao dia, explicar todos os procedimentos ao paciente e a sua família, em termos claros e simples, individualizar as respostas para o nível de enfrentamento do paciente e sua família, oferecer ambiente tranquilo e confortável.

REFERÊNCIAS BIBLIOGRÁFICAS

1. Silva FPG, Olegario CBN, Pinheiro SRMA, Bastos DPV. Estudo epidemiológico dos pacientes idosos queimados no centro de Tratamento de Queimados do Hospital Instituto Doutor José Frota do município de Fortaleza-CE, no período de 2004-2008. Rev Bras Queimaduras. 2010, 9(1):7-10.
2. Vana LP, Aggiaro A, Schiozer W. Algoritmo de tratamento cirúrgico do paciente queimado. Rev Bras Queimaduras. 2007;7(1):8-10.
3. American BurnAssociations (2002). Burnincidenceandtreatment in the United States: 2011 factsheet. [acesso: 15 jul 2015]. Disponivel em: http://www.ameriburn. org/resources_factsheet.php.
4. Appleby T. Queimaduras. In: Hudak CM, Gallo BM. Cuidados intensivos de enfermagem: uma abordagem holística. 8 ed. Rio de Janeiro: Guanabara Koogan; 2007.
5. Latenser BA. Critical care of the burn patient: The first 48 hours. Crit Care Med. 2009;37(10):2819-2826.
6. Pinto JM, Montinho LMS, Gonçalves PRC. O indivíduo e a queimadura: as alterações da dinâmica do subsistema individual no processo de queimadura. Rev Enferm Referência. 2010;1(3):81-92.
7. Marko P, Layon AJ, Caruso L, Mozingo DW, Gabrielli A. Burn injuries. Currv Opinv Anaesthesiol. 2003;16(2):183-91.
8. Jeschke MG1, Barrow RE, Mlcak RP, Herndon DN. Endogenous anabolic hormones and hypermetabolism: effect of trauma and gender differences. Ann Surg. 2005;241(5):759-68.
9. Gawryszewski VP, Bernal RTI, Silva NN, Moreira Neto OL, da Silva MMA, Mascarenhas MDM, et al. Atendimentos decorrentes de queimaduras em serviços públicos de emergência no Brasil, 2009. Cad Saúde Pública. 2012;28(4):629-640.
10. Piccolo NS. Projeto Diretrizes. Queimaduras: diagnóstico e tratamento inicial. [acesso: 15 jul 2015]. Disponível em: http://www.projetodiretrizes.org.br/projeto_diretrizes/083.pdf
11. Colégio Americano de Cirurgiões. Comitê de Trauma. Suporte Avançado de Vida no Trauma para Médicos (ATLS). 8 ed.; 2005.
12. Fernandes CJ, et al. Queimados. In: Knobel E. Condutas no paciete grave. 3 ed. São Paulo:Atheneu,2006.
13. Conselho Federal de Medicina. Tratamento de Emergência das queimaduras. [acesso: 15 jul 2015]. Disponível em: http://www.portal.cfm.org.br/images/stories/pdf/queimados.pdf

14. Latenser BA. Critical care of the burn patient: the first 48 hours. Crit Care Med. 2009;37(10):2819-26.
15. Lima ALJ, Monteiro PVM, IWABE C. Repercussões no sistema respiratório e atuação fisioterapêutica em pacientes queimados: revisão de literatura. Revista Multidisciplinar da Saúde. 2011;3:48-60.
16. Kallinen, Outi, et al. Multiple organ failure as a cause of death in patients with severe burns. Journal of Burn Care & Research. 2012;33(2): 206-11.
17. You K, Yang HT, Kym D, Yoon J, Cho YS, Hur J, et al. Inhalation injury in burn patients: establishing the link between diagnosis and prognosis. Burns. 2014;40(8):1470-75.
18. Manica J, et al. Anestesiologia, princípios e técnicas 3 ed. Porto Alegre: Artmed Editores; 2004.
19. Cavalcante IL, Diego LAS. Bloqueadores neuromusculares. Bases científicas e usos clínicos e em anestesiologia. São Paulo: Projetos Médicos; 2002.
20. Sauaia A, Ivashchenko A, Peltz E, Schurr M, Holst J. Indications for intubation of the patient with thermal and inhalational burns. A42. ARDS: Risk, Treatment, and Outcomes. American Thoracic Society. 2015: A1619-A1619.
21. North American Nursing Diagnosis Association. Diagnósticos de enfermagem da NANDA International: definições e classificação 2015/2017. Porto Alegre: Artmed; 2015.
22. Doenges ME, Moorhouse MF, Murr AC. Diagnósticos de enfermagem – intervenções, prioridades, fundamentos. 12ª ed. Rio de Janeiro: Guanabara Koogan; 2011.

capítulo 19

Suely Sueko Viski Zanei

Distúrbios Respiratórios

INTRODUÇÃO

Os distúrbios respiratórios graves são causas frequentes de atendimento nos Serviços de Emergência, predominando as pneumonias comunitárias,[1] exacerbação do DPOC, asma aguda[2] e dispneia relacionada às descompensações de origem cardíaca.[3] No Brasil, o estudo multicêntrico, *Epidemiology of Respiratory Insufficiency in Critical Care* (ERICC), revelou que 48% das internações em Unidades de Terapia Intensiva são de pacientes procedentes dos Serviços de Emergência por insuficiência respiratória e necessidade de intubação traqueal e ventilação mecânica.[4] Nos atendimentos de traumas graves, as pneumonias e a consequente insuficiência respiratória configuram-se como a segunda causa de morte tardia nos pacientes politraumatizados.[5]

O reconhecimento precoce do desconforto respiratório potencialmente grave e a instituição de ações pertinentes pela equipe de saúde podem ser primordiais para impedir resultados indesejáveis, como a parada cardiorrespiratória. Cabe ao enfermeiro à avaliação e implementação de medidas de enfermagem específicas e medidas colaborativas junto à equipe multiprofissional (médicos e fisioterapeutas) para o atendimento do paciente com grave disfunção respiratória nas unidades de pacientes críticos (Sala de Emergência e Unidades de Terapia Intensiva).

ASPECTOS FISIOPATOLÓGICOS

O potencial de gravidade dos distúrbios respiratórios está relacionado ao grau de comprometimento da troca gasosa, com diminuição do oxigênio (O_2) e excesso de gás carbônico (CO_2) nos alvéolos. Tal situação provoca a diminuição do oxigênio arterial que seria ofertado aos tecidos (hipoxemia) e acúmulo do CO_2 (hipercapnia), que em condições normais seria eliminado para o ar ambiente no processo de difusão dos gases na membrana alveolocapilar.[6]

As disfunções respiratórias podem ser ocasionadas por comprometimento direto do sistema respiratório ou, de forma indireta, por alterações do SNC e anormalidades no sistema neuromuscular que comprometem a função diafragmática.[6,7] Alguns exemplos estão apresentados na Tabela 19.1.

Tabela 19.1 Disfunções respiratórias de acordo com a origem primária.[6,7]

SNC – Centro respiratório	Sistema neuromuscular	Sistema respiratório
Intoxicação por fármaco, AVC, TCE, ou outra condição neurológica que leve ao coma.	Síndrome de Guillain Barré, miastenia gravis, esclerose lateral amiotrófica, poliomielite.	Obstrução de via aérea alta (como laringite, presença de corpo estranho), doença pulmonar obstrutiva crônica/agudizada, asma, pneumonias, tromboembolismo pulmonar.

A apresentação clínica da hipoxemia e da hipercapnia pode variar de sinais e sintomas leves ou moderados até acentuados. De acordo com sua intensidade, pode ser referida como desconforto respiratório ou, quando exacerbada, com repercussões sistêmicas, como Insuficiência Respiratória Aguda (IRpA) propriamente dita.[8]

De acordo com a característica predominante, a IRpA é classificada em hipoxêmica ou do tipo I e ventilatória ou tipo II. Os sinais e sintomas refletem a preponderância da diminuição da oxigenação (IRpA hipoxêmica) ou do aumento do CO_2 (IRpA ventilatória). Na fase inicial da descompensação da IRpA hipoxêmica, há hipocapnia secundária em razão do aumento da frequência respiratória. Ao contrário, na IRpA ventilatória, a hipercapnia é preponderante e a hipoxemia é secundária[6] (Figura 19.1).

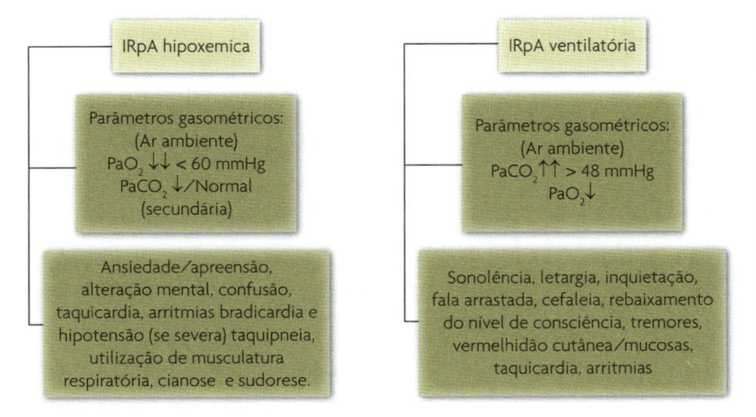

Figura 19.1 Características clínicas da insuficiência respiratória aguda.[6]

MECANISMOS FISIOPATOLÓGICOS DA HIPOXEMIA E ALTERAÇÕES DO GÁS CARBÔNICO

Em indivíduos saudáveis, a adequação da ventilação alveolar (*V*) e o fluxo sanguíneo (perfusão – *Q*) nos capilares pulmonares garantem uma troca gasosa eficaz. Entretanto, apesar da relação entre ventilação e perfusão não ser perfeita em todas as regiões pulmonares, sobretudo por ser dependente de gravidade, ela atende satisfatoriamente às demandas metabólicas.

Em situações de desconforto/insuficiência respiratória, anormalidades nos alvéolos e/ou nos capilares pulmonares, ou, em outras palavras, desproporção na relação entre a ventilação e a perfusão, podem resultar em hipoxemia ou alterações do CO_2. Tais alterações são explicadas pela hipoventilação, desequilíbrio da relação ventilação/perfusão (V/Q), *shunt* e distúrbios da difusão. Na IRpA hipoxêmica, em diferentes graus, mais de um mecanismo pode contribuir para a hipoxemia, porém com predomínio do *shunt*. Na IRpA ventilatória, a hipoventilação é preponderante, mas o desequilíbrio da V/Q pode estar presente.[6,7] Na Tabela 19.2, tais fenômenos estão sumarizados.

Tabela 19.2 Mecanismos causadores de hipoxemia/alterações do CO_2 na IRpA.[6,7]

Distúrbios da difusão	Hipoventilação	Desequilíbrio (V/Q)	*Shunt*
Comprometimento da membrana alvéolo/capilar (MAC): aumento da espessura barreira da MAC ou lesões do parênquima que irão prejudicar a difusão dos gases	Ventilação prejudicada	Áreas com ventilação prejudicada e perfusão adequada ("efeito *shunt*")	Ventilação muito prejudicada
	Perfusão adequada	Áreas com ventilação adequada e perfusão prejudicada ("efeito espaço morto")	Perfusão adequada

Vale destacar que em muitas condições patológicas a troca gasosa pode ser deteriorada também por mudanças relacionadas à mecânica respiratória, ou seja, por alterações da complacência pulmonar ou da resistência ao fluxo de ar nas vias aéreas. Quando a complacência está diminuída (p. ex., na síndrome do desconforto respiratório agudo, edema pulmonar e pneumonias graves), os pulmões tornam-se "duros", com diminuição da capacidade de expansão. O indivíduo acometido necessita realizar grande esforço inspiratório, com aumento significativo do trabalho respiratório, para garantir um volume de ar adequado.

Outras condições, como na crise asmática, o fechamento parcial ou total do calibre dos brônquios (broncoespasmo), provocam grande dificuldade de movimentação do ar nos pulmões, aumentando a resistência ao fluxo aéreo. Nessas condições, a eficiência da respiração é diminuída e há grande gasto energético, com aumento do trabalho muscular e fadiga respiratória, caracterizando, portanto, o desconforto ou a IRpA.[7]

Aspectos relacionados com o tratamento

Como na maioria dos atendimentos na sala de emergência, a parceria harmoniosa entre equipe médica e de enfermagem é essencial para o alcance de bons resultados com segurança e eficácia para o paciente. No caso da IRpA, a presença do fisioterapeuta com experiência em suporte ventilatório artificial pode auxiliar na melhor adequação dos parâmetros ventilatórios . Em linhas gerais, a atuação dos profissionais é descrita de modo sucinto na Tabela 19.3.

Tabela 19.3 Descrição sumária das ações da equipe multiprofissional relacionadas com o atendimento dos pacientes com desconforto respiratório/IRpA.

Médico	Faz o diagnóstico, solicita exames laboratoriais, como gasometria arterial, hemograma, eletrólitos e de imagem (raios X ou tomografia de toráx). Prescreve oxigenoterapia e tratamento medicamentoso. Realiza procedimentos, como intubação e passagem de cateter venoso central, indica o suporte ventilatório e UTI, se necessários.
Enfermeiro e equipe de enfermagem	Avalia e implementa medidas específicas de enfermagem com o objetivo de aliviar o desconforto e prevenir deterioração do quadro respiratório e geral (Tabela 19.4).
Fisioterapeuta	Avalia e implementa medidas relacionadas ao suporte ventilatório, se necessário.

Oxigenoterapia

Pacientes com problemas respiratórios necessitam receber oxigênio como forma de tratamento. Em pacientes com obstrução pulmonar crônica, a oxigenoterapia de longo prazo pode melhorar as condições hemodinâmicas e pulmonares e reduzir o trabalho cardíaco. Nos pacientes agudamente hipoxêmicos, o oxigênio pode minimizar potenciais riscos, como arritmias cardíacas, danos tissulares, sobretudo cerebral, e até a parada cardíaca.[8]

O oxigênio, como qualquer medicamento, deve ser prescrito pelo médico (concentração, modo de administração e duração). Entretanto, em algumas situações de urgência e emergência, como a parada cardiorrespiratória, a hipotensão ou o desconforto respiratório, o oxigênio pode ser instalado por um profissional de saúde treinado. Inúmeras vezes essas situações são constatadas pelo enfermeiro, que deverá instalar o dispositivo mais adequado. O dispositivo selecionado deverá oferecer uma FiO_2 suficiente para manter a SpO_2 entre 90% e 92% em indivíduos com DPOC, e acima desse valor (94% a 95%) em casos de trauma, insuficiência cardíaca, asma etc.[9,10]

Os dispositivos para a administração de oxigênio são classificados em baixo e alto fluxo. Os de baixo fluxo são assim denominados porque não ofertam fluxo suficiente para atender o volume-minuto (quantidade de ar que chega aos alvéolos em um minuto) do paciente. Além disso, a FiO_2 oferecida não é elevada, pois o oxigênio é diluído com o ar ambiente ao ser inspirado. Uma forma de estimar a FiO_2 oferecida por meio desses dispositivos é acrescentar 4% para cada litro à FiO_2 do ambiente (21%). Por exemplo, um paciente com cateter nasal a 2 L/min, a FiO_2 aproximada será de 29% ($21 + 4 \times 2$). Entretanto, a concentração pode ser influenciada pela frequência e amplitude da respiração do paciente e, portanto, não é fidedigna. O cateter é indicado somente quando o desconforto é discreto, sem alterações acentuadas no padrão respiratório.[11]

Os dispositivos de alto fluxo conseguem oferecer fluxo suficiente para atender o volume minuto do paciente e a FiO_2 não é alterada pelo padrão respiratório. É recomendável para pacientes com desconforto moderado ou mais intenso com padrão respiratório irregular[11] (Tabela 19.4).

Tabela 19.4 Oferta de oxigênio e FiO_2 estimada de acordo com o dispositivo.[11]

Dispositivos de baixo fluxo		
Tipos	**Fluxo (L/min)**	**FiO_2 estimada (%)**
Cateter nasal	1	24
	2	28
	3	32
	4	36
	5	40
	6	44
Máscara facial simples	5	30
	10	50
Máscara facial com reservatório	6	60
	7	70
	8	80
	9	80 a 100
	10	80 a 100
Dispositivo de alto fluxo (maior acurácia)		
Máscara de Venturi	4	24
	5	28
	6	30
	7	36
	8	40
	10	50

Administração de broncodilatadores por via inalatória

Os broncodilatadores na forma de aerossóis, administrados pela via inalatória, é o meio mais rápido e eficiente de ofertar os medicamentos, pois atuam diretamente nas vias aéreas e pulmões sem provocar efeitos sistêmicos significativos. Os efeitos conhecidos ocorrem pela ação da medicação e não pelo efeito do aerossol propriamente dito.[12]

Hoje existem diversas formas de apresentação de medicamentos broncodilatadores, porém são, em geral, para uso individual e exigem um treinamento prévio para seu correto uso (pó seco, dosimetrados com ou sem espaçadores). Nos ambientes hospitalares, utilizam-se, na maioria das vezes, dispositivos inalatórios convencionais, esterilizáveis, conhecidos como nebulizadores de jato ou inaladores. A vantagem é que o procedimento pode ser aplicado a qualquer tipo de paciente em qualquer idade, não exige treinamento (coordenação entre o disparo do *puff* com o início da inspiração) e os dispositivos são esterilizáveis. Estes devem ser acoplados à rede de oxigênio ou ar comprimido para que seja produzido um aerossol com os medicamentos diluídos em uma pequena quantidade de solução fisiológica simples.[10,12]

Alguns cuidados são importantes para que o aerossol seja mais bem aproveitado durante a inalação (Tabela 19.5).

Medicamentos mais utilizados

Dentre as medicações disponíveis, as mais utilizadas nas situações de broncoespasmos severos são os broncodilatadores de resgate ou de ação rápida para o alívio dos sintomas associados a anticolinérgicos. Outras medicações podem ser associadas de acordo com a causa. Os medicamentos mais utilizados no broncoespasmo agudo estão descritos na Tabela 19.6.[10,12-14]

Tabela 19.5 Cuidados relacionados à administração de inaloterapia.[10,12]

Orientações	Justificativa
Preparar os medicamentos a serem inalados em solução fisiológica 0,9% (3 a 4 mL). Não utilizar água destilada.	A água destilada em asmáticos pode piorar a tosse e broncoconstrição.
Orientar o paciente a respirar pela boca.	O nariz tem a função de filtro mais eficiente do que a boca, reduzindo a deposição pulmonar do medicamento em 50%.
Manter a máscara na face (ou, em caso de adultos, pode-se utilizar um bocal).	A distância de 2 cm da face reduz 85% da dose liberada para os pulmões.
Evitar retirar a máscara ou bocal durante o procedimento.	As interrupções do aerossol diminuem acentuadamente a quantidade de medicação para os pulmões.
Abrir o fluxo de ar ou oxigênio de 6 a 8 L/m.	Para a produção de aerossóis respiráveis é necessário um fluxo mínimo.
Manter o nebulizador na posição vertical até o término do aerossol.	Melhorar a produção do aerossol e evitar perdas do medicamento. Manter a inalação por 10 a 15 minutos.
Orientar o paciente a respirar normalmente e ocasionalmente realizar inspirações profundas ("suspiros")	Favorecer o melhor aproveitamento do medicamento.
Ao terminar, desligar a fonte do gás. Mantenha o mesmo dispositivo caso seja necessário repetir as inalações. Se não for necessário, encaminhar o dispositivo para higienização/esterilização.	Evitar desperdício. Evitar transmissão de infecções.

Tabela 19.6 Medicamentos mais utilizados no broncoespasmo severo.[10,12-14]

Medicamento	Ação	Início da ação	Efeitos adversos
Broncodilatador – via inalatória: β-2 agonista Fenoterol (mais utilizado), salbutamol e terbutalina	Reduz a limitação do fluxo aéreo. Atuação direta nos adrenorreceptores β-2 principalmente da musculatura lisa das vias respiratórias	Poucos minutos Duração de 4 a 6h	Tremores de extremidades e taquicardia. São minimizados quando administrado em conjunto com brometo de ipratrópio
Anticolinérgico – via inalatória: brometo de ipratrópio via inalatória	Antagoniza os efeitos dos receptores colinérgicos muscarínicos que, dentre outras ações, provocam broncoconstrição. Potencializa o efeito do broncodilatador	De 15 a 30 minutos Duração de 3 a 6h	Boca seca, retenção urinária e cefaleia
Sulfato de magnésio Via venosa (adjuvante em broncoespasmo de difícil controle)	Promove relaxamento da musculatura lisa	1a 2h após infusão	Rubor cutâneo, calor, prurido e náuseas, geralmente durante a infusão. Em doses elevadas, fraqueza, arreflexia e depressão respiratória
Corticoides sistêmicos Via oral ou endovenosa	Redução do processo inflamatório. Aceleram a recuperação	Deve ser administrado precocemente nas crises agudas de asma ou exacerbações da doença pulmonar obstrutiva crônica	Somente em situações de uso prolongado (meses) dependente da dose e tempo de uso

Atuação da equipe de enfermagem na sala de emergência

Considerando-se o paciente com distúrbios respiratórios (evoluindo com piora do quadro), o enfermeiro deve direcionar suas ações e orientar a equipe de enfermagem para atender às necessidades específicas, sugeridas na Tabela 19.7.

Tabela 19.7 Ações gerais de enfermagem.

Enfermeiro
Avalia rapidamente o paciente, com ênfase no sistema respiratório, buscando sinais e sintomas indicativos de gravidade, como grau do desconforto respiratório, avaliação do nível de consciência, presença de sons adventícios à ausculta pulmonar, presença de secreções nas vias aéreas, entre outros. Quanto maior a exacerbação do quadro, maiores os riscos de descompensação e PCR iminente. Concomitantemente, avalia condições gerais e hemodinâmicas. Elabora os diagnósticos de enfermagem. Reavalia periodicamente.
Comunica as alterações à equipe médica.
De acordo com sua avaliação, providencia material/equipamentos para oxigenoterapia, inaloterapia, carrinho de emergência com material para intubação traqueal e suporte ventilatório artificial, instalação de acesso venoso central, sondagem vesical e/ou enteral, após estabilização do quadro.
Avalia a resposta ao tratamento medicamentoso, como terapia inalatória com broncodilatador, alívio da dor, desconforto ou febre (condições que aumentam o consumo de oxigênio). Mantém vigilância rigorosa quanto à manutenção da SpO_2 > 92%. Se portador de DPOC, manter entre 90% e 92%.
Mantém pacientes e familiares orientados quanto às ações necessárias, visando tranquilizá-los, obter cooperação e diminuir o consumo de oxigênio devido à agitação e ansiedade do paciente.
Prioriza o atendimento e implementa ações direcionadas ao alívio do desconforto respiratório. Prescreve para a equipe de enfermagem.

(continua)

Tabela 19.7 Ações gerais de enfermagem. (continuação)
Equipe de enfermagem
Mantém decúbito horizontal semielevado (30° a 45°).
Mantém dispositivo de oxigenoterapia bem posicionado no rosto do paciente.
Monitoriza parâmetros vitais pela oximetria de pulso, monitorização cardíaca e pressão arterial. Se disponível, capnógrafo para monitorização do CO_2 exalado (após intubação traqueal). (Especifica periodicidade e parâmetros máximos ou mínimos toleráveis.)
Verifica e anota periodicamente o padrão respiratório, alterações de frequência respiratória e saturação periférica de oxigênio. (Especifica parâmetros máximo ou mínimos toleráveis.)
Providencia material para coleta de gasometria arterial e demais exames sanguíneos. Encaminha para outros exames, quando solicitado.
Mantém o paciente em jejum, providencia material para intubação traqueal e ventilador pulmonar mecânico (caso haja deterioração rápida das condições respiratórias).
Realiza aspiração de vias aéreas na presença de secreções.

Diagnósticos de enfermagem[15]

Os diagnósticos de enfermagem específicos e relacionados a disfunções respiratórias mais comuns na sala de emergência são:

- Troca de gases prejudicada;
- Padrão respiratório ineficaz;
- Ventilação espontânea prejudicada;
- Risco de aspiração;
- Desobstrução ineficaz das vias aéreas.

Resultados esperados: alívio do desconforto respiratório com melhora dos parâmetros de oxigenação (PaO_2 arterial/saturação da hemoglobina) e ventilação (diminuição da $PaCO_2$). Via aérea desobstruída, dispositivo de oxigenoterapia bem posicionado, manutenção de parâmetros respiratórios adequados, diminuição do risco de instabilidade hemodinâmica, de alterações respiratórias e pneumonia associada à ventilação mecânica. Diminuição do risco de efeitos adversos de substâncias ou procedimentos invasivos.

REFERÊNCIAS BIBLIOGRÁFICAS

1. Levy ML, Le Jeune I, Woodhead MA, Macfarlaned JT, Lim WS; British Thoracic Society Community Acquired Pneumonia in Adults Guideline Group. Primary care summary of the British Thoracic Society Guidelines for the management of community acquired pneumonia in adults: 2009 update. Endorsed by the Royal College of General Practitioners and the Primary Care Respiratory Society UK. Prim Care Respir J. 2010;19(1):21-7.
2. Sin DD, Bell NR, Svenson LW, Man SF. The impact of follow-up physician visits on emergency readmissions for patients with asthma and chronic obstructive pulmonary disease: a population-based study. Am J Med. 2002;112:120-5.
3. Ekman I, et al. Patients with worsening chronic heart failure who present to a hospital emergency department require hospital care. BMC Research Notes 5 (2012): 132. Academic OneFile. [11/05/2015]. Disponível em: http://go.galegroup.com.ez69.periodicos.capes.gov.br/ps/i.do?id=GALE%7CA284672771&v=2.1&u=capes&it=r&p=AONE&sw=w&asid=e5c1f3d09c1e4ad20cfddcafe6a6da3d
4. Azevedo, et al. Critical Care. 2013, 17:R63. [02/05/2015]. Disponível em: http://ccforum.com/content/17/2/R63
5. Lansink KWW. Cause of death and time of death distribution of trauma patients in a Level I trauma centre in the Netherlands. Eur J Trauma Emerg Surg. 2013;39(4):375 -83.
6. Bhandary R, Randles D. Respiratory failure. Surgery. 2012;30(10):518-24.
7. Kaynar AM, Sharma S, Pinsky MR, Franklin C, Manning H, Talavera F. Respiratory Failure. [02/05/2015]. Disponível em: http://emedicine.medscape.com/article/167981-overview.
8. Considine J. The role of nurses in preventing adverse events related to respiratory dysfunction: literature review. J Adv Nurs. 2005; 49(6):624-33.
9. Murphy R, Mackway-Jones K, Sammy I, Driscoll P, Gray A, O'Driscoll P, et al. Emergency oxygen therapy for the breathless patient. Guidelines prepared by North West Oxygen Group. Emerg Med J. 2001;18:421-3.

10. Bimestral P. (2012). Diretrizes da Sociedade Brasileira de Pneumologia e Tisiologia para o manejo da asma. J Bras Pneumol 2012;38(Supl1).
11. Beattie S. Back to basics with O2 therapy. RN Web RN. 2006, 69(9):37-41. [09/05/2015]. Disponível em: http://www.rnweb.com/rnweb/article/articleDetail.jsp?id=368434&searchString=O2%20therapy.
12. European Respiratory Society and International Society for Aerosols in Medicine Task Force. What the pulmonary specialist should know about the new inhalation therapies? Eur Respir J. 2011;37:1308-31.
13. Spina D. Current and novel bronchodilators in respiratory disease. Curr Opin Pulm Med. 2014;20:73-86.
14. Pharmacology and Therapeutics of Bronchodilators. Mario Cazzola, Clive P. Page, Lugino Calzetta and M. Gabriella Matera. Pharmacological Reviews July. 2012;64(3):450-504. Disponível em: http://pharmrev.aspetjournals.org/content/64/3/450
15. NANDA. North American Nursing Association. Diagnósticos de enfermagem da NANDA. Definições e Classificação – 2009-2011. Porto Alegre: Artmed; 2009.

capítulo 20

Michele Costa Yoshimoto

Desequilíbrio Ácido-Básico e Hidroeletrolíticos

DISTÚRBIOS DO EQUILÍBRIO ÁCIDO-BÁSICO

Conceito

O pH (potencial hidrogeniônico) tem uma função importantíssima para o correto funcionamento do nosso organismo. Quando há desequilíbrio no pH, é necessário que haja uma reparação; quando ela não ocorre, podem surgir danos irreparáveis, que cursam com a desnaturação de proteínas e até a morte. Os processos de regulação do equilíbrio ácido-básico são constantes e didaticamente podemos dividi-los em dois processos: a neutralização e a compensação.[1-4]

Os processos neutralizantes consistem nos sistemas-tampão que são substâncias químicas prontamente disponíveis no meio aquoso intracelular e extracelular. Os principais são o sistema bicarbonato-dióxido de carbono ($HCO_3^- - CO_2$) e o tampão celular e ósseo (líquido intracelular).[1-4]

Os processos compensatórios, sistema renal e respiratório, objetivam normalizar o pH, mas não corrigem a causa do desequilíbrio. A compensação de um distúrbio respiratório é por meio do sistema renal que tem início mais lento, em horas, e está completa em dias (até semanas), excretando ou retendo íons H^+ e íons HCO_3^-. Isso justifica a classificação dos distúrbios respiratórios em agudos (distúrbio ácido-básico de início recente) e crônicos (distúrbio ácido-básico de longa duração em compensação contínua, por exemplo, no enfisema pulmonar e bronquite crônica). Por sua vez, a compensação de um distúrbio metabólico é feita por meio do sistema respiratório, que tem início rápido (em minutos e está completa em horas), excretando ou retendo CO_2, que tem potencial para se tornar um ácido.[2,3,5,6]

Conceitualmente, o pH representa o logaritmo negativo da concentração de íons H^+; como essa reação é inversamente proporcional, constata-se que:

pH baixo = altas concentrações de íons H^+ (substância ÁCIDA)

pH alto = baixas concentrações de íons H^+ (substância BÁSICA).[1,3]

Exames diagnósticos e complementares

O principal exame para a interpretação dos distúrbios ácidos e básicos é a gasometria arterial com perfil metabólico (o valor do lactato arterial é fundamental), porém exames complementares são importantes, como sódio, potássio e cloro; glicemia; além de função renal e cetoácidos (séricos e na urina). O exame toxicológico é interessante quando há suspeita de intoxicação.[2-5]

Gasometria arterial

Além dos cuidados quanto à escolha do local, à técnica correta e aos cuidados pós-punção arterial, devemos nos atentar que o gasômetro (aparelho utilizado para analisar os gases na amostra de sangue arterial) mede diretamente apenas os valores de pH, pCO_2 e pO_2, ou seja, os demais parâmetros são calculados indiretamente por meio de fórmulas matemáticas, que levam em consideração a temperatura e a quantidade de hemoglobinas séricas. Portanto, tendo em vista um resultado mais acurado possível, na fase pré-analítica, deve-se:[5,6]

a) Checar se existe alguma coagulopatia ou tratamento anticoagulante prévio que potencialize o risco de hemorragia, especialmente se o único local de punção disponível for a região inguinal (artérias femorais);[4,5,6]
b) Após a coleta, retirar todo o ar, inclusive as bolhas presentes na seringa, e vedá-la bem para que a amostra não entre em contato com o ar ambiente (evitando, assim, a elevação da pO_2 e a diminuição da pCO_2);[4-6]
c) Preferir o uso de seringas prontas com heparina liofilizada, ou, na ausência desse material, utilizar uma quantidade mínima de heparina líquida (o excesso desta reduz o pH e a pCO_2);[3-6]
d) Após coletada a amostra, enviá-la imediatamente à análise (gasômetro/laboratório), caso não seja possível manter a amostra refrigerada (em temperaturas baixas ocorre redução da atividade leucocitária, impedindo que essas células captem o potássio do plasma, reduzindo seu valor no resultado da gasometria).[3-6]

Na Tabela 20.1, podemos observar os parâmetros de avaliação dos valores considerados normais em uma gasometria arterial.

Distúrbios simples × distúrbios mistos

Distúrbios simples são aqueles em que a resposta compensatória foi adequada, já os distúrbios mistos são aqueles em que a resposta compensatória foi inadequada, provocando um distúrbio ácido-básico secundário ao inicial. Na Tabela 20.2, podemos observar a caracterização dos distúrbios ácido-básicos, respostas e mecanismos compensatórios.[2,3,5,6]

Tabela 20.1 Valores de normalidade de uma gasometria arterial.[6-8]

Parâmetro	Valores de normalidade	Observações
pH Potencial Hidrogeniônico	7,35 a 7,45	▪ pH < 7,35 = acidemia ▪ pH > 7,45 = alcalemia
$PaCO_2$ Pressão parcial de dióxido de carbono	35 a 45 mmHg	▪ $PaCO_2$ < 35 mmHg = hipocapnia (excreção excessiva de CO_2); ▪ $PaCO_2$ > 45 mmHg = hipercapnia (retenção excessiva de CO_2).
HCO_3^- Íon bicarbonato	22 a 26 mEq/L	▪ Componente metabólico no distúrbio ácido-básico.
PaO_2 Pressão parcial de oxigênio	80 a 100 mmHg	▪ PaO_2 < 80 mmHg = hipoxemia ▪ PaO_2 > 100 mmHg = hiperóxia
Saturação de O_2	≥ 94%	▪ Não deve ser considerado como principal referência da oxigenação sanguínea, uma vez que seu valor é determinado pela PaO_2 e dependente de outros fatores, como o número de hemoglobinas disponíveis, pH sérico, temperatura, $PaCO_2$ etc.
BE *Base excess*	–3 a + 3 mEq/L	▪ BE < –2 mEq/L (quanto "mais negativo") = depleção de bases ▪ BE > + 2 mEq/L (quanto "mais positivo") = retenção de bases
AG Ânion-gap	8 a 12 mEq/L	▪ Representa o conjunto de ânions plasmáticos (íons com "carga negativa", p. ex., HCO_3^-, Cl^- etc.) não mensurados (fosfatos, sulfatos, ácidos orgânicos, proteínas);

(*continua*)

Tabela 20.1 Valores de normalidade de uma gasometria arterial.[6-8] (continuação)

Parâmetro	Valores de normalidade	Observações
AG Ânion-gap	8 a 12 mEq/L	▪ AG > 12 mEq/L representa elevação dos ácidos metabólicos (p. ex., na cetoacidose diabética, cetoacidose alcoólica, acidose láctica, hipercatabolismo, insuficiência renal ou na presença de drogas, intoxicação por salicilatos, metanol); ▪ AG < 8 mEq/L representa redução dos ânions não mensuráveis (p. ex., hipoalbuminemia) ou elevação dos cátions não mensuráveis (hipercalemia, hipercalcemia, hipermagnesemia); ▪ O AG é um valor a ser calculado pela fórmula: **$Na - (Cl + HCO_3^-)$**

Tabela 20.2 Distúrbios ácido-básicos, respostas e seus mecanismos compensatórios.[2,3,5,6]

Distúrbios	Causa principal	Resposta compensatória
Acidose respiratória aguda	↑ pCO_2	↑ HCO_3^-
Acidose respiratória crônica	↑ pCO_2	↑↑↑ HCO_3^-
Alcalose respiratória aguda	↓ pCO_2	↓ HCO_3^-
Alcalose respiratória crônica	↓ pCO_2	↓↓↓ HCO_3^-
Acidose metabólica	↓ HCO_3^-	↓ pCO_2
Alcalose metabólica	↑ HCO_3^-	↑ pCO_2

Acidose respiratória

Definição:

pH < 7,35 devido a pCO_2 > 45 mmHg

- **Agudas:** são causadas basicamente por rebaixamento do nível de consciência, doenças que comprometem as vias aéreas, sobretudo os pulmões; doenças que comprometam a musculatura respiratória/neuromusculares.[2,3,6,8,9]
- **Crônicas:** são causadas por retenção crônica de CO_2, sobretudo pelo DPOC (Doença Pulmonar Obstrutiva Crônica) e pela síndrome de hipoventilação do obeso mórbido (síndrome de Pickwick).[2,3,6,8,9]

O tratamento inicial consiste no suporte ventilatório (invasivo ou não), até que a causa seja corrigida.[2,3,6,8,9,10]

Alcalose respiratória

Definição:

pH > 7,45 devido a pCO_2 < 35 mmHg

Qualquer condição que resulte em hiperventilação (algumas causas: febre, sepse, exercícios físicos, dor, síndrome da hiperventilação psicogênica devido a ansiedade, hipertensão intracraniana devido a hiperventilação central).[2,3,6,8,9]

O tratamento inicial consiste no suporte ventilatório (invasivo ou não) até que a causa seja corrigida.[2,3,6,8-10]

Acidose metabólica

Definição:

pH < 7,35 devido a HCO_3^- < 22 mEq/L

Nesse distúrbio, é necessário realizar o cálculo do ânion gap (ver Tabela 20.1) para descobrir a etiologia da acidose metabólica, que pode ser classificada em dois tipos, conforme a Tabela 20.3.[2,3,6,7]

Tabela 20.3 Classificações da acidose metabólica e suas principais causas.[2,3,6,7]

Acidose com AG NORMAL ou HIPERclorêmicas	Acidose com AG ELEVADO ou NORMOclorêmicas
Acidose láctica Exemplos: PCR, choque, sepse grave, isquemia mesentérica	Diarreia e perdas digestivas abaixo do piloro (p. ex., fístulas)
Cetoacidose (diabética, alcoólica e jejum)	Acidoses tubulares renais
Síndrome urêmica	Doença renal crônica (fase inicial)
Intoxicação exógena Exemplos: salicilatos (AAS), metanol (álcool metílico), etilenoglicol	Reposição excessiva de SF 0,9%

Alcalose metabólica (Tabela 20.4)

Definição:

pH > 7,45 devido a HCO_3^- > 26 mEq/L

Em todos os distúrbios apresentados (respiratórios e metabólicos), o manejo terapêutico (Quadro 20.1) sempre será voltado para a correção da causa subjacente e no suporte adicional às funções vitais.[2-10]

Tabela 20.4 Classificações da alcalose metabólica e suas principais causas[3,6,7,9]

Hipovolêmica**	Normo/hipervolêmica	Exógena
Gastrointestinal: ▪ vômitos, perdas digestivas acima do piloro; ▪ obstrução do intestino delgado; ▪ tumor viloso do cólon-reto.	▪ hiperaldosteronismo primário; ▪ hipertensão renovascular; ▪ Síndrome de Cushing; ▪ hidrocortisona; ▪ desordens tubulares (Liddle).	▪ hemotransfusão maciça; ▪ síndrome leite-álcali; ▪ iatrogênica pela administração de bicarbonato de sódio.
Renal: ▪ diuréticos tiazídicos e de alça (furosemida); ▪ afecções tubulares (bartter, gitelman); ▪ alcalose hipercápnica crônica.		
Cl^- urinário < 20 mEq/L	Cl^- urinário > 250 mEq/L	–

Quadro 20.1 Principais diagnósticos e intervenções de enfermagem nos distúrbios ácido-básicos.[13,14]

Diagnósticos de enfermagem	Intervenções de enfermagem
Ventilação espontânea prejudicada	▪ Monitorar resultados de gasometria arterial e hemoglobina ▪ Monitorar sinais de insuficiência respiratória (movimentos paradoxais por fadiga diafragmática) ▪ Manter decúbito 30° ▪ Monitorar frequência respiratória, profundidade e esforço respiratório ▪ Monitorar saturação periférica de oxigênio ▪ Avaliar nível de consciência
Risco de desequilíbrio eletrolítico	▪ Monitorar resultados de eletrólitos (sobretudo o potássio) ▪ Realizar monitorização cardíaca ▪ Realizar balanço hídrico

DISTÚRBIOS DO EQUILÍBRIO HIDROELETROLÍTICO

A água é o principal composto no organismo humano, correspondendo a 60% do peso corporal de um homem e 50% do peso corporal de uma mulher. A relação da água com os eletrólitos é tão íntima que dificilmente veríamos um distúrbio hídrico sem um distúrbio eletrolítico associado. A distribuição da água no indivíduo adulto se dá nos espaços intracelular (concentra 2/3 do valor total) e extracelular.[3,6,7,9]

A volemia corresponde ao volume total de sangue circulante, ou seja, cabe numa pequena porcentagem do 1/3 do valor total da água corporal; parece pouco, mas uma perda de pouco mais de 750 mL começa a apresentar repercussões no organismo (Quadro 20.2).

Para um indivíduo enfermo, o controle do balanço hídrico é realizado pela equipe de enfermagem, bem como é de sua responsabilidade a identificação de anormalidades, auxílio na tomada da decisão terapêutica e na administração do tratamento.

Outro conceito importante no equilíbrio hidroeletrolítico é o de osmolaridade, que significa a relação da quantidade de solutos em relação ao meio aquoso (solvente). Quando a concentração do soluto é alta, chamamos a solução de hiperosmolar, e quando a concentração do soluto é baixa, de hipo-osmolar. Esse conceito é importante, pois a água tende a fluir através de todos os compartimentos, tecidos do organismo, e esse movimento só é possível graças a osmolaridade. Portanto, a água migra do meio menos concentrado (hipo-osmolar) para o mais concentrado (hiperosmolar).[2,3,6,11]

DISTÚRBIOS DO SÓDIO

Hiponatremia

O sódio (Na) é o principal soluto responsável pela osmolaridade efetiva do plasma; quando essa osmolaridade é perdida ocorre uma transferência indesejada da água entre os espaços intra e extracelular. A natremia (quantidade sérica de sódio) é controlada pela sensação de sede e por meio do ADH (hormônio antidiurético), também chamado de vasopressina. O ADH é um hormônio produzido pelo hipotálamo e liberado pela

Quadro 20.2 Interpretação do balanço hídrico e suas manifestações clínicas gerais[3,6,7,9,11]

Balanço hídrico	Interpretação	Manifestações clínicas gerais (balanços hídricos com valores elevados)
Zero	Todo líquido ingerido/ infundido foi eliminado	Nenhuma que represente anormalidade. Condição ideal.
Positivo (+)	O líquido ingerido/ infundido não foi totalmente eliminado	▪ Edemas (em extremidades ou pulmonar, numa condição mais crítica); ▪ Taquipneia com ou sem dessaturação (SpO_2 < 94%); ▪ Sinais de desconforto respiratório; ▪ Estertores em ausculta pulmonar; ▪ Estase jugular com cabeceira a 30°; ▪ Sinais de hiper-hidratação e/ou hipervolemia.
Negativo (–)	A ingesta/infusão de líquidos não foi suficiente para repor o que foi eliminado	▪ Confusão mental ou rebaixamento do nível de consciência; ▪ Mucosas ressecadas; ▪ Hipotensão (PAS < 90 mmHg) associada a taquicardia (FC > 100 bpm); ▪ Diminuição ou concentração do débito urinário; ▪ Sinais de desidratação e/ou hipovolemia.

neuro-hipófise, quando há aumento da osmolaridade plasmática (desidratação) e quando há má perfusão tecidual (hipovolemia, insuficiência cardíaca congestiva, cirrose etc.), o ADH atua nos túbulos do néfron promovendo a reabsorção de água. Portanto, na hiponatremia não é o sódio que está abaixo da normalidade, mas sim há excesso de água em relação ao sódio corporal, e na hipernatremia há um déficit de água em relação ao sódio corporal.[2,3,6,7,12]

Quadro clínico

Normalmente os sinais e sintomas surgem quando o valor é inferior a 125 mEq/L, dependem da rapidez da mudança na concentração do sódio e são inespecíficos, como a letargia, desorientação, câimbras musculares, anorexia, náuseas, agitação, reflexos profundos deprimidos, respiração de Cheyne-Stokes, hipotermia, reflexos patológicos ou convulsões.

Hipernatremia

A hipernatremia reflete um tipo de desidratação comum em crianças e idosos, a desidratação hipertônica. Além disso, reflete um estado de hiperosmolaridade, mas há também outras causas que justificam a hiperosmolaridade, como a hiperglicemia e a administração de manitol. Dentre as principais causas, temos:[2,3,6,7,12]

- **Perda cutânea:** clima quente, exercício físico extenuante, queimadura;
- **Perda fecal:** diarreia osmótica (gastroenterite);
- Perda urinária por diabetes insípido (pós-trauma), ingestão de bebida alcóolica (poliúria aquosa transitória), uso de furosemida, diurese osmótica (diabetes melito, manitol), diurese por necrose tubular aguda.

A hipernatremia raramente está associada a ingestão ou ganho corporal de sódio, mas pode ocorrer no afogamento em água salgada, ingesta excessiva de sal nos alimentos, Síndrome de Cushing, hiperaldosterismo primário. O tratamento inicial objetiva a correção da natremia (redução) em até 10 mEq/L em 24h, preferencialmente por reposição de água por via oral ou enteral por meio de cateter; nos casos em que há necessidade de grandes volumes ou impossibilidade da utilização da via gastrointestinal, a reposição é realizada através de solução glicosada ou solução hipotônica (0,45%), se houver hipovolemia, a reposição deverá ser feita com SF 0,9%, até que a instabilidade hemodinâmica seja corrigida. Utilizar a fórmula para correção de água livre e consequentemente da hipernatremia.[2,3,6,7,12]

Quadro clínico

A desidratação celular, com contração das células cerebrais, pode levar à laceração, hemorragia subaracnoide e subcortical, e trombose dos seios venosos. A evolução aguda é mais grave. Os principais sinais e sintomas da hipernatremia são: agitação, letargia e irritação, acompanhadas de espasmos musculares, hiper-reflexia, tremores e ataxia.

Distúrbios do potássio

As células musculares esqueléticas são o grande reservatório de potássio no espaço extracelular, representando uma concentração de 140 mEq/L; no entanto, no plasma sua concentração é bem menor, obedecendo uma faixa estreita (3,5 a 5,5 mEq/L). Há três substâncias reguladoras do potássio plasmático, como mostrado a seguir.[2,3,6,7,12]

A hiperosmolaridade promove aumento do K^+ sérico, que pode ser observado na hiperglicemia acentuada (cetoacidose diabética previamente ao início do tratamento e na síndrome hiperosmolar não cetótica) e na hipernatremia.[2,3,6,7,12]

Por sua vez, dependendo do pH, é possível alcançar tanto a hipo quanto a hipercalemia. Numa situação de alcalemia, temos hipopotassemia/hipocalemia, pois há pouco H^+ no extracelular, o que promove a saída de H^+ do intracelular para o plasma, possibilitando a entrada do K^+ sérico para o intracelular. Numa situação de acidemia, ocorre hiperpotassemia/hipercalemia, pois há muito H^+ no extracelular, promovendo a entrada de H^+ do plasma para o intracelular, possibilitando a saída do K^+ intracelular para o plasma. Em suma, um acréscimo de 0,1 no pH é seguida de uma queda de 0,3 mEq/L no K^+ sérico e vice-versa.[2,3,6,7,12]

Hipocalemia

Definição:

K^+ sérico < 3,5 mEq/L

As principais causas da hipocalemia podem ser divididas em dois mecanismos:[2,3,6,7,12]

- **Perda externa de K^+:** gastrointestinal (vômitos, diarreia, drenagem de conteúdo gástrico por sonda, fístulas etc.) e urinária (poliúria, uso de diuréticos, alcalose metabólica, diminuição sérica do magnésio etc.); ou
- **Ganho do K^+ do plasma para o intracelular:** insulina, uso de agonistas beta-2 (fenoterol e salbutamol), estresse, alcalemia.

Quadro clínico

Os principais sinais e sintomas incluem: poliúria e polidipsia (no diabetes insípido, na nefropatia hipocalêmica), miastenia, cãibras, fadiga, paralisia, rabdomiólise, obstipação intestinal, desencadeamento de encefalopatia hepática em doentes cirróticos, extrassistolia frequente, taquiarritmia, Torsades de Pointes (sobretudo na intoxicação digitálica e na redução sérica do magnésio), parada cardiorrespiratória em ritmo de atividade elétrica sem pulso ou assistolia, se não corrigida.[2,3,6,7,12]

Quanto às alterações Eletrocardiográficas (ECG) principais, podemos encontrar:[2,3,6,7,12]

- apiculamento de onda P;
- infradesnivelamento do segmento ST;
- achatamento da onda T e onda U proeminente superando a T;
- aumento do intervalo PR e alargamento do complexo QRS.

No tratamento/reposição do K^+ devemos dar preferência pela via oral ou enteral (xarope de KCl a 6%) para a administração, exceto em caso de distúrbios gastrointestinais que impeçam a absorção do eletrólito; nesses casos, a reposição endovenosa é realizada através de cloreto de potássio (KCl) em solução salina a 0,45%. Lembrando que uma ampola de KCl 19,1% tem 25 mEq de potássio.

Na hipocalemia leve (3,0 a 3,5 mEq/L), repõe-se 40 a 80 mEq em 24 h. Na hipocalemia crítica com alteração em ECG, repõe-se por via endovenosa de 10 a 40 mEq/hora, numa concentração máxima de 40 mEq/L em acesso venoso periférico, ou máxima de 60 mEq/L em acesso venoso central. O potássio deve ser dosado a cada duas horas e sempre ser administrado em solução hipotônica (SF 0,45%), nunca em soro glicosado (uma vez que estimula a liberação de insulina, que diminuirá o potássio sérico).[2,3,6,7,12]

Hipercalemia

Definição:

K^+ sérico > 5,0 mEq/L

As principais causas da hipocalemia podem ser divididas em dois mecanismos:[2,3,6,7,12]

1. **Retenção corporal de K^+:** a mais importante aqui é a insuficiência renal (que cursa com oligúria/anúria ou taxa de filtração glomerular < 10 a 15 mL/min) e hipoaldosteronismo.
2. **Saída do K^+ intracelular para o plasma:** hiperosmolaridade (cetoacidose diabética, hipernatremia, síndrome hiperosmolar não cetótica), acidose metabólica, uso de betabloqueadores, succinilcolina, intoxicação digitálica.

Quadro clínico

Os principais sinais e sintomas incluem: miastenia, bradiarritmias, parada cardiorrespiratória nos ritmos de fibrilação ventricular, atividade elétrica sem pulso ou assistolia.[2,3,6,7,12]

Quanto às alterações Eletrocardiográficas (ECG) principais, encontram-se:[2,3,6,7,12]

- **Alterações iniciais:** onda T apiculada e alta.
- **Alterações críticas:** alargamento do complexo QRS, achatamento e desaparecimento da onda P (padrão "ondas em sino").

No tratamento da hipercalemia com alteração no ECG, há quatro medidas importantes; a primeira é a administração de gluconato de cálcio, as demais incluem a administração de solução polarizante (glicose + insulina), de bicarbonato de sódio e inalação com beta-2 agonista (fenoterol e salbutamol). Após o controle, a terapia de manutenção deve ser feita com furosemida (se o doente ainda apresenta diurese) e resina de troca (Sorcal); caso a hipercalemia seja refratária ou recidivante devido a insuficiência renal, há indicação de terapia renal substitutiva (hemodiálise de urgência).[2,3,6,7,12] Os principais tratamentos são: gluconato, solução polarizante de cálcio 10%, beta-2 agonista, bicarbonato de sódio, resina de troca (poliestirenossulfato de cálcio – Sorcal), diuréticos de alça e hemodiálise.

Diagnósticos e intervenções de enfermagem

Os principais diagnósticos e intervenções de enfermagem indicados para os pacientes que apresentam desequilíbrio ácido-básico ou eletrolítico estão listados no Quadro 20.3.

Quadro 20.3 Principais diagnósticos e intervenções de enfermagem nos distúrbios hidroeletrolíticos.[13,14]

Diagnósticos de enfermagem	Intervenções de enfermagem
Débito cardíaco diminuído	▪ Monitorar ritmo cardíaco ▪ Controlar pressão arterial e pulso ▪ Manter decúbito de 30° para diminuir pré-carga ▪ Monitorar resultados de exames ▪ Avaliar nível de consciência ▪ Monitorar perfusão periférica ▪ Manter repouso no leito ▪ Realizar balanço hídrico
Risco de desequilíbrio eletrolítico	▪ Estimar perdas (p. ex., vômitos, diarreia, sudorese) ▪ Avaliar presença de diarreia, náuseas e vômitos ▪ Avaliar lesões exsudativas na pele e débitos de drenos intra-abdominais ▪ Monitorar exames laboratoriais ▪ Monitorizar o balanço hídrico ▪ Monitorar sinais vitais ▪ Utilizar bomba de infusão contínua na administração de solução concentrada com eletrólitos ▪ Utilizar acesso exclusivo para reposição de eletrólitos (sobretudo se for para reposição de bicarbonato de sódio) ▪ Quando disponível, utilizar cateter venoso central para a reposição de eletrólitos

REFERÊNCIAS BIBLIOGRÁFICAS

1. Costanzo LS. Fisiologia ácido-base. In: Fisiologia. 3 ed. Rio de Janeiro, RJ: Elsevier; 2007;301-27.
2. Martins HS, et al. Distúrbios do equilíbrio ácido-básico. In: Emergências clínicas: abordagem prática. 8 ed. Barueri, SP: Manole. 2013;499-513.
3. MedGrupo. Distúrbio hidroeletrolítico e acidobásico. Rio de Janeiro, RJ: Medwriters Editora de Clínica Médica, 2013.
4. Mendes NT, et al. Desequilíbrio hidroeletrolítico e distúrbios ácido-básicos. In: Manual de Enfermagem em Emergências. São Paulo, SP: Atheneu. 2014;107-30.
5. Gois AFT, et al. Distúrbios hidroeletrolíticos e ácido-básicos. In: Guia de bolso de pronto socorro. São Paulo, SP: Atheneu. 2013;119-36.
6. Golin V, Sprovieri SRS. Alterações do equilíbrio acidobásico. In: Condutas em emergência para o clínico. 2 ed. São Paulo, SP: Atheneu. 2012;75-81.
7. Calil AM, Paranhos WY. Desequilíbrios hidroeletrolíticos. In: O enfermeiro e as situações de emergência. São Paulo, SP: Atheneu. 2007;617-36.
8. Guimarães HP, et al. Distúrbios ácido-base. In: Manual de bolso de UTI. 3 ed. São Paulo, SP: Atheneu. 2011;301-12.
9. Évora PRB. Distúrbios do equilíbrio hidroeletrolítico do equilíbrio ácido-básico – uma revisão prática. Medicina, Ribeirão Preto. out/dez 1999;32:451-69.
10. Barbas CS, Ísola AM, Farias AM, Cavalcanti AB, Gama AM, Duarte AC, et al. Recomendações brasileiras de ventilação mecânica 2013. Parte I. Rev Bras Ter Intensiva. 2014;26(2):89-121.
11. Golin V, Sprovieri SRS. Alterações do equilíbrio hídrico. In: Condutas em emergência para o clínico. 2 ed. São Paulo, SP: Atheneu. 2012;83-87.
12. Golin V, Sprovieri SRS. Desequilíbrio eletrolítico. In: Condutas em emergência para o clínico. 2 ed. São Paulo, SP: Atheneu. 2012;89-97.
13. NANDA International. Diagnósticos de Enfermagem da NANDA: definições e classificação 2012-2014. Porto Alegre: Artmed, 2013.
14. Johnson M. Ligações NANDA-NOC-NIC: condições clínicas: suporte ao raciocínio e assistência de qualidade. Rio de Janeiro: Elsevier, 2012.

capítulo 21

Bruna Tirapelli

Emergência Oncológica

INTRODUÇÃO

O câncer tem tomado hoje grande importância, em países em desenvolvimento como o Brasil, ao se apresentar como segunda causa de morte por doença e, portanto, uma das prioridades de atendimento integrado, sistematizado e interprofissional pela Organização Mundial da Saúde (OMS).[1]

O paciente oncológico é um desafio para a equipe de emergência, pois ao longo do seu tratamento eles podem apresentar sintomas agudos decorrentes do tratamento ou da sua doença de base. Alguns sinais e sintomas do aparecimento da doença ocorrem por meio de alguma situação de emergência relacionada à evolução da doença. Ressalta-se que os tratamentos são igualmente agressivos pela característica da doença ou seu estádio.

Emergência oncológica é descrita como uma condição aguda causada pelo câncer ou seu tratamento, que requer rápida intervenção para evitar o óbito ou injúria permanente.

Alguns quadros clínicos podem preceder o diagnóstico do câncer, uma vez que a gravidade é diagnosticada em alguma situação de urgência/emergência. Sendo assim, os profissionais que atuam nessa área devem estar prontos a não só atender essas emergências, como contribuir para diagnosticar o câncer.[2]

Neste capítulo, serão analisadas as emergências oncológicas mais frequentes e também aquelas de maior importância na prática do enfermeiro que atua no Serviço de Emergência. Um caso clínico descreverá a relação teórico-prática do atendimento a uma situação de emergência aos portadores de doenças oncológicas.

SÍNDROME DE VEIA CAVA SUPERIOR

Definição

A Síndrome da Veia Cava Superior (SVCS) é a expressão clínica da obstrução do fluxo sanguíneo da veia cava por meio de uma compressão, invasão ou trombose.[3]

As causas mais comuns em pacientes oncológicos de SVCS são: compressão extrínseca por tumor ou linfonodomegalia (câncer de pulmão, Linfoma não Hodgkin e Câncer de mama; Invasão tumoral da veia cava, trombose venosa por presença de cateter central, fibrose pós-radioterapia e ou QT, aneurisma de aorta, Infecções fúngicas, tuberculose.[3]

Quadro clínico/sinais e sintomas[4]

a) **Dispneia progressiva, com tosse e dor torácica e casos mais graves:** estridor, cianose facial, insuficiência respiratória, cefaleia, confusão mental e coma.
b) **Tríade clássica:** pletora facial, edema cervicofacial e circulação colateral toracobraquial.

Exames complementares síndrome de veia cava superior (Quadro 21.1)

Quadro 21.1 Exames da síndrome de veia cava superior.

Raios X de tórax	**Ângio-TC de tórax:** principal exame, alta sensibilidade e especificidade
Ângio-RM: quando impossibilitado de realizar a ângio-TC	**Venografia:** considerada padrão ouro, mas pouco utilizada pelas maiores taxas de complicações
Toracotomia\toracocentese: análise do líquido pleural com investigação citológica	

Tratamento da síndrome de veia cava superior (Quadro 21.2)[3,4]

Quadro 21.2 Tratamento da síndrome de veia cava superior.	
O manejo inicial será dependente da gravidade do quadro	Elevar a cabeceira da cama
Diuréticos de alça	Corticoterapia
Suporte clínico intensivo com atenção especial as vias aéreas e tratamento de edema cerebral quando indicado	Anticoagulação e retirada de Cateter Venoso Central (CVC), quando o mesmo for fator causal
Stent endovascular	Radioterapia: cada vez com uso menos frequente para controle de sintomas ou de *stent*
Quimioterapia: principal tratamento para tratar a causa primária, quando o tumor for responsivo	Cirurgia: cada vez menos utilizadas, pois com o uso de *stents* o risco de complicações a desabona

COMPRESSÃO DE MEDULA ESPINHAL

Definição

Compressão da Medula Espinhal (CME) é a compressão do saco dural por tumor no espaço epidural tanto no nível da medula espinhal quanto no nível da cauda equina, causando muita dor e perda potencialmente irreversível da função neurológica.

Os tumores metastáticos mais frequentes na etiologia da CME são o câncer de próstata, mama e pulmão, ocorrendo também no mieloma múltiplo.[5]

Quadro clínico

a) Dor, com piora ao deitar-se e irradiada para os membros;
b) Fraqueza muscular;
c) Descontrole esfincteriano;
d) Hiper-reflexia abaixo do nível de compressão;

e) Alteração sensorial;
f) Piora da dor, considerar fratura patológica com compressão;
g) Perda aguda da força muscular, caracterizando infarto medular, e classificando o caso como irreversível.

Exames complementares da compressão de medula espinhal (Quadro 21.3).[6]

Quadro 21.3 Exames da compressão de medula espinhal.	
Ressonância nuclear magnética ou tomografia computadorizada	Mielografia associada à TC: casos em que a RNM não pode ser realizada em pacientes com marcapasso, por exemplo.

Tratamento da compressão de medula espinhal (Quadro 21.4)[6]

Quadro 21.4 Tratamento da compressão de medula espinhal.	
Corticoterapia imediata	Prevenção de constipação
Analgesia (opioide)	Considerar anticoagulação para prevenção de TEV
Restringir movimentos que causem dor	

NEUTROPENIA FEBRIL

Definição e quadro clínico

A maior parte do tratamento ao paciente com câncer (quimioterapia e radioterapia) pode ocasionar mielotoxicidade e, consequentemente, neutropenia. A neutropenia febril é uma emergência oncológica. Definições importantes estão apresentadas no Quadro 21.5.

Quadro 21.5 Definições de neutropenia.[6,8]	
Diagnóstico	**Definição**
Neutropenia	Definimos como neutropenia a contagem do número de neutrófilos menor que 500 células/mm³, ou menor que 1.000 células/mm³ com perspectiva de redução a menos de 500 células/mm³ nas próximas 48h.
Neutropenia severa	Neutrófilos menor que 100 mm³ prolongados e maior risco infeccioso.
Neutropenia febril	Quadros descritos acima e febre como temperatura axilar superior a 38,0 °C com duração de mais de uma hora ou uma medida isolada superior ou igual a 38,3 °C (excluindo-se os casos nos quais a febre foi relacionada à infusão de hemocomponentes).

O paciente oncológico neutropênico é submetido a cirurgias, cateteres venosos, próteses, ostomias e sucessivas internações em instituições hospitalares, o que aumenta o risco de ter algum processo infeccioso.

Não é incomum, dependendo da patologia de base e tratamento, a neutropenia febril progredir para sua forma mais agravada, como a sepse, sepse grave e choque séptico. Com isso, alguns conceitos se tornam importantes na prática clínica (Quadro 21.6).

Quadro 21.6 Definições de síndrome da resposta infamatória sistêmica sepse, sepse grave e choque séptico.[7]	
Diagnóstico	**Definição**
Síndrome da resposta inflamatória sistêmica (SIRS)	Resposta do organismo a um insulto (trauma, pancreatite, infecção sistêmica), com a presença de pelo menos dois dos critérios abaixo: 1. Febre – temperatura corporal > 38 °C ou hipotermia temperatura corporal < 36 °C; 2. Taquicardia – frequência cardíaca > 90 bpm;

(*continua*)

Quadro 21.6 Definições de síndrome da resposta infamatória sistêmica sepse, sepse grave e choque séptico.[7] *(continuação)*

Diagnóstico	Definição
Síndrome da Resposta Inflamatória Sistêmica (SIRS)	3. Taquipneia – frequência respiratória maior que 20 irpm ou $PaCO_2$ < 32 mmHg; 4. Leucocitose ou leucopenia – leucócitos > 12.000 céls./mm^3 ou < 4.000 céls./mm^3, ou a presença de mais de 10% de formas jovens (bastões).
Sepse	Quando a síndrome da resposta infamatória sistêmica (SIRS) é decorrente de um processo infeccioso comprovado.
Sepse grave	Quando a sepse está associada a manifestações de hipoperfusão tecidual e disfunção orgânica, caracterizada por acidose láctica, oligúria ou alteração do nível de consciência, ou hipotensão arterial com pressão sistólica < 90 mmHg. Porém, sem a necessidade de agentes vasopressores.
Choque séptico	Quando a hipotensão ou hipoperfusão induzida pela sepse é refratária à reanimação volêmica adequada, e com subsequente necessidade de administração de agentes vasopressores.

Exames complementares e tratamento

a) **Exame físico:** o exame físico detalhado deve ser feito procurando prováveis focos. Além dos focos mais prováveis: pulmonar, corrente sanguínea, urinária, outros focos devem ser considerados como mucosa oral (mucosites), pele e anexos (dermatites fúngicas e de contato, foliculites), região genital e anal (doenças sexualmente transmissíveis, fissuras ou abcessos), lembrando que no paciente neutropênico não deve ser realizado toque retal pela possível quebra de barreira. É importante estar alerta para os dispositivos intravenosos. De 40% a 50% das infecções são foco de origem indeterminada (FOI).

b) **Determinar o escore de risco:** usando a escala *Multinational Association of Supportive Care in Cancer* (MASCC) (Quadro 21.7).
c) **Hemoculturas:** devem sempre ser coletadas no pico febril/subfebril e anterior à troca ou primeira infusão da nova antibioticoterapia. Coletar sempre pareados. Se o paciente tiver Cateteres Venosos Central (CVC): uma amostra de sangue venoso periférico e outro de CVC simultaneamente devem ser coletadas. Caso não haja CVC: coletar duas amostras de sangue periférico, simultâneas e de acessos venosos diferentes.
d) **Hemograma, bioquímica:** eletrólitos, função renal e hepática e Proteína C Reativa (PCR).
e) **Urina I e urocultura** e pesquisa específica de vírus.
f) **Coprocultura e pesquisa específica de vírus (*Clostridium difficile*):** nos casos de diarreia, em casos de neutropenia grave.

Quadro 21.7 *Escala MASCC* – soma dos pontos: baixo (score maior igual a 21) ou alto risco (score menor que 21).[3]

Características/intensidade dos sintomas	Pontuação
Assintomáticos	5
Sintomas leves	5
Sintomas moderados a graves	3
Ausência de hipotensão	5
Ausência de Doença Obstrutiva Pulmonar Crônica (DPOC)	4
Portador de tumor sólido ou ausência de infecção fúngica	4
Ausência de desidratação	3
Não hospitalização ao aparecimento da febre	3
Idade menor que 60 anos	2

g) Lavado/*swab* de pesquisa de viroses respiratórias (adenovírus, vírus respiratório sincicial, influenzavírus A e B, parainfluenzavírus 1, 2 e 3), juntamente com a clínica de sintomas de Viroses Respiratórias (VR) e/ou exposição a indivíduos portadores de VR, em casos de neutropenia grave.
h) Raios X de tórax.
i) Tomografia de tórax.
j) *Antibioticoterapia imediata*: considerando história/perfil infeccioso do paciente/instituição.
k) *Expansão volêmica*: considerar evolução clínica da temperatura axilar, débito urinário, frequência cardíaca e pressão arterial.
l) Níveis séricos e marcadores de infecção fúngica: vancocinemia, voriconazol e galactomanana (marcador de infecção fúngica para *Aspergillus*), em casos de neutropenia grave.
m) Controle glicêmico.
n) Dosagem de lactato.

Os pacientes com SIRS, infecção instalada e sinais e sintomas de disfunção orgânica devem entrar em protocolo de sobrevivência à Sepse com reconhecimento e medidas imediatas.

Estratificação de risco[6]

As doenças oncológicas são dependentes de sua histologia, estadiamento e tratamento com maior ou menor risco de complicações/evoluções de neutropenia febril para SIRS, sepse grave e choque séptico, e classificadas em dois grandes grupos:

- **Baixo risco de complicações infecciosas:** são considerados nessa categoria os pacientes com tumor sólido sem comorbidade e linfoma em remissão sem comorbidade;
- **Alto risco de complicações infecciosas:** são considerados aqui os pacientes com leucemia mieloide aguda em

atividade ou remissão, leucemia linfoide aguda em atividade ou remissão. Tumor sólido com comorbidade ou que tenham recebido altas doses de quimioterapia, linfoma em atividade ou com comorbidade, pacientes submetidos a transplante de medula óssea.

Prevenção

A infecção e sua possível complicação é um dos desfechos mais graves da neutropenia febril. Desse modo, a valorização das atitudes e rotinas que são gerais a todos os pacientes, como a higienização das mãos, é muito valorizada, até as mais específicas e criteriosas, como o controle ambiental da água e do ar de todo o entorno do paciente na instituição hospitalar.

Tais práticas devem ser realizadas desde o primeiro momento do paciente na instituição de saúde. Desse modo, o serviço de emergência é, muitas vezes, a porta de entrada na instituição.

Seguem relacionadas ações preventivas para o controle do risco de infecção como caráter preventivo da neutropenia febril:[8]

a) Higienização das mãos e precaução de contato para germes multirresistentes.
b) Promover vacinação dos profissionais de saúde, sobretudo influenza e varicela.
c) Profilaxia antibacteriana, fúngica e viral.
d) Pacientes não devem ser expostos a atividades que levem à aerossolização de esporos fúngicos.
e) Profissionais de saúde com doenças transmissíveis por aerossóis, gotículas ou contato direto devem ser afastados do contato com os pacientes.
f) Unhas postiças não devem ser utilizadas.
g) Unhas devem ser mantidas curtas e limpas.
h) Adornos nas mãos podem facilitar o crescimento de microrganismos patogênicos e devem ser.

i) Cuidados com Cateter Venoso Central (CVC) (inserção e manutenção): barreira máxima estéril (BME), avental de manga longa estéril, luvas estéreis, gorro, máscara e campo estéril grande cobrindo o paciente devem ser utilizados na inserção do cateter venoso central, inserção de cateter etc.). Preferir clorexidina para inserção e curativos de CVC. Evitar contato com água na inserção do CVC.
j) Mulheres menstruadas não devem usar absorvente interno durante imunossupressão.
k) Termômetros retais, enemas, supositórios e exames retais devem ser evitados.

SÍNDROME DE LISE TUMORAL (SLT)

Definição

A SLT é uma emergência oncológica metabólica ocasionada pela morte celular maligna, estando muito associada ao efeito do tratamento quimioterápico e radioterápico com liberação do seu conteúdo no espaço extracelular. É vista na maioria das vezes logo após a quimioterapia antineoplásica.[9]

Quadro clínico/sinais e sintomas[9,10]

As manifestações clínicas, como lesão renal aguda, convulsões e morte súbita, podem requerer cuidados emergenciais e intensivos.

Lesão renal aguda pode levar à sobrecarga de líquido e a edema pulmonar; hipercalemia ou hiperfosfatemia, intensificadas por insuficiência renal, podem induzir arritmia cardíaca e morte súbita. Cãibras musculares ou convulsões podem não tão usual ocorrer por disfunções de cálcio e fosfatos e alguns critérios podem ser destacados para caracterizar a SLT do ponto de vista de alterações laboratoriais:

Ácido úrico: ≥ 8 mg/dL ou 25% maior que o valor basal.

- **Hiperfosfatemia e hipocalcemia:** fosfato ≥ 4,5 mg/dL em adultos, > 6,5 mg/dL em criança ou 25% maior que a linha de base, cálcio ≤ 7 mg/dL ou 25% menor que o valor basal.
- **Hipercalemia:** potássio ≥ 6 mEq/L ou 25% maior que o valor basal.

Deve ser realizada anamnese completa para identificar a presença de sintomas abdominais (distensão, dor), sintomas e sinais urinários (disúria, hematúria, dor), sintomas de hipercalemia, fraqueza, paralisia, sintomas de hipocalcemias: náuseas, convulsões, alterações do nível de consciência, espasmos, arritmias, síncope, letargia, edemas, sinais e sintomas de uremia e sinais e sintomas de deposição de fosfato de cálcio (prurido, artrite, irite, gangrenas).

Estratificação de risco[10]

Alto risco: ocorre tipicamente em pacientes onco-hematológicos como leucemia mieloide aguda e linfoma não Hodgkin de alto grau, tendo como indicadores alta carga tumoral, níveis de desidrogenase láctica superiores a 1.500 UI, comprometimento extenso da medula óssea e alta sensibilidade tumoral para agentes quimioterápicos.

Diagnósticos de enfermagem[11]

A seguir, encontramos os diagnósticos de enfermagem e as intervenções mais frequentes e gerais nas emergências oncológicas (Quadro 21.8).

Quadro 21.8 Diagnósticos de enfermagem e intervenções em emergências oncológicas.

Diagnóstico de enfermagem	Intervenção de enfermagem
Risco de infecção	▪ Utilizar técnica asséptica em todos os procedimentos invasivos ▪ Promover treinamento em serviço sobre a importância da higiene das mãos ▪ Identificar precocemente sinais de infecção (p. ex., alteração da temperatura, taquicardia, hipotensão arterial, ou sinais flogísticos em acesso venoso) ▪ Evitar que profissionais com viroses prestem assistência a essa população ▪ Realizar frequentemente higiene oral.
Dor aguda	▪ Identificar, por meio de escala apropriada à idade e nível de consciência, a intensidade da dor ▪ Registrar o local e o tipo de dor ▪ Medicar com analgésicos conforme prescrição médica ▪ Avaliar a eficiência da medicação após sua administração, por meio da escala apropriada para avaliação da intensidade da dor ▪ Promover ambiente tranquilo ▪ Posicionar o paciente de maneira confortável.
Risco de choque	▪ Monitorar frequentemente a frequência cardíaca e a pressão arterial ▪ Avaliar o nível de consciência ▪ Realizar balanço hídrico ▪ Manter repouso absoluto ▪ Identificar sinais de choque, perfusão tecidual diminuída, pele fria e pegajosa.
Risco de desequilíbrio eletrolítico	▪ Monitorar exames laboratoriais ▪ Observar sinais e sintomas de alteração de eletrólitos ▪ Proceder a eficaz e rápida infusão de fluidos necessário para a reposição eletrolítica perdida ▪ Realizar balanço hídrico.

(*continua*)

Quadro 21.8 Diagnósticos de enfermagem e intervenções em emergências oncológicas. *(continuação)*

Diagnóstico de enfermagem	Intervenção de enfermagem
Risco para controle emocional instável	▪ Promover orientações de possíveis risco relacionados à situação de emergência ▪ Manter o ambiente calmo e acolhedor às angústias do paciente e familiares.
Risco para intolerância às atividades	▪ Manter as atividades de acordo com as necessidades e segundo a tolerância ▪ Avaliar diariamente as limitações e seus graus de regressão e/ou progressão.

REFERÊNCIAS BIBLIOGRÁFICAS

1. Ações de enfermagem para o controle do câncer: uma proposta de integração ensino-serviço. Instituto Nacional de Câncer. 3. ed. Rev. Atual. Ampl. Rio de Janeiro: INCA, 2008.
2. Morris JC, Holland JF. Oncologic emergencies. In: Holland-Frei Cancer Medicine. BC Decker 2000.
3. Lourenço EP. Emergências oncológicas. In: Enfermagem em oncologia. São Paulo: Atheneu, 2014. p. 235-43.
4. Irwin and Rippe's Intensive Care Medicine 5th. Oncologic Emergencies Oncologyc Dammian Green, John A. Thompson, Bruce Montgomery edition. Philadelphia, PA; 118:1418-33 (January 2003).
5. https://ebooks.ons.org/book/understanding-and-managing-oncologic-emergencies-resource-nurses-second-edition#sthash.R67X0agb.dpuf. Acessado em 20.05.2015.
6. https://mocbrasil.com/moc-residentes/emergencias-oncologicas. Acessado em 11.08.2015.
7. Matos GFJ, Victorino JA. Critérios para o diagnóstico de sepse, sepse grave e choque séptico. Revista Brasileira Terapia Intensiva. Vol 16 – n 2 - Abril/Junho 2004.p. 102-4.
8. http://www.sbtmo.org.br/userfiles/fck/Diretrizes_da_Sociedade_Brasileira_de_Transplante_de_Medula_%C3%93ssea_2012_ISBN_978-85-88902-17-6%20(2).pdf. Acessado em 09.08.2015.

9. Darmon M, Malak S, Guichard I, Schlemmer B. Síndrome de lise tumoral: uma revisão abrangente da literatura. Rev Bras Ter Intensiva. 2008; 20(3):278-85.
10. Tallo FS, Vendrame LS, Lopes RD, Lopes AC. Síndrome da lise tumoral: uma revisão para o clínico. Rev Bras Clin Med. São Paulo, 2013 abr--jun;11(2):150-4.
11. Diagnóstico de Enfermagem da NANDA: definições e classificação 2015-2017, NANDA Internacional. Porto Alegre: Artmed, 2015. p. 468.

capítulo 22

Aline Rosalles Bezerra

Doação de Órgãos

INTRODUÇÃO

Nas últimas décadas, o avanço nas pesquisas científicas proporcionou a inovação no tratamento de inúmeras patologias. Com o aprimoramento das técnicas cirúrgicas, o desenvolvimento dos imunossupressores e o conhecimento sobre os processos de compatibilidade e rejeição, o transplante de órgãos e tecidos tornou-se o tratamento de escolha para diversas doenças terminais de órgãos e falências de tecidos, constituindo-se como uma alternativa terapêutica segura e eficaz no tratamento de diversas doenças, determinando melhoria na qualidade e na perspectiva de vida.[1]

Não obstante as conquistas nos últimos anos referente à oferta de órgãos e tecidos para transplante no Brasil, o número de doadores ainda é escasso e insuficiente para atender a demanda atual. Em 2014, foram realizados 21.150 transplantes de órgãos e tecidos no país (Tabela 22.1), porém 38.749 pessoas ainda aguardavam por um transplante de órgão ou córnea em fevereiro de 2015 (Tabela 22.2).[2]

Em 1968, o Brasil publicou a primeira legislação para transplantes, a Lei 5.479,[3] que sofreu alterações, sendo promulgada em 1997 a Lei 9.434,[4] conhecida como Lei dos Transplantes de Órgãos. Esta estabelece, juntamente com a Lei 10.211/01[5] e a Resolução do Conselho Federal de Medicina (CFM) 1.480/97,[6] as diretrizes para a política nacional de doação e transplante de órgãos e tecidos em vigor atualmente no país.

Tabela 22.1 Transplantes de órgãos e tecidos realizados no Brasil em 2014.

Órgãos sólidos (OS)							Tecido ocular	Total geral
Coração	Fígado	Pulmão	Rim	Pâncreas	Rim/ pâncreas	Total OS	Córnea	
309	1.769	67	5.409	42	98	7.649	13.456	21.150

Fonte: Ministério da Saúde, Brasil, 2014.[2]

Tabela 22.2 Lista de espera para transplante por órgão e tecido em fevereiro de 2015.

Órgãos sólidos (OS)							Tecido ocular	Total geral
Coração	Fígado	Pulmão	Rim	Pâncreas	Rim/ pâncreas	Total OS	Córnea	
345	1.879	220	24.145	72	650	27.311	11.438	38.749

Fonte: Ministério da Saúde, Brasil, 2015.[2]

Sendo assim, em 1997 foram criados o Sistema Nacional de Transplantes (SNT), as Centrais de Notificação, Captação e Distribuição de Órgãos e Tecidos para Transplante (CNCDOs) e os Cadastros Técnicos (lista única) para a distribuição dos órgãos e tecidos doados.

Na maior parte dos Estados do país, as CNCDOs eram responsáveis pelo processo de identificação e efetivação dos Potenciais Doadores (PDs). Em 1997, este processo foi descentralizado, com a criação das Organizações de Procura de Órgãos (OPOs), no Estado de São Paulo, e, posteriormente, em diversos outros Estados brasileiros. As OPOs tem origem no modelo norte-americano de doação. No Brasil, a maioria é vinculada a hospitais-escola, e atua de forma regionalizada nos hospitais que pertencem à sua área territorial, a fim de coordenar as ações relacionadas à doação.

Em 2005, a Portaria GM/MS nº 1.752[7] estabeleceu a obrigatoriedade da instituição de uma Comissão Intra-Hospitalar de

Doação de Órgãos e Tecidos para Transplantes (CIHDOTT) para os hospitais com mais de 80 leitos. Tais comissões baseiam-se no modelo espanhol de doação de órgãos, com foco na figura de um coordenador intra-hospitalar de transplante, que atua gerenciando as ações ligadas à doação dentro de um determinado hospital.

No que diz respeito à autorização para a doação, a Lei 9.434/97[4] adotava o consentimento presumido, em que todo cidadão era considerado doador, a não ser que expressasse sua vontade contrária em documento de identificação. A doação presumida não encontrou respaldo na sociedade brasileira e, posteriormente, a Lei 10.211/01[5] definiu o consentimento informado como forma de manifestação à doação. Assim, a doação passou a depender da autorização do cônjuge ou parente maior de idade, de primeiro ou segundo graus.

Entre os profissionais envolvidos nas etapas do processo doação-transplante, destacam-se os enfermeiros, que integram as equipes transplantadoras, as OPOS e CIHDOTTs, e participam de diversas atividades, determinadas pela resolução COFEN 292/2004,[8] incluindo: notificar às CNCDOs a existência do PD, realizar entrevista familiar, solicitando o consentimento para a doação; receber e coordenar as equipes de retirada de órgãos e acompanhar e/ou supervisionar a entrega do corpo do doador falecido à família, entre outras.

PROCESSO DE DOAÇÃO DE ÓRGÃOS E TECIDOS PARA TRANSPLANTE

Na prática, a política nacional de doação e transplante de órgãos no país constitui um processo extremamente complexo, desenvolvido por uma equipe multiprofissional envolvida no cuidado ao PD.

Identificação e notificação do potencial doador

O processo de doação inicia-se com a identificação dos pacientes com suspeita de Morte Encefálica (ME) em um hospital. O paciente em coma aperceptivo e arreativo, com Escala de Coma de Glasgow (ECG) igual a 3, é identificado por meio do exame clínico de rotina realizado pelo médico. Uma vez identificado tal paciente, a notificação à CNCDO/OPO/CIHDOTT é compulsória.

A identificação pode ocorrer por meio de notificação passiva (quando a equipe multiprofissional comunica a CNCDO/OPO/CIHDOTT sobre a existência do PD), ou pela busca ativa (por meio da realização de visitas pelo profissional da captação às unidades de Terapia Intensiva (UTI) e Pronto Socorros (PS), a fim de localizar pacientes com critérios para ME).

Diagnóstico e documentação da morte encefálica

A ME é definida como a cessação completa da circulação sanguínea e das funções metabólicas e elétricas do córtex cerebral, do telencéfalo e do tronco cerebral.[9,10]

A Resolução do CFM 1.480/97[6] define que para o diagnóstico de ME, que deve ser realizado seguindo os passos determinados no "Termo de Declaração de Morte Encefálica", demonstrado, a seguir, no Quadro 22.1.

Quadro 22.1 Termo de declaração de morte encefálica.
Nome do hospital
Termo de declaração de morte encefálica
Res. Cfm nº 1.480/97
Nome:
Pai:
Mãe:
Idade: ___ anos ___ meses ___ dias   data de nascimento ___/___/___
Sexo: m f   raça: a b n   registro hospitalar: ________

(*continua*)

Quadro 22.1 Termo de declaração de morte encefálica. *(continuação)*

A. Causa do coma:

A.1. - Causa do coma:

A.2. - Causas do coma que devem ser excluídas durante o exame:

a) hipotermia

( ) Sim ( ) não

b) uso de drogas depressoras do sistema nervoso central

( ) Sim ( ) não

Se a resposta for sim a qualquer um dos itens, interrompe-se o protocolo.

B. Exame neurológico (atenção: verificar o intervalo mínimo exigível entre as avaliações clínicas constantes da tabela abaixo)

Idade	Intervalo
7 Dias a 2 meses incompletos	48h
2 Meses a 1 ano incompleto	24h
1 Ano a 2 anos incompletos	12h
Acima de 2 anos	6h

Ao efetuar o exame, assinalar uma das duas opções sim/não obrigatoriamente, para todos os itens abaixo.

Elementos do exame neurológico	Resultados			
	1º Exame		2º exame	
Coma aperceptivo	( ) sim	( ) não	( ) sim	( ) não
Pupilas fixas arreativas	( ) sim	( ) não	( ) sim	( ) não
Ausência de reflexo córneopalpebral	( ) sim	( ) não	( ) sim	( ) não
Ausência de reflexos óculocefálicos	( ) sim	( ) não	( ) sim	( ) não
Ausência de resposta às provas calóricas	( ) sim	( ) não	( ) sim	( ) não
Ausência de reflexo de tosse	( ) sim	( ) não	( ) sim	( ) não
Apneia	( ) sim	( ) não	( ) sim	( ) não

(continua)

Quadro 22.1 Termo de declaração de morte encefálica. *(continuação)*

C. Assinaturas dos exames clínicos (os exames devem ser realizados por profissionais diferentes, que não poderão ser integrantes da equipe de remoção e transplante).

1. Primeiro exame:	2. Primeiro exame:
Data: _/_/_ Hora: __:__	Data: _/_/_ Hora: __:__
Nome do médico: __________	Nome do médico: __________
CRM: ______ Fone:______	CRM: ______ Fone:______
END: ______________	END: ______________
Assinatura: __________	Assinatura: __________

D. Exame complementar (indicar o exame realizado e anexar laudo com a identificação do médico responsável)

1. Angiografia cerebral	2. Cintilografia radioisotópica	3. Doppler transcraniano	4. Monitorização da pressão intracraniana	5. Tomografia computadorizada de xenônio
6. Tomografia por emissão de fóton único	7. Eeg	8. Tomografia por emissão de pósitrons	9. Extração cerebral de oxigênio	10. Outros (citar)

E. Observações

1 - Interessa, para o diagnóstico de morte encefálica, exclusivamente a arreatividade supraespinal. Consequentemente, não afasta este diagnóstico a presença de sinais de reatividade infraespinal (atividade reflexa medular) tais como: reflexos osteotendinosos ("reflexos profundos"), cutâneo-abdominais, cutâneo-plantar em flexão ou extensão, cremastérico superficial ou profundo, ereção peniana reflexa, arrepio, reflexos flexores de retirada dos membros inferiores ou superiores, reflexo tônico-cervical.

2 - Prova calórica

2.1 - Certificar-se de que não há obstrução do canal auditivo por cerumem ou qualquer outra condição que dificulte ou impeça a correta realização do exame.

2.2 - Usar 50 mL de líquido (soro fisiológico, água, etc.) Próximo de 0 °C em cada ouvido.

2.3 - Manter a cabeça elevada em 30 °C durante a prova.

2.4 - Constatar a ausência de movimentos oculares.

(continua)

Quadro 22.1 Termo de declaração de morte encefálica. *(continuação)*

3 - Teste da apnéia

No doente em coma, o nível sensorial de estímulo para desencadear a respiração é alto, necessitando-se da pco_2 de até 55 mmHg, fenômeno que pode determinar um tempo de vários minutos entre a desconexão do respirador e o aparecimento dos movimentos respiratórios, caso a região ponto-bulbar ainda esteja íntegra. A prova da apnéia é realizada de acordo com o seguinte protocolo:

3.1 - Ventilar o paciente com 02 de 100% por 10 minutos.

3.2 - Desconectar o ventilador.

3.3 - Instalar cateter traqueal de oxigênio com fluxo de 6 litros por minuto.

3.4 - Observar se aparecem movimentos respiratórios por 10 minutos ou até quando o $PaCO_2$ atingir 55 mmHg.

4 - Exame complementar. Este exame clínico deve estar acompanhado de um exame complementar que demonstre inequivocadamente a ausência de circulação sanguínea intracraniana ou atividade elétrica cerebral, ou atividade metabólica cerebral. Observar o disposto abaixo (itens 5 e 6) com relação ao tipo de exame e faixa etária.

5 - Em pacientes com dois anos ou mais – 1 exame complementar entre os abaixo mencionados:

5.1 - Atividade circulatória cerebral: angiografia, cintilografia radioisotópica, doppler transcraniano, monitorização da pressão intracraniana, tomografia computadorizada com xenônio, spect.

5.2 - Atividade elétrica: eletroencefalograma.

5.3 - Atividade metabólica: pet, extração cerebral de oxigênio.

6 - Para pacientes abaixo de 02 anos:

6.1 - De 1 ano a 2 anos incompletos: o tipo de exame é facultativo. No caso de eletroencefalograma são necessários 2 registros com intervalo mínimo de 12h.

6.2 - De 2 meses a 1 ano incompleto: dois eletroencefalogramas com intervalo de 24h.

6.3 - De 7 dias a 2 meses de idade (incompletos): dois eletroencefalogramas com intervalo de 48h.

7 - Uma vez constatada a morte encefálica, cópia deste termo de declaração deve obrigatoriamente ser enviada ao órgão controlador estadual (lei 9.434/97, Art. 13).

Fonte: Resolução CFM 1.480/97.[6]

A realização dos testes para o diagnóstico de ME é uma atividade privativa e exclusiva do profissional médico, o qual pode ser auxiliado por outros profissionais, como fisioterapeutas e enfermeiros, durante o exame.[11]

O diagnóstico de ME é direito do paciente e dever do médico responsável pelo seu cuidado, independente da doação de órgãos. Após a conclusão do diagnóstico, deve ser preenchida a Declaração de Óbito (casos de óbito natural) ou a Guia de Encaminhamento do Cadáver ao Instituto Médico Legal (IML), nos casos de óbito por causas externas. A data e horário do óbito devem ser os mesmos do último exame do protocolo de ME, seja ele clínico ou complementar. A entrega desses documentos à família será realizada no momento da liberação do corpo.

Avaliação do potencial doador

O profissional da OPO/CIHDOTT avalia as condições do PD e a viabilidade dos órgãos a serem extraídos com base no exame físico, história clínica, antecedentes médicos e exames laboratoriais e de imagem. A adequada avaliação clínica e laboratorial é essencial para se obter um enxerto de qualidade, assim como evitar a transmissão de enfermidades infecciosas ou neoplásicas ao receptor.[1]

Hoje são poucas as contraindicações consideradas absolutas para a doação,[1] entre elas: tumores malignos, com exceção de carcinomas basocelulares de pele, carcinoma *in situ* do colo uterino e tumores primitivos do sistema nervoso central; sorologia positiva para HIV ou para HTLV I e II; sepse ativa e não controlada; e tuberculose em atividade.

A avaliação dos exames laboratoriais e de imagem auxilia na determinação da viabilidade de cada órgão, conforme descrito no Quadro 22.2.

Quadro 22.2 Exames mínimos necessários para avaliação do potencial doador.

Avaliar	Exame
Tipagem sanguínea	Grupo ABO
Sorologias	Anti-HIV, HTLV I e II, HBsAg, anti-Hbc, anti-Hbs, anti-HCV, citomegalovírus, Chagas, toxoplasmose, sífilis
Hematologia	Hemograma, plaquetas
Eletrólitos	Na, K
Doador de pulmão	Gasometria arterial, radiografia de tórax, medida da circunferência torácica
Doador de coração	CPK, CKMB, ECG, cateterismo (para pacientes acima de 45 anos)
Doador de rim	Ureia, creatinina, urina tipo I
Doador de fígado	TGO, TGP, gama-GT, fosfatase alcalina, bilirrubinas
Doador de pâncreas	Amilase, glicemia
Infecções	Culturas deverão ser colhidas no local de origem

Fonte: Adaptado de Associação Brasileira de Transplante de Órgãos (ABTO), 2009.[1]

Consentimento familiar para a doação

Após o diagnóstico de ME e a avaliação do PD, não havendo contraindicações absolutas à doação, o profissional capacitado (enfermeiro ou médico da OPO/CIHDOTT) realiza a entrevista familiar, que é definida como a reunião que ocorre entre os familiares do PD e um ou mais profissionais da equipe de captação, ou outro profissional treinado, a fim de obter o consentimento à doação.[11]

O consentimento familiar é a concordância da família com a doação de órgãos e tecidos expressa em documento formal (Termo de Doação), que deve ser assinado pelo responsável legal pelo potencial doador (parente até 2º grau ou cônjuge), além de duas testemunhas presentes no momento da entrevista.

Logística para remoção dos órgãos e tecidos

Após o consentimento familiar para a doação e a avaliação completa do PD, o profissional da OPO informa à CNCDO os dados do paciente, os órgãos e tecidos doados pela família, e o local e hora do agendamento da cirurgia para extração dos órgãos e tecidos para transplante.

A partir do cadastro de pacientes receptores no Cadastro Único do SNT, a CNCDO promove a distribuição dos órgãos, emitindo uma lista de receptores compatíveis com o doador. A CNCDO informa a equipe transplantadora sobre a existência do doador e o receptor definido para receber determinado órgão. Conhecendo o estado e as condições clínicas do receptor, cabe à equipe transplantadora decidir sobre a sua utilização. Caso o órgão não seja utilizado, a CNCDO realiza a oferta para o próximo receptor em lista de espera.

Cirurgia para extração dos órgãos e tecidos

É o procedimento cirúrgico no qual são retirados os diferentes órgãos e tecidos doados com o propósito de beneficiar um ou mais receptores, independentemente de sua futura viabilidade.[11]

Cada equipe realiza a extração do órgão no centro cirúrgico, respeitando as técnicas de assepsia e preservação dos órgãos. Em seguida, os órgãos são acondicionados e encaminhados ao hospital de origem da equipe, onde localiza-se o receptor.

Entende-se como doador efetivo o potencial doador do qual extraiu-se ao menos um órgão sólido com finalidade terapêutica de transplante.[12]

Liberação do corpo do doador falecido

Após o término da extração, o corpo deve ser entregue à família, reconstituído de modo condigno, e o profissional da captação deve fornecer todas as orientações necessárias para a liberação, de acordo com a rotina do hospital. No caso de morte por causas externas, o corpo deverá ser encaminhado ao IML, que emitirá o atestado de óbito após realizar a necropsia. Já nos casos de morte natural, a declaração de óbito deverá ser preenchida pela equipe médica do hospital onde ocorreu o diagnóstico de ME.

MANUTENÇÃO DO POTENCIAL DOADOR DE ÓRGÃOS E TECIDOS PARA TRANSPLANTE

A ME é um processo complexo que altera a fisiologia de todos os sistemas orgânicos como resposta à perda das funções do tronco cerebral, decorrentes da inativação dos centros de controle hemodinâmico, pressórico, hormonal e respiratório e da perda do controle do balanço hidroeletrolítico e do metabolismo da glicose.[13]

A manutenção do PD deve ser realizada desde a sua identificação até a extração dos órgãos e tecidos para transplante, e inclui cuidados intensivos médicos e de enfermagem. A garantia das condições clínicas e laboratoriais adequadas do PD influencia diretamente na qualidade do enxerto para transplante após a autorização da doação pelo familiar do falecido.[14]

Manutenção hemodinâmica

A hipotensão caracteriza-se por uma Pressão Arterial Média (PAM) inferior a 60 mmHg e é um problema comum, que leva à diminuição da perfusão dos diversos órgãos, contribuindo para a má qualidade do enxerto.[13]

Recomenda-se monitorizar a Pressão Arterial (PA) de modo invasivo em todos os PDs falecidos, a fim de manter a PAM acima de 65 mmHg ou a Pressão Arterial Sistólica (PAS) acima de 90 mmHg. Para o controle pressórico, orienta-se a infusão de cristaloides aquecidos (20 a 30 mL/kg a 43 °C em 30 minutos). Se não houver resposta à reposição volêmica, orienta-se o uso de

Drogas Vasoativas (DVA) – noradrenalina, adrenalina, vasopressina ou dopamina – para manter a PA-alvo, administradas em bomba de infusão e por acesso venoso central.[15]

Manutenção ventilatória

A apneia ocorre como consequência da destruição do centro respiratório, sendo necessária a instituição da ventilação mecânica.[13] A ME leva a alterações fisiopatológicas e graves alterações endócrinas, com grande reação inflamatória que pode afetar o tecido pulmonar.[16]

Recomenda-se ventilar todos os PDs com pulmões normais, utilizando estratégia protetora: modo volume ou pressão controlada, volume corrente de 6 a 8 mL/kg de peso ideal, FiO_2 ajustada para se obter $PaO_2 \geq 90$ mmHg, PEEP 8 a 10.[16] É importante também manter o máximo controle asséptico da via aérea e higiene brônquica, a fim de evitar a infecção pulmonar.[13]

Manutenção hidroeletrolítica

- **Sódio (Na^+)**: há evidências que a hipernatremia no PD seja fator de pior prognóstico da função do enxerto. Uma das principais causas da hipernatremia no PD é a poliúria decorrente do Diabetes Insípido (DI). Sendo assim, orienta-se manter o Na sérico entre 130 a 150 mEq/L e o débito urinário entre 0,5 a 4 mL/kg/h. Recomenda-se corrigir a hipernatremia com administração de água livre intravenosa (IV), na forma de solução glicosada a 5% ou com solução salina a 0,45%;[16]
- **Demais eletrólitos**: hipofosfatemia e hipocalcemia podem reduzir a contratilidade miocárdica e contribuir para a hipotensão, enquanto a hipocalemia e hipomagnesemia podem levar a arritmias. Assim, recomenda-se dosar magnésio, fósforo, cálcio e potássio e repetir a cada 6h em caso de anormalidade, procedendo às correções como em todos os pacientes graves.[16]

Manutenção da temperatura

Com a ocorrência da ME, o hipotálamo deixa de exercer sua função termorreguladora, levando à hipotermia, que tem efeitos deletérios sobre o organismo, como vasoconstrição, depressão miocárdica, arritmias, hiperglicemia, cetose leve, alterações da coagulação e da função renal, além de redução da liberação de oxigênio aos tecidos.[13] A fim de manter a viabilidade dos órgãos, deve-se manter temperatura superior a 35 °C (idealmente entre 36 °C e 37 °C).[15]

Portanto, devem ser utilizadas medidas que evitem perda de calor, como aquecimento do ambiente e dos gases do ventilador mecânico, irrigação gástrica e colônica com soluções aquecidas, utilização de mantas térmicas e infusão de cristaloides aquecidos (43 °C) em veia central.[15]

Manutenção endócrina

- **Controle glicêmico**: a tempestade simpática que se instala no PD aumenta a gliconeogênese, em razão da maior resistência à insulina nos tecidos periféricos e diminuição da liberação de insulina pelo pâncreas, resultando em importante hiperglicemia. Recomenda-se a monitorização da glicemia capilar a cada 6 horas, e o início de infusão de insulina guiada por protocolo se o nível glicêmico for > 180 mg/dL;[16]
- **Diabetes insípido**: é muito comum a disfunção do eixo hipotálamo-hipofisário na ME. Com a ausência do hormônio antidiurético, ocorre o DI, que se caracteriza por poliúria (> 4 mL/kg/h). Se não corrigida, a poliúria cursa com hipovolemia secundária, hipernatremia (Na ≥ 145 mEq/L e hiperosmolaridade sérica (≥ 300 mosM/L). A desmopressina (DDAVP) é a droga de escolha para o tratamento do DI, e deve ser utilizada na dose de 1 a 2 µg IV em *bolus* a cada 4 horas, até diurese < 4 mL/kg/h;[16]

- **Hormônios tireoidianos**: há evidências que sua reposição resulte em maior estabilidade hemodinâmica do PD. Assim, recomenda-se a administração de T3 e T4 por via IV, ou de levotiroxina por via enteral, logo após a realização do diagnóstico de ME, caso não haja disponibilidade das formulações IV.[16]

Manutenção nutricional

A doença grave está tipicamente associada a grande estresse metabólico. Sendo assim, é indicado o suporte enteral ou parenteral do PD, que deve se suspenso em caso de necessidade de doses elevadas de DVAs ou sinais de hipoperfusão tecidual.[16]

Manutenção hematológica

Recomenda-se a transfusão de hemácias se Hb ≤ 7 g/dL ou < 10 g/dL em PD quando houver instabilidade hemodinâmica e a transfusão de plaquetas se houver sangramento ativo significativo associado à plaquetopenia (100.000/mm^3), ou, ainda, se a contagem plaquetária < 50.000/mm^3 for associada a alto risco de sangramento ou ore-procedimento invasivo.[16]

Manutenção do tecido ocular

As pálpebras do PD devem ser mantidas fechadas, a fim de evitar a exposição das córneas à luz, com consequente ressecamento. Devem ser instilados colírios oftálmicos ou soluções lubrificantes, a fim de manter as córneas viáveis para transplante.[13]

Manutenção preventiva e tratamento de infecções

A infecção não representa contraindicação absoluta para a doação de órgãos e tecidos.[13] Portanto, recomenda-se manter ou iniciar a antibioticoterapia no PD caso haja indicação clínica, informando à equipe de captação sobre a possibilidade de infecção, e realizar a coleta de culturas (duas hemoculturas e urocultura) de todos os PDs na abertura do protocolo de ME.

Outras culturas devem ser coletadas de acordo com a suspeita clínica de infecção.[16]

A assistência ao PD deve ser realizada da mesma maneira que é prestada a assistência ao paciente crítico, como acesso venoso central para infusão de drogas e soluções, monitorização hemodinâmica contínua, sondagem vesical de demora para o controle da diurese, sondagem gástrica, controle da temperatura, higiene corporal e brônquica (aspiração do tubo orotraqueal e de vias aéreas).[13]

O enfermeiro deve estar capacitado para identificar as alterações fisiopatológicas da ME para que, junto com a equipe de saúde, possa instituir as medidas terapêuticas adequadas.[14] Sendo assim, o enfermeiro assume papel fundamental na assistência intensiva do PD, sendo sua responsabilidade planejar, coordenar, executar e avaliar os cuidados prestados pela equipe de enfermagem, com o objetivo de viabilizar a doação de órgãos e tecidos para transplante.[13]

REFERÊNCIAS BIBLIOGRÁFICAS

1. Pereira WA (coord). Diretrizes Básicas para Captação e Retirada de Múltiplos Órgãos e Tecidos da Associação Brasileira de Transplante de Órgãos. São Paulo: ABTO – Associação Brasileira de Transplante de Órgãos, 2009.
2. Ministério da Saúde (BR). Portal da Saúde. [acesso em 10 de maio de 2015]. Disponível em: http://portalsaude.saude.gov.br/index.php/o-ministerio/principal/secretarias/sas/transplantes
3. Senado Federal (BR). Lei 5.479, de 10 de agosto de 1968. Dispõe sobre a retirada e transplante de tecidos, órgãos e partes de cadáver para finalidade terapêutica e científica, e dá outras providências. [acesso em 10 de maio de 2015]. Disponível em: http://legis.senado.gov.br/legislacao/ListaNormas.action?numero=5479&tipo_norma=LEI&data=19680810&link=s
4. Ministério da Saúde (BR). Lei 9.434, de 4 de fevereiro de 1997. Dispõe sobre a remoção de órgãos, tecidos e partes do corpo humano para fins de transplante e tratamento e dá outras providências. [acesso em 10 de maio de 2015]. Disponível em: https://www.planalto.gov.br/ccivil_03/leis/l9434.htm

5. Ministério da Saúde (BR). Lei 10.211, de 23 de março de 2001. Altera os dispositivos da Lei nº 9.434, de 4 de fevereiro de 1997, que "dispõe sobre a remoção de órgãos, tecidos e partes do corpo humano para fins de transplante e tratamento". [acesso em 10 de maio de 2015]. Disponível em: https://www.planalto.gov.br/ccivil_03/leis/leis_2001/l10211.htm
6. Conselho Federal de Medicina. Resolução CFM 1.480, de 8 de agosto de 1997. [acesso em 10 de maio de 2015]. Disponível em: URL: http://www.portalmedico.org.br/resolucoes/CFM/1997/1480_1997.htm
7. Ministério da Saúde (BR). Portaria GM/MS n. 1.752, de 23 de setembro de 2005. Determina a constituição de Comissão Intra-Hospitalar de Doação de Órgãos e Tecidos para Transplantes em todos os hospitais públicos, privados e filantrópicos com mais de 80 leitos. Diário Oficial da União 27 set 2005;196(1):54.
8. Conselho Federal de Enfermagem. Resolução COFEN 292, de 7 de junho de 2004. Normatiza a Atuação do Enfermeiro na Captação e Transplante de Órgãos e Tecidos. [acesso em 20 de maio de 2015]. Disponível em: http://www.cofen.gov.br/resoluo-cofen-2922004_4328.html
9. Joynt RJ. A new look at death. JAMA. 1984;252(5):680-2.
10. Manreza LA, Stávale MA. Considerações básicas sobre a morte encefálica. In: Stávale MA (ed.). Bases da terapia intensiva neurológica. São Paulo: Santos, 1996. p. 647-52.
11. Secretaria de Estado da Saúde de São Paulo. Coordenação do Sistema Estadual de Transplante. Doação de órgão e tecidos. São Paulo: 2002.
12. Garcia VD. Por uma política de transplante no Brasil. São Paulo: Office; 2000.
13. Santos MJ, Moraes EL, Massarollo MCKB. Cuidados intensivos com o potencial doador de órgãos e tecidos para transplante. In: Padilha KG, Vattimo MFF, Silva SC e Kimura M (orgs.). Enfermagem em UTI: cuidando do paciente crítico. São Paulo: Manole, 2009. p. 1-15 (cap 13).
14. Guetti NR, Marques IR. Assistência de enfermagem ao potencial doador de órgãos em morte encefálica. Rev Bras Enferm. 2008;61(1):91-7.
15. Westphal GA, Caldeira Filho M, Vieira KD, et al. Diretrizes para manutenção de múltiplos órgãos no potencial doador adulto falecido. Parte I. Aspectos gerais e suporte hemodinâmico. Rev Bras Ter Intensiva. 2011;23(3):255-68.
16. Westphal GA, Caldeira Filho M, Vieira KD, et al. Diretrizes para manutenção de múltiplos órgãos no potencial doador adulto falecido. Parte II. Ventilação mecânica, controle endócrino metabólico e aspectos hematológicos e infecciosos. Rev Bras Ter Intensiva. 2011; 23(3):269-82.

capítulo 23

- Cássia Regina Vancini Campanharo
- Maria Carolina Barbosa Teixeira Lopes
- Meiry Fernanda Pinto Okuno
- Ruth Ester Assayag Batista

Principais Escalas de Avaliação na Emergência

ESCALA DE COMA DE *GLASGOW* PARA AVALIAR A REATIVIDADE DO PACIENTE

Cada componente dos três parâmetros recebe um escore, variando de 3 a 15, sendo o melhor escore 15 e o menor 3. Pacientes com escore 15 apresentam nível de consciência normal. Pacientes com escores menores que 8 são considerados em coma, representando estado de extrema urgência (Tabela 23.1).[1]

Tabela 23.1 Escala de Coma de Glasgow.		
	Variáveis	Escore
Abertura ocular	Espontânea	4
	À voz (comando verbal)	3
	À dor	2
	Ausente	1
Melhor resposta verbal	Orientado	5
	Confuso	4
	Palavras inapropriadas	3
	Palavras ou sons incompreensíveis	2
	Sem resposta	1
Resposta motora	Obedece a comandos	6
	Localiza dor	5
	Movimento de retirada à dor	4
	Flexão anormal	3
	Extensão anormal	2
	Nenhuma resposta	1

ESCALA DE *RAMSAY* PARA AVALIAÇÃO DO NÍVEL DE SEDAÇÃO (TABELA 23.2).[2]

Tabela 23.2 Escala de Ramsay.	
Nível de atividades	Pontos
Paciente ansioso, agitado ou impaciente.	1
Paciente cooperativo, orientado e tranquilo.	2
Paciente que responde somente ao comando verbal.	3
Paciente que demonstra resposta ativa a um toque leve na glabela ou a um estímulo sonoro auditivo.	4
Paciente que demonstra resposta débil a um toque leve na glabela ou a um estímulo sonoro auditivo.	5
Paciente que não responde a um toque leve na glabela ou a um estímulo sonoro auditivo.	6

ESCALA *MEDICAL RESEARCH COUNCIL* (MRC) PARA AVALIAÇÃO MOTORA

O *Medical Research Council* (MRC) é um instrumento simples adaptado para a avaliação da força muscular em pacientes críticos. Nesse escore, seis Movimentos de Membros Superiores (MMSS) e Membros Inferiores (MMII) são avaliados (Quadro 23.1). A graduação da força varia de 0 (plegia) a 5 pontos (força normal), totalizando um valor máximo de 60 pontos (Tabela 23.3).[3] Caso o paciente esteja impossibilitado de ter um dos membros testados (como amputação), assume-se que este teria a mesma força do membro contralateral.[4]

Pacientes com o escore MRC menor ou igual a 48 são considerados portadores de fraqueza muscular. Indivíduos que têm a pontuação entre 48 e 37 pontos são considerados portadores de fraqueza significativa; os que apresentam 36 pontos ou menos são classificados como severamente fracos.[5,6]

Quadro 23.1 Movimentos solicitados na escala MCR.

Membros superiores	Membros inferiores
Ombro: abdução	**Quadril:** flexão
Cotovelo: flexão	**Joelho:** extensão
Punho: flexão	**Tornozelo:** dorsiflexão

Tabela 23.3 Escala *Medical Research Council* (MRC) – avaliação motora.

Componentes	Pontuação
Paralisia total	0
Contração visível ou palpável	1
Movimento ativo, arco de movimento completo com a gravidade eliminada	2
Movimento ativo, arco de movimento completo contra a gravidade	3
Movimento ativo, arco de movimento completo, contra uma moderada resistência	4
Normal, arco de movimento completo contra resistência	5

ESCALA DE *HUNT* E *HESS* PARA DETERMINAR O RISCO CIRÚRGICO DOS PACIENTES COM ANEURISMAS INTRACRANIANOS (TABELA 23.4)[7]

Tabela 23.4 Escala de *Hunt* e *Hess* para aneurismas intracranianos.

Grau	Critérios
I	Assintomático ou cefaleia leve e rigidez de nuca leve
II	Cefaleia moderada a severa, rigidez de nuca, sem déficit neurológico, exceto por paralisia de nervos cranianos
III	Sonolência, confusão, déficits focais moderados
IV	Estupor, hemiparesia moderada ou severa, distúrbios vegetativos
V	Coma profundo, postura de descerebração

Pacientes com doença sistêmica grave (hipertensão, diabetes, arteriosclerose grave, doença pulmonar crônica) ou vasoespasmo diagnosticado na angiografia deve-se avançar um grau na escala.

Fonte: Hunt WE, Hess RM. Surgical risks as related to time of intervention in the repair of intracranial aneurysms. J Neurosurg. 1968;28:14-20.

ESCALA DE *FISHER* PARA CLASSIFICAR O RISCO DE DESENVOLVIMENTO DE VASOESPASMO CEREBRAL EM PACIENTES COM HEMORRAGIA SUBARACNOIDE (HSA) (TABELA 23.5)

Tabela 23.5 Escala de *Fisher* para hemorragia subaracnoide.

Grupo	HSA na tomografia de crânio
1	Não se detecta sangue
2	HSA presente em espessura < 1 mm
3	HSA presente em espessura ≥ 1 mm
4	Presença de coágulo intraparenquimatoso ou intraventricular com ou sem HSA

Fonte: Fisher CM, Kistler JP, Davis JM. Relation of cerebral vasospasm to subarachnoid hemorrhage visualized by CT scanning. Neurosurgery. 1980;6(1):1-9.

ESCALA PRÉ-HOSPITALAR DE AVC CINCINNATI

A escala de Cincinnati avalia a presença ou ausência da paresia facial, da alteração na força motora e na fala, como demonstrado nas Figuras 23.1 e 23.2 e no Quadro 23.2.

Figura 23.1 Pedir para sorrir. Normal: ambos os lados movem igualmente. Anormal: um lado move menos do que o outro.

Figura 23.2 Queda do membro superior (paciente com os olhos fechados, pedir para sustentar os braços a 90° por 10 segundos). Normal: ambos são sustentados igualmente. Anormal: um dos membros cai comparado ao outro.

Se algum desses sinais estiver alterado, há probabilidade de ser Acidente Vascular Encefálico (AVC).

Quadro 23.2 **Dificuldade da fala.**
Normal: paciente fala corretamente todas as palavras
Anormal: paciente troca as palavras, não fala algumas palavras ou é incapaz de falar

Fonte: American Heart Association. Handbook of Emergency Cardiovascular Care for Healthcare Providers; 2010.

ESCALA DE *WEST-HAVEN* PARA AVALIAÇÃO DAS ALTERAÇÕES NEUROLÓGICAS DECORRENTES DA ENCEFALOPATIA HEPÁTICA (TABELA 23.6)[8]

Tabela 23.6 **Escala de *West-Haven* para encefalopatia hepática.**

Estágios	Níveis de consciência	Conteúdo de consciência	Exames neurológicos
0	Normal	Normal	Normal
I	Leve perda da atenção	Redução na atenção	Tremor ou *flapping* discreto
II	Letárgico	Desorientado; comportamento inadequado	*Flapping* evidente; disartria
III	Sonolento, porém responsivo	Desorientação completa; comportamento bizarro	Rigidez muscular, clônus, hiperreflexia
IV	Coma	Coma	Descerebração

REGRA DOS NOVE PARA CÁLCULO DA SUPERFÍCIE CORPORAL QUEIMADA (SCQ) (FIGURA 23.3)

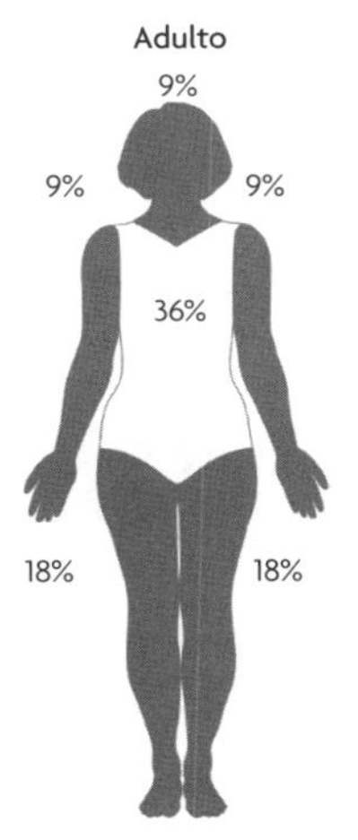

Figura 23.3 Cálculo da SCQ pela regra dos nove.
Fonte: Câmara Técnica de Queimaduras do Conselho Federal de Medicina (CFM).

Quando a extensão da superfície é pequena, pode-se utilizar o tamanho da palma da mão, incluindo os dedos para realizar a medida da área do paciente que é equivalente a 1% da SCQ.[9]

ESCALA ANALÓGICA VISUAL DE DOR

É uma maneira simples e prática para avaliar a dor. Trata-se de uma linha de 10 cm, em que a extremidade à esquerda corresponde à ausência de dor e, à direita, à dor mais intensa possível (Figura 23.4). O paciente deve assinalar em qual local (ou número) se localiza a intensidade da sua dor. O escore é obtido medindo-se a distância entre ausência de dor e o local assinalado.[10]

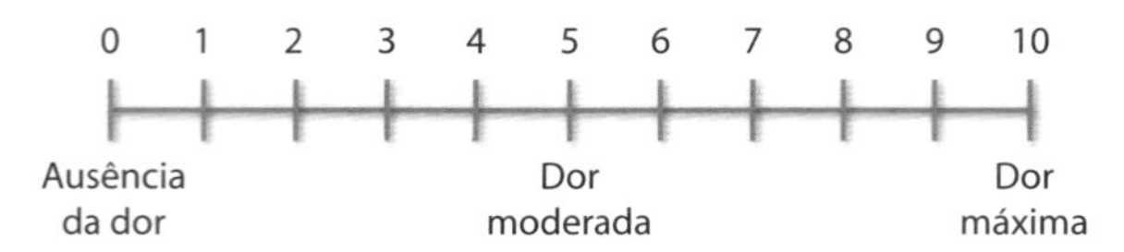

Figura 23.4 Escala de dor.

Fonte: http://www.scielo.br/scielo.php?script=sci_arttext&pid=S0100-39842006000200012

ESCALA DE AVALIAÇÃO DE FLEBITE (TABELA 23.7)[11]

Tabela 23.7 Escala de flebite.

Intensidade	Sinais e sintomas
Grau 0	Sem sinais clínicos.
Grau 1	Eritema no local de inserção com ou sem dor.
Grau 2	Dor no local de inserção do cateter com eritema e/ou edema.
Grau 3	Dor no local de inserção do cateter com eritema e/ou edema, endurecimento, cordão fibroso palpável.
Grau 4	Presença de dor no local de inserção do cateter, eritema e/ou edema, endurecimento e cordão fibroso palpável maior que 1 cm de comprimento, com drenagem purulenta.

CLASSES DE CHOQUE HEMORRÁGICO DE ACORDO COM O VOLUME DE PERDA SANGUÍNEA (TABELA 23.8)[12]

Tabela 23.8 Classes de choque hemorrágico.

	Classe I	Classe II	Classe III	Classe IV
Perda sanguínea (mL)	Até 700 mL	750 a 1.500 mL	1.500 a 2.000 mL	> 2.000 mL
Perda sanguínea (%)	Até 15%	15% a 30%	30% a 40%	> 40%

(continua)

Tabela 23.8 Classes de choque hemorrágico. (*continuação*)

	Classe I	Classe II	Classe III	Classe IV
Pulso	< 100	> 100	> 120	> 140
Pressão arterial	Normal	Normal ou pouco diminuída	< 80 mmHg	< 70 mmHg
Pressão de pulso	Normal ou aumentada	Diminuída	Diminuída	Diminuída
Frequência respiratória	14 a 20	20 a 30	30 a 40	> 40
Diurese	> 30 mL/h	20 a 30 mL/h	5 a 15 mL/h	Desprezível
Estado mental	Normal ou ansioso	Ansioso	Confuso	Letárgico
Reposição volêmica	Cristaloide	Cristaloide	Cristaloide e sangue	Cristaloide e sangue

A perda volêmica para um adulto em choque hemorrágico com aproximadamente 70 Kg e 5 litros de sangue pode ser estimada segundo a Tabela 23.8.

CLASSIFICAÇÃO DE *KILLIP-KIMBALL* PARA IDENTIFICAR A GRAVIDADE E O RISCO DE INSUFICIÊNCIA CARDÍACA NO INFARTO AGUDO DO MIOCÁRDIO[13]

- **Killip I:** sem estertores pulmonares ou 3ª bulha;
- **Killip II:** com estertores basais ou 3ª bulha;
- **Killip III:** com estertores até campo médio; e
- **Killip IV:** com sinais de choque cardiogênico.

ESCALA DE *BRADEN* PARA AVALIAÇÃO DO RISCO DE DESENVOLVIMENTO DE ÚLCERAS POR PRESSÃO (QUADRO 23.3)[14]

Quadro 23.3 Escala de *Braden*.

Percepção sensorial: Capacidade de reagir significativamente à pressão relacionada ao desconforto.	**1. Totalmente limitado:** não reage a estímulos dolorosos (não geme, não se esquiva ou agarra-se), devido ao nível de consciência diminuído ou sedação ou capacidade limitada de sentir dor na maior parte do corpo.	**2. Muito limitado:** reage somente a estímulos dolorosos. Não é capaz de comunicar desconforto a não ser por gemido ou agitação. Ou possui algum problema sensorial que limita a capacidade de sentir dor ou desconforto em mais da metade do corpo.	**3. Levemente limitado:** responde a comandos verbais, mas nem sempre é capaz de comunicar o desconforto ou necessidade de ser mudado de posição. Ou tem algum problema sensorial que limita a capacidade de sentir dor ou desconforto em uma ou duas extremidades.	**4. Nenhuma limitação:** responde a comandos verbais. Não tem déficit sensorial que limitaria a capacidade de sentir ou verbalizar dor ou desconforto.
Umidade: Nível ao qual a pele é exposta à umidade.	**1. Completamente molhada:** a pele é mantida molhada quase constantemente por transpiração, urina etc. Umidade é detectada nas movimentações do paciente.	**2. Muito molhada:** a pele está frequentemente, mas nem sempre, molhada. A roupa de cama deve ser trocada pelo menos uma vez por plantão.	**3.Ocasionalmente molhada:** a pele fica ocasionalmente molhada requerendo uma troca extra de roupa de cama por dia.	**4. Raramente molhada:** a pele geralmente está seca, a troca de roupa de cama é necessária somente nos intervalos de rotina.

Atividade: Grau de atividade física.	**1. Acamado:** confinado à cama.	**2. Confinado à cadeira:** capacidade de andar está severamente limitada ou nula. Não é capaz de sustentar o próprio peso e/ou precisa ser ajudado para sentar-se na cadeira.	**3. Anda ocasionalmente:** anda ocasionalmente durante o dia, porém por distâncias muito curtas com ou sem ajuda. Passa a maior parte do tempo na cama ou na cadeira.	**4. Anda frequentemente:** anda fora do quarto pelo menos 2 vezes por dia e dentro do quarto pelo menos a cada 2h durante as horas que está acordado.
Mobilidade: Capacidade de mudar e controlar a posição do corpo.	**1. Totalmente imóvel:** não faz nem mesmo pequenas mudanças na posição do corpo ou extremidades sem ajuda.	**2. Bastante limitado:** Faz pequenas mudanças ocasionalmente na posição do corpo ou extremidades, mas é incapaz de fazer mudanças frequentes ou significantes sem ajuda.	**3. Levemente limitado:** faz mudanças frequentes, embora pequenas, na posição do corpo ou extremidades sem ajuda.	**4. Não apresenta limitações:** faz mudanças grandes e frequentes de posição sem auxílio.

(*continua*)

Quadro 23.3 Escala de *Braden*. *(continuação)*

Nutrição: Padrão usual de consumo alimentar.	**1. Muito pobre:** nunca come toda a refeição. Raramente come mais de 1/3 do alimento oferecido. Come 2 porções ou menos de proteína por dia. Ingere pouco líquido. Não ingere suplemento alimentar líquido. Ou é mantido em jejum e/ou com dieta líquida ou hidratação IV por mais de cinco dias.	**2. Provavelmente inadequado:** raramente come uma refeição completa e geralmente come somente metade do alimento oferecido. Ingestão de proteína inclui somente 3 porções de carne ou derivados de leite por dia. Ocasionalmente ingere suplemento alimentar. Ou recebe menos do que a quantidade ideal de dieta líquida ou alimentação por sonda.	**3. Adequado:** come mais da metade da maioria das refeições. Ingere um total de 4 porções de proteína (carne ou derivados do leite) por dia. Ocasionalmente recusa uma refeição, mas geralmente ingere um complemento oferecido ou é alimentado por sonda ou regime de nutrição parenteral total que provavelmente satisfaz a maior parte das necessidades nutricionais.	**4. Excelente:** come a maior parte de cada refeição. Nunca recusa uma refeição. Geralmente ingere um total de 4 ou mais porções de carne e laticínios. Ocasionalmente come entre as refeições. Não requer suplemento alimentar.

Fricção e cisalhamento	**1. Problema:** requer assistência moderada a máxima para se mover. É impossível levantá-lo ou erguê-lo completamente sem que haja atrito da pele com o lençol. Frequentemente escorrega na cama ou cadeira, necessitando frequentes ajustes de posição com o máximo de assistência. Espasticidade, contratura ou agitação leva à quase constante fricção.	**2. Problema em potencial:** move-se, mas sem vigor ou requer mínima assistência. Durante o movimento provavelmente ocorre certo atrito da pele com o lençol, cadeira ou outros. Na maior parte do tempo, mantém posição relativamente boa na cama ou cadeira, mas ocasionalmente escorrega.	**3. Nenhum problema:** move-se sozinho na cama ou cadeira e tem suficiente força muscular para erguer-se completamente durante o movimento. Sempre mantém boa posição na cama ou cadeira.	

Fonte: Paranhos WY, Santos VLCG. Avaliação de risco para úlceras de pressão por meio da Escala de Braden, na língua portuguesa. Rev Esc Enf USP. 1999;33:191-206.

REFERÊNCIAS BIBLIOGRÁFICAS

1. Oliveira DMP, Pereira CU, Freitas ZMP. Escalas para avaliação do nível de consciência em trauma cranioencefálico e sua relevância para a prática de enfermagem em neurocirurgia. Arq Bras Neurocir. 2014;33(1):22-32.
2. Mendes CL, Vasconcelos LCS, Tavares JS, Fontan SB, Ferreira DC, Diniz LAC, et al. Escalas de Ramsay e Richmond são equivalentes para a avaliação do nível de sedação em pacientes gravemente enfermos. Rev Bras Ter Intensiva. 2008;20(4):344-8.
3. Kleyweg RP, van der Meché, Franz GA, Schmitz PIM. Interobserver agreement in the assessment of muscle strength and functional abilities in Guillain-Barre syndrome. Muscle & Nerve;1991;14(11):1.103-9.
4. De Jonghe B, Bastuji-Garin S, Sharshar T, Outin H, Brochard L. Does ICU-Acquired Paresis lengthen weaning from mechanical ventilation? Intensive Care Med. 2004;30:1117-21.
5. Dejonghe B, Shashar T, Leaucheur JP, Authier FJ, Durand-Zaleski I, Boussarsar M. Paresis acquired in the intensive care unit – A prospective multicenter study. Journal of the American Medical Association. 2002;288(22):2.859-67.
6. Hermans G, Clerckx B, Vanhullebusch T, Segers J, Vanpee G, Robbeets C, et al. Interobserver agreement of Medical Research Council sum-score and handgrip strength in the intensive care unit. Muscle Nerve. 2012;45(1):18-25.
7. Singer RJ, Ogilvy CS, Rordorf G. Subarachnoid hemorrhage grading scales. Uptodate. [internet]. 2014. Acesso em: 19 Mai 2015. Disponível em: http://www.uptodate.com/contents/subarachnoid-hemorrhage-grading-scales
8. Damiani D, Laudanna N, Barril C, Sanches R, Borelli NS, Damiani D. Encefalopatias: etiologia, fisiopatologia e manuseio clínico de algumas das principais formas de apresentação da doença. Rev Bras Clin Med. 2013;11(1):67-74.
9. Ministério da Saúde (BR). Secretaria de Atenção à Saúde. Departamento de Atenção Especializada. Cartilha para tratamento de emergência das queimaduras. Brasília; 2012.
10. Calil AM, Pimenta CAM. Importância da avaliação e padronização analgésica em serviços de emergência. Acta Paul Enferm 2010;23(1):53-9.
11. Alexander M. Infusion Nursing: Standards of Practice- Infusion-related complications. J Intraven Nurs 2000;23(6S):S56-S8.

12. Atallah NA, Valente M, Valente Orsine, Ferreira AM, Ferreira AM. Choque. In: Atualização terapêutica de Prado, Raos e Valle: urgências e emergências - 2014/15/Coordenação, Dario Birolini, Álvaro Nagib Atalah ; Preseidente da comissão editorial, Durval Rosa Borges. 2 ed. Reformulada e atual. São Paulo: Artes Médicas, 2014. p. 11-3.
13. Piegas LS, Feitosa G, Mattos LA, Nicolau JC, Rossi Neto JM, et al. Sociedade Brasileira de Cardiologia. IV Diretriz da Sociedade Brasileira de Cardiologia sobre tratamento do infarto agudo do miocárdio com supradesnível do segmento ST. Arq Bras Cardiol. 2009;93(6 supl.2):e179--e264.
14. Paranhos WY, Santos VLCG. Avaliação de risco para úlceras de pressão por meio da Escala de Braden, na língua portuguesa. Rev Esc Enf USP. 1999;33:191-206.

Índice Remissivo

E

P

S

V